総合商社の歴史

A History of General Trading Companies

編著 大森一宏
　　 大島久幸
　　 木山　実

関西学院大学出版会

総合商社の歴史

はしがき

　毎年発表される学生の就職希望企業の人気ランキングの調査を見ると、三井物産や三菱商事などの総合商社はいつもトップの位置にある。とりわけ男子学生に限っていえば、これら総合商社の人気は他の業界と比較してもダントツに高いようである。おそらく、海外に出かけていって、国運をも左右するような大きな事業に関与することは、今の若者にとっても魅力のある夢であり、総合商社はそれを可能にする職場として意識されているのであろう。長く日本の国際化を先導してきた総合商社は、よきにつけあしきにつけ、人々の注目を集める存在なのである。

　こうした総合商社の歴史に関する研究には、分厚い蓄積がある。総合商社は、外国に例をみない日本独自の組織であり、近代日本の貿易の発展要因を知るためにはもちろんのこと、日本的な組織やシステムの形成や特徴を考える上でも、きわめて重要な素材であると考えられてきたからであろう。とりわけ、戦前期日本の最大の総合商社であり、膨大な一次資料が残る三井物産については、詳細な実証研究が積み重ねられてきている。総合商社の歴史を通じて、日本的な経営システムの形成過程や、それがもつメリット、あるいはそれがかかえる問題点などを考える環境は、研究史の蓄積から見て、十分に整えられつつあるといってよい。

　とはいえ、総合商社がたどってきた起伏のある歴史的道のりを、近年の研究をふまえた上でその発生から現在まで追いかけた研究書やテキストは今のところ見あたらない。特定の時代の特定の商社を対象とした実証研究はもちろんたいへん貴重な事実を明らかにしてきたが、各商社による総合化の内容は時代によって異なるし、それがもつメリットや限界もそれぞれの時代の経済・経営環境によって大きく変化する。総合商社を通じて、日本的システムの特性などを探ろうとするならば、それぞれの時代環境の中で各企業が行った革新的ともいえる対応をバランスよく明らかにする必要があると思われる。そろそろ、従来行われてきた緻密で詳細な実証研究群

をふまえて、とりあえず三井や住友の経営が始まる近世から、平成不況の今日に至るまでの総合商社に関する歴史事実を、手際よくまとめた成果が出てもよい時期なのかもしれない。

　著者たちは、本書において、まさにそれを試みた。総合商社の歴史を、現代からその前史にまで遡って確認し、各時代における商社の活動内容の特徴を、長い歴史的スパンの中に位置づけるための基礎的作業を行ったのである。もっとも本書の目的は、必ずしも統一した歴史観に基づいた総合商社の通史を書くことにあるのではない。それぞれの時代を代表する総合商社の活動内容を、興味深いエピソードも交えつつ紹介し、多くの読者にこのユニークな組織の実態を知る手がかりを提供できれば十分であると考えている。本書の中で取り上げられた多様な事実を各自の歴史観にしたがって整理しなおし、そこからさらに日本的なシステムの特性などの解明にいたる作業は、本書を通読した次の段階の課題として、読者に委ねたい。また著者たちも、当然今後の研究を通じて、そうした課題に取り組んでいくことになる。

　本書が総合商社の歴史、ならびに日本の貿易史・流通史研究の向上にいささかなりとも貢献できれば望外の喜びである。なお本書刊行に際し、関西学院大学出版会の田中直哉氏、浅香雅代氏には多大なご尽力を賜った。両氏に厚くお礼申し上げたい。

　　　2011年7月

　　　　　　　　　　　　　　　　　　　　　　　　大森　一宏

※　第五刷刊行に際し、第8章を中心に追記しました。
　　2018年7月

※　第六刷刊行に際し、第五刷の誤りを修正するとともに、人物コラム（米倉功）を追加し、さらに第8章の最後を加筆修正しました。
　　2025年4月

目　次

　　はしがき　　3

第1章　幕末開港
江戸時代から明治初年の貿易　　9

　　はじめに……9
　　1　「鎖国」時代の貿易……9
　　2　江戸時代末期の「開国」……14
　　3　開港期における貿易の担い手……22
　　　コラム：不平等条約下における外国商人の不正行為　34
　　　コラム：会社制度の起こり　36

第2章　明治前期
直輸出の開始と大商社の登場　　37

　　はじめに……37
　　1　商権回復運動……38
　　2　三井物産の登場……44
　　3　その他の繊維系商社……56
　　4　なぜ三井物産だけが総合化の道を歩んだのか……60
　　　補論1　なぜ日本に総合商社が発生したのか　65
　　　用語解説：絹糸と綿糸　69
　　　人物コラム：益田　孝　70

第3章　明治後期
総合商社としての三井物産の確立とその他の商社の活動　　73

　　はじめに……73
　　1　明治後期の商社の動向……73

2　三井物産の活動……76
　　3　三井物産以外の商社の活動……88
　　4　明治後期の商社における三井物産の位置づけ……94
　　　用語解説：　コミッション・ビジネスと見込商売　97
　　　人物コラム：　藤野 亀之助　99

第4章　戦間期

商社ブームと破綻　　　　　　　　　　　　　　　　　101

　　はじめに……101
　　1　第一次大戦期における商社新設ブーム……101
　　2　商社間競争の激化……103
　　3　商社ブームの破綻……107
　　4　両大戦間期における商社の破綻……111
　　5　財閥系商社の躍進……113
　　　コラム：　鶏卵と総合商社　122
　　　人物コラム：　金子 直吉　124
　　　人物コラム：　安川 雄之助　126

第5章　戦時期

戦時体制と総合商社　　　　　　　　　　　　　　　129

　　はじめに……129
　　1　戦時体制の構築と貿易の動向……130
　　2　戦時体制下の三井物産……134
　　3　三菱商事の事業拡大……145
　　4　専門商社の変容……153
　　　コラム：　戦争と商社マン　163

第6章　戦後期

戦後総合商社の再編　　　　　　　　　　　　　　　165

　　はじめに……165
　　1　商社の再編と関西系商社の躍進……165

2　企業集団の形成と商社……171
　　3　戦後の日中貿易……174
　　　コラム：　商社マンと英会話　　176
　　　人物コラム：　岩崎 小弥太　　178

第7章　高度経済成長期

9　大商社の形成と活動　　181

　　はじめに……181
　　1　経済成長への貢献（1955-64年）……181
　　2　「豊かさ」の実現（1965-73年）……187
　　3　「冬の時代」の商社（1974-84年）……195
　　4　バブルの時代（1985-89年）……200
　　　用語解説：　財閥と企業集団　　207
　　　コラム：　シーメンス事件とロッキード事件　　209
　　　人物コラム：　米倉 功　　211

第8章　平成不況期

商社「冬の時代」の再来と「夏の時代」への転換　　213

　　はじめに——バブル崩壊と平成不況の到来……213
　　1　「商社・冬の時代」の再来……214
　　2　「商社・夏の時代」へ……219
　　3　総合商社と中国ビジネス……224
　　4　豊田通商の躍進……227
　　5　資源価格の低落と伊藤忠商事……229
　　　補論2　豊田通商発展略史　　235

　　あとがき　　239
　　事項索引　　241
　　人名索引　　248

執筆担当［章］一覧（50音順・＊は編著）

＊大島 久幸　　第4章
　　　　　　　　第6章

＊大森 一宏　　はしがき
　　　　　　　　第7章
　　　　　　　　索　引

　岡部 桂史　　第5章

　加藤 慶一郎　第1章

＊木山　実　　　第8章
　　　　　　　　補論2
　　　　　　　　あとがき

　長廣 利崇　　第3章

　藤田 幸敏　　第2章
　　　　　　　　補論1

※用語解説、コラム、人物コラムは文末に執筆者名を記載。

第1章　幕末開港

江戸時代から明治初年の貿易

はじめに

　1858（安政5）年、江戸幕府はアメリカ・オランダ・ロシア・イギリス・フランスと相次いで通商条約を結び、その翌年から横浜・長崎・箱館の3港で貿易が始められた。それまではいわゆる「鎖国」政策がとられていたのだが、この通商条約により日本の外国貿易は大きく変わることになった。

　この章では1859年の横浜・長崎・箱館における貿易開始から1871（明治4）年の廃藩置県までの時期を中心に取り上げる。特に貿易を担った「商社」についてその成り立ちや活動の具体的内容、組織の特徴について述べる。

　以下では、まず開港以前の時期、いわゆる「鎖国」の時代について触れた後に、開港以前の江戸時代の貿易と商社について説明し、最後に開港以後の貿易と商社について、外国商社と共に取り上げることにしたい。

1　「鎖国」時代の貿易

(1)「鎖国」とは

　江戸時代は鎖国の時代といわれることがある。一般に江戸時代を表現するキーワードを考えたとき、この鎖国という言葉を思い浮かべる人は少なくないであろう。そして15世紀に始まる大航海時代を迎え、アジア進出を果たしたヨーロッパ勢力との出会いと、その後に生まれた日本との対立

を連想する人が多いのではないだろうか。実際、江戸幕府はキリスト教と海外への渡航を禁止し、さらに貿易に大幅な統制を加えた。こうした政策を日本特有のものととらえ、「鎖国」が日本にとってどのような利益と損失を与えたのか、という問題が明治以降、しばしば人々の関心を集めた。

しかし、近年では、江戸時代の対外関係を考える視座に変化が生じてきた。つまり、単に日本とヨーロッパとの関係に問題を限定するのではなく、東アジア世界を視野に入れて日本の対外関係を考えることの必要性が主張されるようになってきた。

その中で当時の日本の国際関係は、長崎以外の他のルートも含めて「四つの口」論ともいうべき見解として主張されることになった。これはすなわち、日本列島と海外の結びつきを考えるに当たって、従来のように長崎ばかりに関心を集中させるのではなく、

1. 長崎―オランダ・中国
2. 対馬―朝鮮
3. 薩摩―琉球
4. 松前―アイヌ

という四つの経路を考慮しようとするものである。

このように「鎖国」(すなわち国を鎖す) という言葉は実態を正確に表現しておらず、ある意味で「間違い」なのである。そもそも「鎖国」という言葉は日独合作といってもよい言葉なのである。この点については大島明秀氏の精緻な研究において明らかにされているので、ここではそれによって説明することにしよう [大島 2009、65-90 頁]。

その発端はケンペル (Engelbert Kaempfer) というドイツ人が 17 世紀に著した書物にある。ケンペルは長崎の出島にあったオランダ商館の医師として 1690-92 年に日本に滞在し、その間、長崎の日本人で通訳業務の他に外交・貿易などの事務に従事する通詞の手助けや自らの調査により日本情報の収集に努めた。ヨーロッパに帰ったケンペルが 1716 年に死去した後、残された原稿を元に英語版の *The History of Japan* が刊行された (1727 年)。類書が無かったこともあり、同書は 18 世紀のヨーロッパ人の日本に対する見方に大きく影響した。たとえば、哲学者のカントやヴォル

テールも同書を引用しており、またドニ・ディドロ編纂による史上初の百科全書における日本関係の項目はほぼ全てケンペルの著書に基づいて執筆された。そして 18 世紀後半以降、そのオランダ語版が日本へ輸入されるようになった。

　他方、同書は長崎の通詞志筑忠雄によって翻訳され、1801（享和元）年に刊行の運びとなった。したがって、英語版が出てから 70 年以上後の事になる。

　志筑は病気がちであったため若くして退職し、家に閉じこもってオランダの書物翻訳に明け暮れる中でケンペルの *The History of Japan* のオランダ語版 *De beschryving von Japan* を手に取ることになったのだった。当時、幕府に対し通商を求めて来ていたロシアへの警戒心が高まる中で、彼は外国に対する不安や恐怖をやわらげるため、その核になる章を選んで訳出することにした。もともとその章には「今の日本人が全国を鎖して、国民に外国の人と通商させないのは利益があるためかどうかに関しての議論」という趣旨の長い題がついていたため、志筑はこれに「鎖国論」という題を付け加えたのだった。

　「鎖国論」の内容は四つにまとめることができる。

①（ヨーロッパから見て）東の外れに位置する日本の周辺の海は荒れがちで、水深が浅い港には岩石が多いため、容易に近づけない。
②日本は金や銀などの鉱物、米や柿などの作物のほか、海産物や絹も豊富なため、国内の交易で十分生活が立つ。
③日本は産物が豊かであるだけでなく、金銀細工や絹織物、清酒といった工産物や、儒教や鍼灸など独自の進んだ文明をもっている。
④日本人は勇猛かつ勤勉であり、さらに忍耐力とともに、キリスト教徒以上に独自の神仏を尊重する心ももっている。また法を守り、礼儀を大事にする優れた民族である。

　ケンペルの目から見たとき、日本はこのように地理的、経済的、文化的な条件に恵まれているのであり、外国と通商通交を「鎖す」のは妥当な事

に思えたのである。

　つまり、この言葉が使われた当初は、日本の優秀性を説くという文脈があったのである。しかし、幕末になるとそれは一変し、非文明、未開、野蛮といった意味合いで漠然と使用されるようになった。その後、1890年代に入り、過去の江戸時代の政策が議論される中で、鎖国が日本にとって利益であったか、損失であったかという「鎖国得失論」が展開されるようになった。さらに、この鎖国という言葉は第二次世界大戦後においても日本人のアイデンティティと関わる表現として根強く残ることになったのである。

　このように「鎖国」という表現は分かりやすい反面で、やや誤解を招くものなのである。そもそも「黒船」とは1853（嘉永6）年にペリー提督に率いられて日本に来航した艦船だけに与えられた呼称ではなく、室町時代末期から来航した欧米諸国からの艦船を指す呼称である。その後の江戸時代の日本列島においても、実際には相当程度の海外交流があったのであり、それが幕末の「開港」以後の、本格的な貿易の開始の前提となった点には注意が必要である。

(2) 貿易の実態

主な輸出入品

　先に述べた通り、江戸時代の「貿易」は「四つの口」、すなわち長崎、松前、薩摩、対馬を通じて行われていた。

　長崎では中国船とオランダ船が定期的に来航していた。松前では北方のアイヌとの間で海産物が取引されていた。薩摩（現鹿児島県）には琉球（現沖縄県）を介して中国の物品が輸入された。対馬には中国産の生糸・絹織物、薬用植物である朝鮮人参が輸入された。その中でもっとも規模が大きかったのが長崎での貿易であった。

　長崎貿易の輸出品で重要なのは金・銀・銅・俵物だった。

　1640年ごろまで日本は金の輸入国であったが、その後、1660年代に入ると金の輸出国へ転じた。そしてその金は主としてインドや南洋方面へ流れていった。銀の輸出は1610年代から行われていたが、17世紀末になる

と国内の産出量の減少にともない激減した。銅輸出についてはオランダ船が積極的だったが、17世紀末になると伸張する中国船がオランダ船に肉薄し、終に凌駕するにいたった。通常、「俵物」といえば、干鮑や鱶鰭、腸を取ったナマコを茹でて干した高級食材の煎海鼠の3品のことで、これを中国人は上海・寧波・南京あたりで売っていた。

輸入品として生糸・織物・薬品・砂糖が重要であった。

生糸は見返りになるはずの銅の輸出が不振だったこともあり、減少傾向にあった。織物のうち、綿織物は江戸時代中期以降に国内での生産がさかんになるが、それでも輸入が途絶えることは無かった。絹織物は品質の優秀さと銘柄の多様さで最後まで人気を保った。薬品の中でもっとも人気が一般的であったのは人参であった。砂糖も船を安定させる底荷として最適であったこともあり大量に輸入された［山脇1964、210-246頁］。

ではどのような貿易商がこれらの商品を扱ったのだろうか。ただし、鎖国下では海外に出て仕入れや販売を行うことはできなかったため、いずれも外国人商人がもたらした商品を国内で購入・販売するにとどまっていた点には注意が必要である。

ここでは明治以降においても日本を代表する商人となる、銅の輸出を担った住友（屋号：泉屋）、織物の輸入に携わった三井（越後屋）をとりあげよう。

住友による輸出用銅の生産

住友家は16世紀末には京都で薬種商と書籍商を兼営していた。その後、17世紀初頭に先進的な銅の精錬方法を習得して大阪に移転した。当時、大阪では輸出用の銅の精錬が行なわれており、住友も長崎で外国商人と盛んに取引を行っていた。

その後、「鎖国」政策が実施されるが、住友は同業者十数名とともに幕府から銅輸出を認められた。しかし、17世紀末以降、幕府は貿易統制を強める中で、貿易決済用の銅についても生産・流通の統制を推し進めていった。こうした動向の中で、全国有数の銅山である別子銅山を経営する住友も幕府の産銅政策と密接な関係を持つようになり、住友の産銅は幕府

が事実上、買い上げる形態を取るようになった。幕府はその見返りとして、住友に対して銅山で働く労働者向けの飯米を安価で販売していた。しかし、別子銅山の産銅量は17世紀末にピークを迎えており、その後は低下の一途をたどることになった［住友1991、97-101頁］。

三井による輸入品取り扱い

　三井家は江戸時代初期に伊勢松坂（現三重県松阪市）から京都・江戸に進出した商人である。17世紀末までに京都・江戸・大阪という、いわゆる三都で絹織物を売る呉服業および融資や送金業務を行う金融業に携わるようになった。経営の規模はその後順調に拡大し、合計で15の店舗を9家の同族で管理運営にあたる体制を築いた。

　三井も17世紀末にすでに「貿易」担当部署に人員を配置し、輸入商品の調達は長崎から行っていた。その多くは反物と荒物が占めていた。

　反物とは織物のことで、中国で生産されたものと思われる。三井による反物の年間売上は約2万両に達することもあった。

　荒物とは砂糖、蘇木（そぼく）、錫、水銀、象牙（ぞうげ）、胡椒（こしょう）などのことで、年間売上は6万両近くに達することもあった。なお、18世紀においてはまだ十分国産化が進んでいなかった砂糖が占める比率が高かった［三井文庫1980a、461-464頁］。

2　江戸時代末期の「開国」

(1) 変動期の商人たち

　日本の貿易体制が「鎖国」から「開国」に変更されることによって、国際貿易という大きなビジネスチャンスが到来した。しかし、社会の変動期でもあったため、住友など旧来の商人の中には貿易へ進出する余裕のない者がいたし、岩崎弥太郎や伊藤忠兵衛など新興の商人の中には充分な力がまだ備わっていない者が少なくなかった。

住友

　住友はこの時期、存亡の危機にあり、貿易業に進出する余力は無かった。

　根本的な原因は、別子銅山が経営開始から100年以上が経過する中、深化した坑道からの鉱石搬出と作業用物資搬入が困難となり、また坑道から水が湧き出したため、コストアップが生じたことにあった。老山となった別子銅山を持て余し、1840年代には休山を検討する程であった［住友 1991、241・246頁］。

　その後も経営状況は改善せず、明治初年には財産は減少する一方、負債は年々増加するばかりであった。そのため、わ

広瀬宰平
『半世物語』住友修史室（1982、口絵）

ずかな資金を借り入れることもできなかった。この時、外部より別子銅山売却の話が持ち込まれたことがあった。大勢は売却論に傾いたが、当時首脳陣の一人であった広瀬宰平がこの企画が無謀であることを見抜き、「血涙を灌ぎて争議（血の涙を流して議論）」し、売却論を撤回させた。これがなければ、別子銅山は負債の返済のために売却され、住友家は残りの財産で細々と維持されるにとどまったかも知れない［住友修史室 1982、18頁］。

　同家は江戸時代には幕府に、明治維新直後は明治政府に銅を納入する業務が主であった。国内の貿易業者向け販売を始めるのは1870（明治3）年のことになる［住友 1991、315頁］。その後、先の広瀬宰平の采配の下、洋式技術の導入により別子銅山の近代化を図り、業容は拡大していくことになる。

三菱

　後年、三菱の創業者となる岩崎弥太郎は、まず土佐藩の藩営商業に下級役人として貿易に関わりをもつことになった。1866（慶応2）年のことで

ある。イギリスのグラバー商会などを取引相手に、土佐の産物である紙・樟脳を輸出し、汽船や大砲を輸入していた。

なお、岩崎家は正規の武士ではない、地下浪人という身分であったが、一族に知識階層が多く、弥太郎自身も秀才であり、若いころに江戸遊学の経験を持っていた。廃藩置県により土佐藩が解体された1871（明治4）年においても、旧来の組織を民間の海運企業として継承した程度にとどまっていた［三島 1981、20-24頁］。

岩崎弥太郎

その後、1873年にようやく三菱商会と名乗るようになり、船舶の払下げなど政府の手厚い保護を受けることで飛躍的な発展を実現した。1877年ごろには60隻を越える汽船を所有し、日本海運界の王座につくことになった。それは国内のライバル海運企業と共に、外国海運企業を打破する過程であった。さらに倉庫業や海上保険業などの海運付帯事業も兼営したため、三菱の海運独占に対する社会的批判を招くことになった。

1880年代に入ると景気が悪化するにともない、各地で荷動きの減少、運賃の低下が生じた。同時に、三菱より劣った海運サービスしか提供できない小蒸気船や風帆船をもつ海運業者も低運賃を武器に対抗できる状況が生まれた。こうした状況下の1882年、三井などの反三菱勢力により共同運輸会社が設立され、三菱はさらに窮地に陥り、ついに1885年に政府の調停がなされ、三菱の海運事業は共同運輸会社と共に日本郵船会社として再出発することになった。三菱は海運部門を失ったのである。以後、三菱は残された鉱山や造船所を基礎にして再建を図っていくことになる［関口・武田 2010、47-48頁］。

伊藤 忠 兵衛
<small>い とうちゆう べ え</small>

　丸紅、伊藤忠商事の基礎を作ることになる伊藤忠兵衛は、1842（天保13）年、近江国（現滋賀県）に生まれ、17歳の時に初めて麻布の出張卸売販売（「持下り」）を始め、山城<small>もちくだ</small>国（現、京都府）のほか、長崎へ足を伸ばした。その後も物価の激しい変動や同業者の妨害に遭う中、綿織物や呉服の取り扱いも行い、発展に努めていた。しかし明治初年段階では、1872（明治5）年にようやく大阪に進出し、借家で呉服太物商を開業したに過ぎなかった［丸紅 1977、3-12 頁］。

初代伊藤忠兵衛肖像
『丸紅前史』丸紅株式会社（1977、4 頁）

(2)「居 留 地貿易」の始まり
<small>きよりゆう ち</small>

　1859 年の「開港」により、それまで「四つの口」を通して東アジア世界と関係をもっていた国内市場は、自由度を増した形で開かれた三つの港（箱館・横浜・長崎）を介して世界市場と本格的に結ばれることになった。兵庫・新潟もその後に開港されたが、先行した港の中でも横浜が輸出入価額では突出し、足並みは揃ってはいなかった。

　さらに、アメリカを始めとする条約締結国の外国人商人は国内を自由に通行できたわけではない。彼らに借地・居住・営業が許されるのは、開港場内の一定地域のみであった。その範囲を一般に「居留地」という。すなわち、この区域内においてのみ彼らは土地を借り、建物を購入し、住宅倉庫を建築することが許されていたのである。なお江戸・大坂は「開市場」に指定され、市街地だけが開かれた。つまり、ここでは「逗留」のみが許され、建物を借りることしかできなかった［大山 1967、3 頁］。

　外国人と日本人の接触を抑え、外国人を監視するため、例えば横浜の居留地には出入り口に関門が設けられていた。そのことから、横浜の居留地のあたりは「関内」と呼ばれるようになった（横浜には横浜（関内）と山<small>かんない</small>

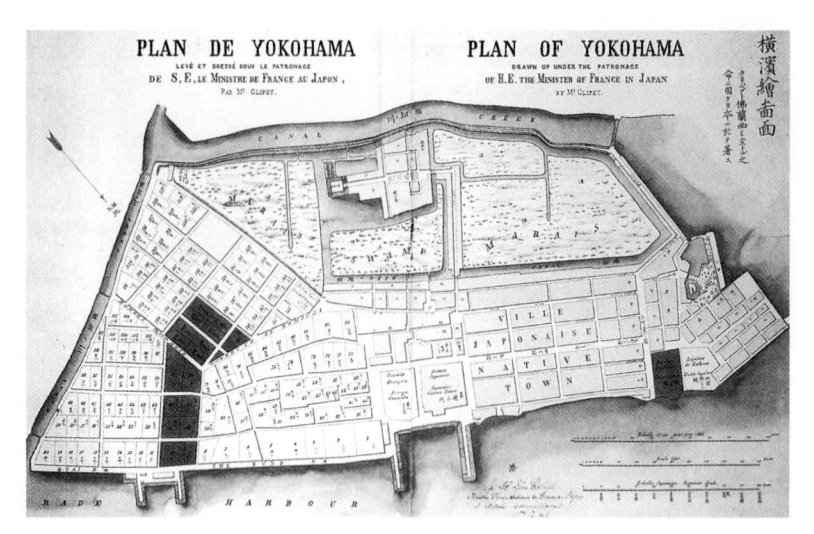

「横浜絵図画」1865年

手の二つの居留地があった［神木・崎山 1993、75頁］)。関内は周辺を海と川に囲まれていたから、一種の出島のようであった。現在のJR根岸線関内駅を中心として駅から港にかけての一帯である。居留地は外国人商人と日本人商人の経済活動の接点であると共に、西欧文化の流入口として特異な位置を占めた。居留地の設立時期はそれぞれ若干異なり、また居留地は上記5港のほか東京と大阪にも設けられたが、1899年、不平等条約の改正にともない、こうした変則的な制度も廃止された。

　当時の貿易はいわゆる居留地貿易であった。たとえば生糸を輸出する場合であれば、日本国内の生産地から横浜にもたらされた生糸は、売込商と呼ばれる日本人商人が外国商館に売り込むのである。生糸が外国商館に売り込まれたあとの流通、つまり横浜での船積みや海外市場での販売などは外国人商人が担った。一方、外国製の綿糸を日本に輸入する場合は、外国から横浜にもたらされた綿糸はいったん外国商館に荷揚げされ、引取商と呼ばれる日本人商人が、その綿糸を買い取って日本国内で売り捌いたのである。つまり、売込商や引取商と呼ばれる日本人商人たちは、あくまで居留地の外国人商人（商館）を介して輸出入を行うにとどまっていた。

このような居留地貿易が成立したのは、日本人商人に資金や経験がまだ不足していたためであり、それ故に時によっては正当な理由もなしに契約を破棄されることもあった。他方で、外国人商人の活動が居留地内に限られたことは、彼らの国内市場への進出を防ぎ、日本経済の独立性を保つ効果を発揮した点で大きな意味があった。もちろん、外国人商人もそれなりの対策を講じており、例えば買い付け資金を与えられた日本人商人が仕入れのため産地に派遣されたが、多くが彼らの期待に沿うような活動ができず、莫大な損害を与えることになった。こうした意味においても国内市場は外国人商人の進出から守られたのであった［石井1984、20-48頁］。

(3) 織物・生糸中心の貿易構造

このように外国人商人の進出には一定の歯止めがかけられたとはいえ、貿易制度の変革・自由化により貿易構造は大きく変化することになった。

輸入の状況を示した表1-1によると、価額はほぼ増加傾向にあったことが分かる。

そして、その内訳を見ると、綿織物を始めとする繊維製品が大半を占めるが、艦船と金属という軍事に関連する商品の比率が高い時期もあったことが確認できる。

輸出の状況を示した表1-2によると、価額の動きが輸入とは少し違っ

表1-1 幕末の主要輸入品（価額の構成比（％）と合計）

年度	綿織物	毛織物	綿糸	艦船	金属	計(千ドル)
1860	53	40	–	–	1	945
61	46	27	5	1	9	1,494
62	19	18	4	16	39	3,074
63	16	28	–	12	22	3,701
64	31	29	14	2	10	5,553
65	38	44	7	2	3	13,153
66	–	–	–	–	–	–
67	25	22	9	3	1	14,908

出所）三和・原（2007、47頁）。

表 1-2　幕末の主要輸出品（価額構成比（%）と合計）

年度	生糸	蚕種	茶	計（千ドル）
1860	66	–	8	3,954
61	68	–	17	2,682
62	86	–	9	6,305
63	84	–	5	10,554
64	68	2	5	8,997
65	84	4	10	17,467
66	–	–	–	
67	54	23	17	9,708

出所）　表1-1と同じ。

ており、多少の変動が見られる。その内訳も生糸・蚕種・茶という一次産品やその加工品が並んでおり、二次産品ばかりであった輸入とは対照的である。輸出価額合計が不安定なのは、天候などの自然的条件に生産が左右されがちな一次産品が多いためかも知れない［杉山 1993、47-50 頁］。

　そして「開港」はこうした量的な変化だけでなく、質的な変化も引き起こした。すなわち国内産品のうち、世界レベルの競争力があるものには多くの買い手が付き、価格は非常に上がった。逆に競争力のないものは輸入品が日本市場に押し寄せて来たため価格は下がることになった。実際、輸入商品である綿糸や綿織物はわずか数年の間に全体として 2 割程度値下がりしたのに対し、輸出商品である生糸や茶は 1.6 倍程度値上がりした。いい換えれば、国際価格より低い商品は価格が上昇し、高いものは低下することになったのである。こうした商品価格の相互関係の変化は、生産・流通構造に大きな変動をもたらすことになった。

　開港の影響は商品流通にとどまらなかった。同時期において、大量の金貨の海外流出が発生していたのである。その原因は二つあった。

　ひとつは金銀交換比率の海外との格差である。金属貨幣の発行を管理していた幕府は、これら金貨と銀貨の間に公式の交換比率を定めていたが、その比率が海外よりも金安に偏っていた。もっとも、江戸時代の前期のうちはまだ海外と大差は無かったのであるが、その後、何度も貨幣の再発行

を繰り返すうちに海外の交換比率との間にズレが生じてしまったのである。それは高純度・高重量の貨幣を回収して低純度・低重量の貨幣を発行すると差益が生まれるため、幕府としては財政難解消のためこれを繰り返さざるを得なかったのである。常に海外との取引が頻繁に行われていればこうした格差は自ずと修正されたはずであるが、「鎖国」下の日本ではこうした効果は発揮されないまま開港に至った。

　もうひとつは欧米諸国との貨幣の交換比率の問題である。当時は世界的に銀貨が貿易代金の支払いに使われていたので、開港の際にも銀貨どうしの交換比率がまず定められた。この時に日本の銀貨の価値が若干割安に評価されたのである。

　そうすると、海外から持ち込んだ銀貨でまず若干割安な日本銀貨を入手し、さらにその日本銀貨で割安な日本金貨を入手することができることになった。つまりいずれも定められた交換比率に従って、外国銀貨→（割安な）日本銀貨→（割安な）日本金貨と交換を重ねることで大きな差益が生まれたのである。「鎖国」時代の制度的矛盾に眼を付けた外国人商人が横浜に押し寄せ、貨幣取引に奔走し、大量の金が海外へ流出することになった。その後、幕府は急遽、新たな金貨を発行することで問題の解消を図った［三上 1989、111-117 頁］。

　こうした新たな商品流通の結節点となったのは横浜であった。以前とは異なりかなり自由度が高い貿易であったから、その量は膨大なものとなった。そして横浜から輸出される種々の商品は各地から直接横浜へ送られたから、従来あった江戸への商品廻着は急減した。そのため、江戸住民は思うように消費物資が手に入りにくくなり、生活に不自由を来たすようになった。それと共に、その地位を脅かされることになった伝統的な江戸商人たちは、在方商人たちと衝突することになったのである。

　こうした貿易の衝撃の大きさは、徳川政権が 1860 年に商品流通に直接介入する「五品江戸廻送令」を発したことからもうかがえる。すなわち、生糸を始めとする五つの重要商品については江戸を必ず経由するよう幕府が強制しなければならないほど、旧来の江戸商人への打撃が大きかったのである。だが、この廻送令はほとんど効果がなかったのである。

「樹上商易諸物引下図」(安藤広重画)
樹上の酒や茶を懸命に引き下ろす庶民を描き、幕末の物価高騰を風刺している

3 開港期における貿易の担い手

(1) 都市商人

　開港当初、自由化された貿易の先行きは不透明だったため、どちらかというと地方の商人が果敢に横浜に進出してくる場合が多かった。他方、三井のようにすでに成功を収めていた都市の大商人は保守的で、横浜進出にはさほど積極的ではなかった。しかし、幕府としては外商に対抗しうる都市大商人が必要と考え、横浜への出店を促した。

　こうして横浜には都市の大商人と冒険的な地方商人という性質を異にする商人が並存することになった。こうした状況について、明治期のジャーナリストの福地源一郎は「門閥の豪商」と「冒険的投機商」と表現している。

三井

　三井家は、1859 (安政6) 年の開港に先立ち、幕府の命令もあって横浜へ出店し、商業と金融業に従事した。絹織物の販売成績は余り良くはなかったようで、1862年には店舗の類焼を機に閉鎖した。生糸を売り込むという構想が無いではなかったが、結局実現しなかった。

「横浜異人商館売場之図」（五雲亭貞秀画）
開港当初、日本人と外国人が手まねで商談をしている様子

　他方で、江戸では1860年に貿易生糸の取り扱いに進出している。これは江戸に店舗を構え、入荷した生糸を横浜売込商人に売り渡して口銭を得るという商売であった。一時期売り上げは増加したが、1863年下期にいたって貿易生糸取扱は中止せざるを得なくなった。それは政治情勢が不安定化する中で、貿易品を扱う三井もそれに巻き込まれ、店頭や街角に「有用の諸品を外国人に売り渡すものには天誅を加える」と記された張り紙が何度もあったためである。

　他方の金融業では二つの事業を行った。一つは商品を担保にした融資で、横浜の売込商を対象としていた。当時の横浜商人は総じて弱体であったから、三井の貿易金融に対する貢献は小さくなかったと考えられる。もう一つは横浜での紙幣の発行である。当時はまだ日本銀行も設立されておらず、今日のように通貨が全国的に統合されていたわけではなかった。そのため日本において多数の通貨が流通していたが、横浜では外商が受け取ってくれる洋銀が不足していた。それを補うため10万両を引き換え用の資金として紙幣を発行したのであった。

　江戸幕府が倒れ、政権が明治政府に移行すると、今度は政府の要請により、「東京貿易商社」が1868年に組織された。これは東京の有力商人を糾合したもので、彼らからの出資金を商人らに貸し付けることで流通を統括

し、東京で外国商社に対抗することを目的としていた［三井文庫 1980、29-37 頁］。

このように三井の貿易関連事業のうち、生糸輸出は中絶し、金融業は商品取引そのものではなく、また「東京貿易商社」も設立の数年後には三井家への資金・人材面での関係は希薄となった［木山 2009、60 頁］。

三井が本格的に貿易事業に進出するのは 1876（明治 9）年の三井物産の設立による。その母体は二つあり、一つは高官として官界に復帰することになった井上馨がそれまで営んでいた先収会社である。同社の中心業務は米穀取引や陸軍省への輸入毛布の納入であった。もう一つは「三井組国産方」という三井の組織で、米・雑穀・魚肥を取り扱っていた。しかし、三井物産設立に際して、この両社からは資金を殆ど引き継いでおらず、単に業務を引き継いだに過ぎなかった。三井呉服店と三井物産との間には大きな断絶があったのである［粕谷 2002、81-87 頁］。

小野

小野の諸家は多くの優れた商人を輩出した近江地方（現滋賀県）出身で、京都や盛岡などに拠点を置いて活動した商人である。中国産生糸取引や両替業に進出し、明治維新後は三井・島田という当時の大商家と共に政府官金の出納事務を手広く請け負っていた。

小野組が生糸の売り込みを始めたのは明治維新後の 1870 年のことだった。後述する「冒険的投機商」たちに比べると、三井と同様に進出の時期はやや遅い。その取扱生糸の産地を見ると、陸奥国（現在の福島・宮城・岩手・青森の 4 県と秋田県の一部にあたる地域）・信濃国（現長野県）をあわせて約半分になる。産地での仕入れに際しては、為替方として業務上、預かった政府・県庁の官金を利用した。すなわち、まずはこれで地元の生糸仕入代金を支払い、商品は東京へ廻送した後に外商へ売り、その販売代金は政府や県庁の東京出張所へ納めたのである。

ほかに、小野の商業で特筆すべきは、生糸と蚕種の直輸出にいち早く取り掛かったことである。古河市兵衛（後年、古河財閥を築く）はこれらで辣腕を振るった［宮本 1967、166 頁］。

(2) 地方商人

甲州屋忠右衛門

　元は甲斐国（現山梨県）の豪農だった甲州屋忠右衛門が横浜出店の認可を江戸幕府から受けたのは、横浜の開港が実施された1859年のことだった。1862年頃に生糸の直仕入れに成功したことが契機となり、売込商として飛躍を遂げた。この時、郷土の豪農との共同事業、すなわち「乗り合い商内（あきない）」を行っていたと思われる。

　その全盛期は1868-69年ごろだった。当初は隣村を含めた地域の豪農たちによる共同出店の構想を持っており、忠右衛門らはその代表者として立つつもりだった。しかし実際の開店時にはそれぞれが別個の経営として設立されることになった。1865年には、生糸を生産するための原料である蚕の卵（蚕種（さんしゅ））が重要商品として登場していた。甲州屋が取引をこれに集中したのは、蚕種ブームに乗るためともいえる。その流通段階での価格差は大きく、50～100％の価格差利益を上げることができたと考えられている。

　その後、経営規模の拡大にともなって事業を多角化し、両替屋・質屋・宿屋を開いた。しかし、蚕種ブームが過ぎ去ると、経営が苦しくなった甲州屋は砂糖取引や洋服屋を始めるが、すぐに行き詰まってしまい、最終的には撤退せざるを得なかった。

　他方で、没落することなく経営を続けることができた商人もいた。後に横浜商界を支配する亀屋（原）、野沢屋（茂木）、吉村屋（吉田）幸兵衛らがそれであり、彼らは価格変化が大きい蚕種の売買から離れたり、手数料収入中心の取引へ移行したり、荷主への金融を始めている。こうした経営の展開の有無が明暗を分けた一因であるといえよう［石井孝1984、12-13頁］。

中居屋重兵衛（なかいやじゅうべえ）

　中居屋重兵衛は、1820（文政3）年、上野国（現群馬県）の村役人の家に生まれた。1839（天保10）年に生家を飛び出し、江戸へ向かった。行

き先は書店の和泉屋（牧野善兵衛）であった。その後、商人としての修練のほか、文人らとの交流や、オランダ語習得の機会を得た後、1849（嘉永2）年ごろに日本橋で独立開業を果たした。その頃の主な取扱商品は薬草類・絹・砂糖だったようである。他に火薬の研究と製造販売も行っていたらしく、こうした事業を通じて生まれた各藩とのつながりが貿易を始めるに当り役立った。

開港を目前に控えた頃、幕府の役人にその才覚を認められていた重兵衛は、各地の豪農・富商に混じって江戸幕府から横浜出店の要請を受けた。実際に貿易が始まると重兵衛は会津藩や和歌山藩の産品の輸出の依頼を受けた。1861（文久元）年の時点ですでにある外国人商人に「これほどの高貴なスタイルで暮らしている商人はほとんどいない。地位ある人や富のある人に、この商人ほど贅沢に囲まれている人は周りにはめったにいないということだ」といわしめる程だった。しかし、国内の絹織物産業を保護するため生糸輸出を制限していた江戸幕府の意向に反したため、重兵衛は投獄・財産没収の処分を受け、一気に失脚してしまった［荻原 1994、140-160 頁］。

(3) 日本「商社」

兵庫商社

横浜に続いて開港されたのが兵庫（現神戸市兵庫区）だった。なお、条約の条項や政治の場において「兵庫開港」と呼ばれていたが、実際に開港されたのは兵庫の東側にあった神戸村（現神戸市中央区）の海岸だった。これは旧来の港湾都市である兵庫は人家が多く、適当な土地を得ることが難しかったためと考えられる。とはいえ神戸村の人口も 2,000 人以上に上る、多数の廻船業者が所在した都市的な地域であった。

1867（慶応 3）年、幕府勘定奉行の小栗忠順からこの兵庫（神戸）港における商社設立計画が提案された。小栗が務める幕府勘定奉行とは今日の財務大臣に近い役割をもっており、また彼は海外渡航の経験があるほか、江戸町奉行の経験もあった。それゆえ提案に従って「兵庫商社」が設立されることになった。

ここでは商社という「会社」が想定されていたが、それは「複数の人から資金を集めて結成された、永続的な経営体のこと」という、素朴な意味においてである。そもそも兵庫商社は幕府主導で設立されており、決して大阪・兵庫商人らが自発的に立ち上げた会社ではない。さらに今日的な基準から見ると、会社としての要件をかなり欠いており、厳密な意味では「商社」とは言い難いものだった。

　幕府としてはこれまで長崎・横浜両港での外国貿易の経験から、日本人商人が資金や情報の面で外国人商人に劣っており、何らかの対処が必要であると考えていた。また兵庫開港にあたって必要な居留地建設費用を調達する必要があった。こうした課題をにらみつつ、外国の会社制度を参考にして、1867（慶応3）年の兵庫開港とほぼ同時に兵庫商社結成に踏み切ったのだった。それは同時に日本への「会社」制度の導入の試みでもあった。

　幕府は貿易を含めた流通統制の意味も込め、大阪や兵庫の豪商を集めて兵庫商社を組織させた。構成員には、三井家のほか、「天下の台所」大阪の有力町人である鴻池家や加島家らが入っていた。また、地元からは、その代表的商人北風家や、酒造業者の辰馬家（清酒「白鹿」醸造元）や嘉納家（清酒「菊正宗」醸造元）などが名を連ねていた。これは兵庫周辺には酒の大産地が多数あり、そこで多くの豪商が経営を展開していたことによる。

　実際の業務はそれぞれ豪商から派遣された従業員が当っていた。重要な業務の一つに、100万両を限度とした貿易商人への融資があった。融資に際しては商社自らが発行した紙幣を使用した。こうした方策は今日の感覚からすると理解しにくいが、幕府の金属貨幣（金貨・銀貨・銭貨）のほか、藩の紙幣（藩札）が並行して流通していた、当時の通貨事情に沿うものであった。幕府はこの兵庫商社に兵庫港の外国貿易をある程度統括させようとしていたのである。ただし兵庫商社の設立は徳川政府の倒壊とほぼ同時であったため、ほとんど活動実績を残さないまま消滅することになってしまった［柚木1998、199-212頁］。

商法会所

明治新政府は1868（明治元）年に商法会所という組織を設立した。これは仕組みの点で江戸時代の藩の産業政策に良く似たものであった。つまり自らの手で紙幣を発行し、それを生産者や商人に貸し付け、地域の生産・流通の発展を促すと共に集荷した地域の産物を大阪や江戸で販売する、という点で共通していたのである。

商法会所は大阪や東京に設立され、地元の豪商が動員されて国内流通を金融面で統括するための窓口となった。そして明治政府が発行した「太政官札（だじょうかんさつ）」という紙幣を貸し付ける実務を担当した。例えば、鴻池家や三井家が役員として名を連ねていた。

しかしながら、要となるべき太政官札に問題があったため、こうした商法会所は翌年には閉鎖されることになる。新生間もない明治政府に対する信頼が薄かったため、太政官札は地方まで十分行き渡らなかったのである〔新保 1968、10-13 頁；柚木 1998、225-239 頁〕。

通商会社

その後、1869（明治2）年に入り外国貿易の管理のため設立されたのが「通商会社」であった。これも方式としては兵庫商社と商法会所の流れに連なっており、江戸時代に自生的に発展した種々の共同企業から欧米的な企業へと橋渡しとなるような組織形態をもっていた。この通商会社は1869年5月の東京通商会社を皮切りに、京都・大阪・神戸など全国に8社設立された。これ自体は通商司という政府の役所の下にあり、運営に当たった商人もあくまでも要請されての参加であり、自発的意思に基づくものではなかった。そのため、さほど成果を挙げることなく、結局、1873（明治6）年ごろには活動休止に至っている。

海援隊

海援隊とは司馬遼太郎の作品『竜馬が行く』で知られる、坂本龍馬が設立した「商社」である。彼が1863（文久3）年に姉に送った手紙の「日本を今一度せんたくいたし申 候 事ニいたすべくとの神願ニて 候」（傍点：

筆者)との一節は、彼の気概の大きさを示すものとしてよく知られている。

海援隊は純粋の営利企業とはいえない面があるが、それがゆえに却って動乱の幕末期を良く表現しているように思われるので、ここで取り上げておくことにしよう。

彼はもともと長崎の亀山に拠点を構え、結社「亀山社中」を率いた。業務として、グラバー商会（後述）が輸入した艦船を、幕府の監視の目を掻い潜って薩摩藩の手に渡すなどしていた。その後、土佐藩の支援を受けることになり、1867年4月に海援隊として設立された。本来は討幕主義に基づいた諸国の脱藩浪士の政治的結社であるが、彼らの生活と活動の基盤を作るため商社活動を実施するに至ったのである。その「海援隊規約」には、運輸・射利・開拓・投機・土佐藩の応援が事業内容として記されている。そして隊員がもし過ちを犯したときは、隊長が当人の生死を決めることができるとも定められている。その一方で、隊員は政治・砲術・航海術・蒸気機関・外国語を各人の目標に従って励むべし、との項目も挙げられており、会社であり、学校でもあるというように、多様な機能・目的を備えた組織であったことが分かる。単に利益を上げるだけではなかったのである。

坂本龍馬は1867年11月15日に京都で暗殺された。明治維新のわずか1か月前のことであった。指導者を失った海援隊は、残された隊員に明治新政府に仕官するものがおり、また内部の統制を失い、結束も緩んだため、1868年閏5月（江戸時代は月の満ち欠けを考慮した暦を採用していたが、そうすると太陽の周期とずれが生じるため、19年間に7回の閏月を挿入して調整していた）に土佐藩家老等の手によって解散された［坂本1984、87-90頁；平尾1976、257-259頁；宮地2003、78頁］。

(4) 外国商社

表1-3に見られるように、1870（明治3）年の時点で日本には256の欧米系外国商会があった。その中で圧倒的に多いのがイギリスの商社であった。開港場別に見ると、開港が早かった横浜がやはり多いが、兵庫・大阪もかなり追い上げを見せていることが分かる。以下ではこれらの中からジャーディン・マセソン商会とグラバー商会を取り上げ、その概略を紹介

表1-3 欧米外国商会数（1870年）

国　籍	横浜	兵庫大阪	長崎	函館	新潟	東京	合計
イギリス	54	31	9	2	0	5	101
ドイツ	22	12	5	0	1	5	45
フランス	21	12	0	2	0	4	39
アメリカ	14	9	2	2	0	6	33
オランダ	3	9	5	0	1	4	22
その他	5	2	3	1	0	5	16
合　計	119	75	24	7	2	29	256

出所）　杉山（1993、32頁）。

することにしよう。いずれもイギリス系の商会である。

ジャーディン・マセソン商会

　ジャーディン・マセソン商会（Jardin, Matheson & Co.）は、1832年、イギリス東インド会社所属商船の医師ジャーディン（W. Jardine）と、私貿易業者マセソン（J. Matheson）によって設立された。デント商会（Dent & Co.）と中国へのアヘン貿易を二分し、アヘン戦争を背後で強力に推進するような存在であった。

　日本の開港当時は本拠を香港においていたが、日本への進出についてはかなり慎重な態度を示していた。しかし、1859（安政6）年7月から横浜・長崎・箱館で自由貿易が開始されることを知るや、早速準備に取り掛かり、日本への進出を果たした。

　ジャーディン・マセソン商会は、自らの所有船に積み込んで来た現金で輸出向けの生糸や茶を集荷した。代金支払いに際して手形を使用することは余り無かった。他方、輸入品としては、上質の綿布である金巾といった繊維品や砂糖、あるいは船舶を取り扱っていた。船舶は横浜・長崎両地で薩摩藩や長州藩に販売していた。また、先に述べたように開港後に日本から金貨が流出したが、ジャーディン・マセソン商会もこうした貨幣取引に手を染めていた。開港後の数年間はこのような取引が可能な巨大商社が全盛を極めた時期であった。

1866（慶応2）年に恐慌が起こると巨大商社は甚大な打撃を受けることになった。他方で、銀行・海運会社といった流通インフラが中小商社の進出を後押しすることになった。こうした状況の中でジャーディン・マセソン商会は多額の損失を出した。同商会は新たな試みとして、委託取引の比重を増しつつ、前橋への器械製糸場建設や産地での生糸買い付けの計画、佐賀藩の高島炭鉱へのグラバーを介する関係構築を実行に移していった［石井寛治1984、157-165頁］。

グラバー商会
　グラバー商会はスコットランド出身のグラバー（Thomas Blake Glover, 1838-99）が設立した商社である。
　グラバーの父親は沿岸警備隊に勤めていた。彼は18、9歳の頃に上海に渡り、そこでの短いイギリス商社勤務の後、1859（安政6）年に開港直後の長崎へやって来た。1861（文久元）年に独立するとともに、先のジャーディン・マセソン商会など大商会の長崎代理店を務めた。
　当初は当時の日本の主力輸出商品である茶を仕入れ、再製したのち輸出するという商売を行った。グラバーの再製場は一時1,000人の従業員が働いていたが、品質管理に問題があったために軌道には乗らなかった。また外国貨幣と日本貨幣の貨幣取引に携わり、長崎と横浜の相場の違いを利用しての商売を行っていた。しかし、こちらも思うように貨幣が手に入らなかったり、相場の変動が大きかったりして、余り利益は上がらなかった。
　グラバーが事業を大きく発展させたのは、1864（元治元）年以降、日本国内の政局が急速に展開し始めた頃からである。最盛期と思われる1866年には日本でも最大規模の外国商会であった。また、その活動は長崎にとどまらず、上海、横浜、兵庫、大阪に支店を設けた。
　1862年に幕府が諸藩に対し外国艦船の購入を許可して以降、日本は外国艦船の販売市場としてにぎわった。こうした中でグラバーは1864年以降、本格的に薩摩藩や熊本藩へ軍艦や武器類の売り込みや、各藩の依頼によってイギリスでの建造の仲介をするようになった。また、薩摩藩と長州藩の間の交易や、佐賀藩の高島炭鉱経営に関与し、単なる商業取引の枠を

越えた広範な活動を展開した。なお、この高島炭鉱は長崎の南西海上14.5キロにあり、18世紀初め頃から主に製塩用の石炭の採掘が始まり、開港時から欧米の商船や海軍から注目されていた。

しかし、ジャーディン・マセソン商会などからの融資を支えに経営的に背伸びを続けたため、土地、蒸気船、炭鉱、ドックへ資金が固定する中で、資金繰りが続かず1870年に倒産した。

その後もグラバーは長崎居留地での外国人自治会の指導的存在であり、ポルトガル領事を務めたこともあった。また高島炭鉱の支配人となったほか、今日のキリンビールにつながる「ジャパン・ブルワリーカンパニー」の取締役の一人でもあった［杉山伸也 1993、35-63・72-93・166-192・194-197頁］。

【参考文献】

石井寛治（1984）『近代日本とイギリス資本——ジャーディン＝マセソン商会を中心に』東京大学出版会。
石井孝編（1984）『横浜売込商　甲州屋文書』有隣堂。
入交好脩（1977）『幕末の特権商人と在郷商人』創文社。
大島明秀（2009）『人と文化の探求⑤「鎖国」という言説——ケンペル著・志筑忠雄訳『鎖国論』受容史』ミネルヴァ書房。
大山梓（1967）『旧条約下に於ける開市開港の研究』鳳書房。
粕谷誠（2002）『豪商の明治——三井家の家業再編過程の分析』名古屋大学出版会。
神木哲男・崎山昌廣（1993）『神戸居留地の3/4世紀——ハイカラな街のルーツ』神戸新聞総合出版センター。
木山実（2009）『近代日本と三井物産——総合商社の起源』ミネルヴァ書房。
坂本藤良（1984）『幕末維新の経済人——先見力・決断力・指導力』中央公論社。
桜井英治・中西聡編（2002）『新体系日本史12　流通経済史』山川出版社。
新保博（1968）『日本近代信用制度成立史論』有斐閣。
―――（1977）『近世の経済発展と物価——前工業化社会への数量的接近』東洋経済新報社。
杉山伸也(1993)『明治維新とイギリス商人——トマス・グラバーの生涯』岩波書店。
住友金属鉱山株式会社住友別子鉱山史編集委員会編（1991）『住友別子鉱山史［上巻］』住友金属鉱山株式会社。

住友修史室編纂・発行（1982）『半世物語』。
関口かをり・武田晴人（2010）「郵便汽船三菱会社と共同運輸会社の『競争』実態について」『三菱史料館論集』第11号。
西川武臣（1993）『江戸内湾の湊と流通』岩田書院。
―――（1997）『幕末明治の国際市場と日本』雄山閣出版。
日本経営史研究所（1978）『稿本三井物産株式会社100年史』上巻。
野田一夫（1966）『日本会社史　明治篇』文藝春秋。
萩原進（1994）『新版　炎の生糸商中居屋重兵衛』有隣堂。
萩原延壽（1999）『遠い崖――アーネスト・サトウ日記抄4』朝日新聞社。
平尾道雄（1976）『坂本龍馬海援隊始末記』中央公論社。
丸紅株式会社社史編纂室編（1977）『丸紅前史』。
三上隆三（1989）『円の誕生　近代貨幣制度の成立　増補版』東洋経済新報社。
三島康雄編（1981）『日本財閥経営史　三菱財閥』日本経済新聞社。
三井文庫編（1980a）『三井事業史』本篇第一巻。
―――（1980b）『三井事業史』本篇第二巻。
宮地佐一郎（2003）『龍馬の手紙　坂本龍馬全書簡集・関係文書・詠草』講談社。
宮本又次（1960）『大阪商人太平記　明治新篇』創元社。
―――（1967）『小野組の研究　第三巻』大原新生社。
三和良一・原朗編（2007）『近代日本経済史要覧』東京大学出版会。
安岡重明・天野雅敏編（1995）『日本経営史1　近世的経営の展開』岩波書店。
山脇悌二郎（1964）『長崎の唐人貿易』吉川弘文館。
柚木学（1998）『酒造経済史の研究』有斐閣。

コラム

不平等条約下における外国商人の不正行為

　1858（安政5）年7月に結ばれた日米修好通商条約に続き、イギリス、フランスなどと幕府が結んだ条約においても、関税自主権がなく、領事裁判権、最恵国条項を諸外国に認められることになった。明治政府によっても引き継がれたこれら不平等条約の下で、わが国に滞在していた外国商人の中には不正を働く者もいた。

　当時、大阪に居留していたシュミットスパーン（Schmidt & Spahn）商会は、様々な品物を輸出入し、貨物輸送の業務を行うなど活躍していたが、それと同時に、日本の人夫へ対する賃金未払い、銃の発砲や暴行、見本とは異なる商品を売りつけるなど、多数の紛争や事件を起こしていたことでも知られている。

　このシュミットスパーン商会が起こした事件の一つが、1869（明治2）年3月からおよそ半年間にわたる、日本とフランス領事との遣り取りの中で記録されている。

　日本側の訴えによると、同商会の船が、商品を輸送した際に提出しなければならない書類を紛失してしまったため、規則に従って、その3分の2を税金として取り立てる必要があると同商会に告げたが、商会側がこれを不服とし、規則そのものを無用だと申し立てて、税金を支払おうとしなかった。

　この申し出を受けて、フランス領事は、書類を紛失したからといって、日本が税金を取り立てて利益を得るというのは納得できないとして、税金を納めさせる代りに、期日を延期して欲しいと申し出ている。しかし、日本側はこれを断り、再三に渡って、同商会に税金を支払わせるよう求めたので、フランス領事は同商会を裁いたが、商会側はそれを承諾しなかった。そのため、フランス領事は、今後、同商会を支配することも護ることもせず、シュミットスパーン商会に関わる事件を、今後一切取り扱わない、と日本側へ伝えている。

　その後、他国の領事も同商会の引き受けに難色を示しており、各国領事へ向けて、同商会へ商売の差し止めを考えている、と告げたのを最後に記録が途切れていて、最終的に事件が解決したのかどうかは、不明である。

　史料は、不平等条約下において、外国領事に護られながら身勝手に振る舞う外国商人らが存在し、我が国が、その対応に苦慮していたことを伝えている。

（高田　倫子）

参考史料

「スミッスパン天保銭一件書」(神戸大学付属図書館所蔵・神戸開港文書／番号F1-1202/治安・警察・裁判・訴訟・裁判)。

石井孝(1987)『幕末開港期経済史の研究』有隣堂。

「石川生糸店」
横浜本町5丁目の生糸店の店頭から軽子が
「異人」の指示に従い荷物を運び出そうとしている

コラム 会社制度の起こり

　会社の利点は、多数の出資者から資金を集めることで、個人では不可能な規模の事業を行えることである。会社に資金を提供する出資者にとっての利点は、もしも事業が失敗して負債が発生しても、出資者は出資金を失うだけで、それ以上の責任を追及されないことである。そのため出資者は自分が十分監視することができないほど多数の会社にも、自分の資金を投資することができるのである。

　江戸時代から共同企業が無かったわけではない。たとえば三井家は同族の9家が本部組織を作り、各家が担当する店舗を決め、合同して経営に当たっていた。また小野家も良く似た制度を採用していた。しかし、これらは同族の資産を分散・小規模化させずに家内にとどめておくことを主目的としたものであり、事業の拡大といった積極的な意味合いは薄かった。さらに「出資者は出資金額以上の責任は負わない」という点に関しても、法律的な裏づけは無く、ひとつの慣行として位置づけられるものであった。

　明治に入り、西洋の会社制度の導入が意識されるようになる。それはたとえば『会社弁』といった会社制度を紹介した出版物が大蔵省から刊行された事実からもうかがえる。しかし、当初から官民から共に十分理解され、経済界に定着していたわけではなかった。そこまで到達するにはある程度の時間が必要であった。

　会社設立の出願は1872（明治5）年ごろから増えだし、さまざまな会社が設立された。それらの中には、翻訳会社、干鰯（魚肥のこと）会社、大工職業会社、俳優取締会社、育児会社など、やや泡沫の気配があるものも含まれていた。しかし、同時にこれらの存在からは新時代の旺盛かつ自由豁達な企業家精神をうかがうこともできる。

（加藤　慶一郎）

参考文献

高村直助（1996）『会社の誕生』吉川弘文館。
宮本又郎（2009）「市場と企業」宮本又郎・粕谷誠編『講座・日本経営史　第1巻　経営史・江戸の経験——1600〜1882』ミネルヴァ書房。

第2章　明治前期

直輸出の開始と大商社の登場

はじめに

　「開港」によって新たに始まった海外貿易は、外国人居留地の商館による居留地貿易が中心であった。しかしながら、居留地貿易においては、国内商人が不利な商売を押しつけられる状況、日本の国益的観点からは好ましくない状況などがしばしばみられ、民間においては商権回復運動が台頭し、明治政府も日本商人による外国貿易奨励の必要性を次第に認識するようになっていった。

　こうした状況の中、先駆的な直輸出商社が出現することとなる。しかし、これら直輸出商社は必ずしも大商社に発展するものではなく、早期に破綻するもの、専門商社としての道を歩み始めるもの、貿易業から業態を変えるものなど、その発展経路はさまざまであった。

　三井物産は、明治初期に登場した先駆的直輸出商社の中で、明治初期という段階から総合商社への道を歩み始め、早期に総合商社へ発展することのできた唯一の貿易商社であったといってよいだろう。とすれば、多くの直輸出商社にあって、三井物産のみが総合商社への道を歩み始めた理由は何であったのだろうか。あるいは、その他の商社が破綻し、または総合商社への道を断念し、それぞれの道を歩み始めた理由は何であったのだろうか。

　ところで、貿易業の発展が、その国の産業構造と無関係でないことはいうまでもない。明治初期の貿易商社の動向を論じるのに、明治初期の産業と関連付けて論じなければ、総合化の理由も論じることはできないだろう。そこで本章では、先駆的直輸出商社の動向に加え、日本にとって最

も重要な産業であった繊維産業との関連性、三井物産総合商社化の動向も追ってくこととする。

1　商権回復運動

(1) 連合生糸荷預所事件とその背景

　江戸末期、開港直後の海外貿易は、開港地の外国商館を相手に取り引きを行う、いわゆる居留地貿易によるものであった。しかしながら、こうした貿易は、外国の貿易会社に支配されたもので、さまざまな弊害があったといわれている。例えば、代表的な輸出品目である生糸の横浜売込価格は、海外市場価格の2分の1から3分の1までに買い叩かれていたともいわれ、そのように不利益な貿易取引を克服すべく、「商権回復」が急務の問題として浮上してきたのである。

　ところで、こうした商権回復を目指す運動には、二つの立場があった。一つは、外国貿易会社の手を経ずして、日本の貿易会社が直接に輸出に当たる、いわゆる「直輸出」を確立しようとするものである。ところが、そうした方向には反対の立場もあった。居留地貿易に依拠する貿易商は、居留地貿易を全面的に否定することを望まなかったのである。すなわち、彼らが望んだ商権回復とは、居留地貿易を前提とする対等な取り引きの実現であり、これが、もう一方の立場である。そして、このいわば第二の立場による商権回復運動の象徴的事件であったのが「連合生糸荷預所事件」である。

　連合生糸荷預所は、原善三郎、茂木惣兵衛などの生糸売込商らが中心となって、居留地の外国商館による貿易にみられた弊習を排除すべく横浜に設立した生糸の保管所であり、1881（明治14）年9月1日より、荷主に対する、生糸を担保とした荷為替貸付業務を開始している。

　ここでいう弊習とは、外国商人が売込問屋を廻り、生糸の値段を取り決めて商館の倉庫に引き込んだ後に、本国の市況などの気配によって、一方

的に「不良品」として破談（ペケ）にするなどの行為をさす。

　荷預所は、こうした弊習を排除するために設置されたものであり、具体的には、産地から持ち込まれた生糸をここで保管し、品質検査の後に外国商館へ売り込もうとするものであるが、この取り引きは、現金と引き換えに荷預所にて引き渡しを完了しようとするものであった。

　外国商館側は、当然こうした取引方法の変更に反発した。そして、荷預所に対して不買決議をもって対抗し、日本内地の製造家に対しては、直接取引を呼び掛けることとなった。

　一方、荷預所側は、国内の銀行に対し、連合加盟者以外のものに対しては荷為替[1]の取り組みを拒否するよう依頼するなどして対抗したが、こうした運動は、当初は商権回復運動として支持され、約3か月にわたって、外国商館との取り引きは停止した。

　しかしながら、この取引停止期間中、国内の売込商、地方荷主は決して一枚岩であったわけではない。上述のとおり、直輸出を確立しようとする立場の者もあったからである。取り引きの停止は、当然に滞貨を累積させ、その負担は荷主側にかかるため、荷預所側でも和解工作を模索することとなるが、その一方で、荷預所に加盟する商人であり、かつ生糸の直輸出商でもある同伸会社の、サーゲル商会に対する売り込みが発覚したのである。この時同伸会社は除名処分となり、荷預所は各地銀行に同伸会社との取り引きを拒絶するよう要請することになるのだが、潜在的には、売込商と地方仲買商を通ずる流通過程排除を志向する直輸出商社が、売込商を中心とする荷預所の機構を支持するのは理に反することであり、直輸出を目的とし、横浜において販売するわけではなかった同伸会社は、荷預所に不満を持っていたという。この他にも、福島生糸商結合加盟の生糸商による違反行為、上州・武州の荷主の利害を代表した星野長太郎、宮崎有

　　1　**荷為替**：荷為替とは、遠隔地間で、ある商品の売買契約が成立した場合、荷物の送り手が荷物の積み出しの際、代金回収を目的として積荷を担保とした為替手形を振り出し、為替銀行に買い取ってもらうものである。この荷物の買い取り人＝受取人は、現地の為替銀行において担保付為替手形を買い取らなければ荷物を受け取ることができず、したがってこの買い取りが、事実上の商品代金支払いとなる。

敬、清水宗徳の3名による、荷預所に対する批判的な質問状送付など、運動そのものの分裂危機要因が顕在化しつつあった。荷預所側は、そうした分裂をこそ恐れていたのであり、同伸会社の除名処分も、同社から陳謝文を出させるなどして、4日後には解かれることとなる。そして、外国商館との和解交渉は急ピッチで進められ、1881年11月、和解が成立するのであった［海野1967、218-219・223-226頁］。

ところで、この和解成立にあたって取り交わされた六条から成る約定書は、必ずしも地方荷主の満足する内容ではなく、和解の2か月あまり後には、改善されたはずの取引方法は弊習に復帰し、この事件そのものは、荷預所側にとって敗北であったといわざるを得ない。しかし、それでもこの事件は、その後の商権回復運動の進め方に指針を与え、取引改善のためのボイコット運動として引き継がれた点で有意義であったといわれている。

(2) 直輸出の開始と大倉組商会・森村組

「商権」を回復するもう一つの立場は、直輸出の推進である。

直輸出を行うことは、明治政府にとっても急務であり、最初の直輸出構想の提起は、1875（明治8）年の、大久保利通による「海外直売ノ基業ヲ開クノ議」であった。しかしこの構想は、返済の見通しがたたなかった外債消却のための正貨獲得が主たる目的であって、外商の排除そのものが目的であるならば考慮されなければならない直輸入については、一切触れられていない。

これに対して、直輸出論者として有名な経済官僚前田正名の考え方は、「帝国銀行」を創設し、帝国銀行の貸与による荷為替制度の確立をもって正貨獲得を実現する一方で、これに商権回復の目的も加え、直輸出を行うことによって正当な価格を実現し利益を収めれば、日本の通貨を直接外貨にリンクさせることができ、価格変動の一因でもある洋銀も排除できるというものであった。そしてそのためには、当然、洋銀の介在を認めざるを得ない居留地貿易そのものが否定され、外商の排除そのものが目的の一つとして掲げられることになる。すなわちそれは、直輸出を行う貿易商社

の設置と、内国生産者の団結と、「帝国銀行」とを三位一体とした政策を求めるものであった［海野 1967、73-76 頁］。

こうした政府の動向と並行して設立された直輸出商社としては、起立工商会社、広業商会など、数社をあげることができる。

起立工商会社は、1873（明治 6）年のウィーン万国博覧会を契機として設立された、工芸品などの直輸出商社である。しかしながら、起立工商会社の経営は、当初から決して順調ではなかったようで、会社規模の整理縮小によって細々と

大倉喜八郎

した経営に転換するも、最終的には 1891 年に廃業している［宮地 2008、68 頁］。

広業商会は、対清貿易を目的として、1876（明治 9）年に設立された。設立後すぐ、「北海道産物売買条約」が内務省、大蔵省、開拓使の間で結ばれ、北海道の特産品が清国へ輸出されることになる。すなわち、広業商会は出発点から政府と強い関係をもって設立されたことになる。そして、発足当初は、それなりの成績を収めていたが、その後次第に業績を悪化させ、1885 年には事実上、破綻している［木山 2009、118・139 頁］。

ところで、この時期に誕生した直輸出商社としては、他にもいくつかの名をあげることができる。しかし、上記 2 社が結局は大商社として発展せず、比較的早い時期に破綻しているごとく、商社史の中で大きな位置づけを与えられているのは、むしろ一部であるといってよいだろう。その例外中最大の商社は、いうまでもなく三井物産であるが、三井物産を除けば、大倉組商会と森村組の存在が特筆されよう。

大倉組商会は、幕末期に江戸で鉄砲店を経営し、横浜の外国商館から買い付けた鉄砲を販売していた大倉喜八郎が、1873（明治 6）年に設立した商社で、74 年にはロンドン支店を開設したが、その一方で、喜八郎は岩

倉具視、大久保利通といった政府高官と面識があり、大倉組商会創立期の収益源はヨーロッパ貿易というよりも、政府から請け負った兵站輸送、政府勧誘にもとづく朝鮮貿易、それに鉄道・建物の土木建設であったといわれている。すなわち喜八郎は、1874年の台湾出兵にて、戦地における軍隊輜重の任に応じて政府の信頼を得て、いわゆる江華島事件に端を発する朝鮮開国後には、政府の要請に応じて、1876年、朝鮮に支店を開設、朝鮮貿易に従事することになった［大倉財閥研究会 1982、42-46・49-54頁］。また、その一方で大倉組商会は、政府から請け負った土木建築事業にも従事しており、1887年には、藤田組と共同して日本土木会社を発足させている。と同時に大倉組と藤田組は、貿易部門においても内外用達会社を共同で発足させているが、大倉組としては大倉組商会を存続させつつも、日本土木会社と内外用達会社をもって政府関係事業に従事することとなる［木山 2009、221-222頁］。

なお、日本土木会社は、1893年、喜八郎がその事業を単独で継承することになり、新たに大倉土木組が設立されることになる。また、もう一方の内外用達会社も、同じく1893年にその事業が大倉組商会に引き継がれることとなる。

以上のように大倉組は、軍部や政府の御用商売を中心に事業を展開することで発展することとなったが、そうした御用商売から脱却して、国内民間部門との結びつきを積極的に推し進める意識が希薄であったため、より広範に事業を展開することができず、総合商社としては発展しえなかったと評価することができるだろう［木山 2009、225-226頁］。

一方、森村組は、森村市左衛門と、その異母弟森村豊の二人によって、1876（明治9）年に設立された。と同時に豊は、ニューヨークに日の出商会を設立している。日の出商会は、もともと貿易業を企図していた市左衛門が、豊に慶応義塾で外国語を学ばせたのちアメリカに送り込み、豊が滞米経験のある佐藤百太郎とともに開業したものであるが、後に佐藤との共同経営は解消され、店名もモリムラ・ブラザーズと改められることになる［森村商事 1986、16-17頁］。

こうして、市左衛門が日本で買い集めた骨董、陶器などの工芸品雑貨を

ニューヨーク店で販売する体制は整い、その事業はそれなりに好調であったが、1880年に市左衛門が渡米、翌81年に豊とともに帰国し、二人で今後の仕入れ商品について話し合ったのを機に、輸出品目の中心を次第に陶磁器にシフトさせ、陶磁器の生産事業にも進出をはかることとなり、1904（明治37）年には名古屋市に日本陶器（現ノリタケ・カンパニー・リミテッド）を設立するなど、その後は窯業生産の分野で総合的に発展していくこととなる［森村商事1986、27-28頁、第Ⅲ、第Ⅳ章］。そして現在は、森村グループとして知られる企業群を形成するも、森村組は総合商社として発展したわけではなかった。

市左衛門（右）と豊
明治22年9月ニューヨークにて
『森村百年史』より

　以上のように、大倉組も森村組も、起立工商会社や広業商会と違い、明治の早い時期に登場した直輸出商社としては、それなりの規模にまで発展した貿易会社であったが、いずれも総合商社化への道を歩んだわけではない。[2]

(3) 売込商・引取商の展開

　本節では、これまで直輸出商の展開について述べてきたが、居留地の外国商館に依存した売込商や引取商で、後に総合商社として発展するものもあった。岩井商店と鈴木商店である。ともに総合商社としての展開を見せるのは、この章の対象時期である明治前期よりも後の事であるが、事業の出発点は居留地貿易であった。そこで、この節の締めくくりとして、両商店について若干触れておくこととしよう。

　2　ただし山崎広明氏は、1920年代半ばの日本において総合化していたといえそうな商社に、大倉商事も加えている。詳しくは、山崎1987、157頁を参照のこと。

岩井商店の事業は、その発端を、岩井文助が1862（文久2）年、大坂京町に店を構えたところまでさかのぼることができる。この時は、雑貨類の売買仲介業を営んだようだが、幕末の貿易事情のもと、文助がどのように対処したかは定かではない。しかし、着々と成功を収め、1868（慶応4）年には、南久太郎町へ移転し、明治になったころには、舶来諸物品仲買ともいうべき引取商であったようである［岩井産業 1964、34・40・57-58頁］。そしてその後は、文助の養子である岩井勝次郎が直貿易を始めるなど、岩井商店を総合商社へと導く足がかりを築くこととなる。

　鈴木商店も、1874（明治7）年ころ、鈴木岩治郎が神戸で洋糖引取商として営業を開始した貿易商である。岩治郎は、新興の砂糖商として活躍した人物であるが、岩治郎自身は1894年に急逝してしまう。このことは、鈴木商店に大きな衝撃となったが、その一方で、その後に鈴木商店を、三井物産をもしのぐ大商社へと大飛躍させる金子直吉が登場する契機ともなる［桂 1989、26・30-45・48-53頁］。

　また、上記2社とは別に、この節で触れておきたい人物として、安宅弥吉がいる。安宅弥吉は、高等商業学校（現在の一橋大学の前身）を卒業して、日下部商店に入店の後、安宅商会を創業するのだが、この日下部商店が引取商であったとみられていることから［宮本 1976、22頁］、安宅商会も岩井商店や鈴木商店と同じ範疇の発展を遂げた貿易商と分類することも可能であろう。しかし、安宅弥吉が直貿易を開始すべく個人商店たる安宅商会を創業するのは1904（明治37）年のことである。

2　三井物産の登場

(1) 三井物産の誕生

　直貿易の機運が高まるなか、後に日本最大の総合商社として発展することになる三井物産が設立される。ところで三井物産は、政府内の意見対立から大蔵大輔を辞任して下野した井上馨が設立した先収会社をその前身と

するものであるから、こうした流れの中で、三井物産を直輸出商社の先駆けとすることも一見可能だが、先収会社自体は、未だ商館貿易の域を超えるものではなかった。そして、井上馨の官界復帰にともない、その事業と人材を三井が引き取り、これに三井の国内向け流通を担う三井組国産方の業務を合わせる形で、1876（明治9）年に設立された。

創業期の三井物産は無資本で、三井大元方からの借入金と三井銀行からの当座貸越を元手に事業が始められたが、これは三井物産の経営が破綻しても、累が三井家におよばないように配慮されてのことだといわれている。同様のことを配慮してか、「社主」には三井武之助と三井養之助の両名を分籍させ、三井家の同族組織とは無関係である形式を整えたうえで就任させたが、実際の会社経営には、井上の共同経営者として先収会社頭取の職にあった益田孝が、「総轄」としてこの任にあたることとなった。そして、三井物産は益田のもと、総合商社への道を歩み始めるのである。

三井物産は当初、営むべき商売について「専ラ他人ノ依頼ヲ受ケテ物産ヲ売捌クコトヲ務メ、或ハ買収シテ其手数料ヲ得ル、即チ問屋欧州謂フ所『コムミションエジェンシー』ノ商売」［三井文庫 1974、94頁］としていたが、これも益田が三井組の大番頭であった三野村利左衛門に強く主張し、了解を得た結果であるといわれている。そして益田によれば、三井物産が無資本会社としてスタートできたのは、会社の目的が手数料収入を主とするコミッション・ビジネスであるのだから、最初から商品の手持ちをする必要がなかったので、資金を必要としなかったからだという。

こうして三井物産の業務は開始されたが、創業直後の三井物産の業務は、政府御用商売の比重が極めて大きかった。

表2-1を見れば、創業期の三井物産にとって、海外輸出入と同時に国内売買の比重の大きかったことが分かるが、その国内売買中、大蔵省へ納める米の取扱高が圧倒的である点に気づくだろう。その一方で、一般に初期三井物産の営業を支えたといわれている政府米輸出については、表2-1の数値上は表れていない点に疑問が残る。これについては、三井物産の輸出米に関する数値には、政府委託によるものが含まれていない可能性もある。また、1879、80（明治12、13）年に政府米輸出の行われていないこと

表2-1 1876（明治9）年の三井物産商内別取扱高（7月～12月）

商内別	品名	数量	金額（円）	備　　考
輸出	石炭	776トン	3,837	上海輸出、三池炭
	蚕卵紙	25,398枚	49,100	徳澄買付け委託
	茶		4,358	十四番館経由アメリカ向け
	計		57,295	
輸入	絨		114,525	陸軍省納入品
	硝子瓶		302	同上
	蒸気機械		5,183	同上　横浜在庫品
	フランネル		31	近衛局納
	米国金塊		101,420	岩橋買付け委託
	同		10,142	物産買付け
	麻袋		5,399	十四番館経由上海在庫買付け、三井組渡し
	石油		1,839	同上　米又へ売り
	計		238,841	
国内	米	52,665石	227,899	三井組経由大蔵省納
	銅貨	15,000円	14,526	清商徳澄へ売り
	皮革		266	京都府勧業場委託、中橋社売り
	石炭		622	
	沓下		187	近衛局納
	島方		5,364	伊豆七島委託（炭・干魚・つげ・天草など）
	計		248,864	
	合計		545,000	
	純益		7,922	

出典）　日本経営史研究所（1978、79頁）。

が、ロンドン支店に打撃を与えたという評価もある。そもそも政府米輸出は、1872年から74年、1876年から77年、1877年から78年の3回行われていて、第2回目は三井組国産方が、第3回目は三井物産が請け負っているが、第3回目の三井物産が請け負った輸出高は30万660石であった。この第3回政府米輸出において明治政府は、10万5688円の損失を計上しているが、三井物産自身は委託販売であるから、手数料収入を得たことになるものの［日本経営史研究所　1978、82・98・105-106頁］、実際の収入額が不明である。しかしながら、これらの脈略を総合して判断すれば、やはり政府米輸出は三井物産にとって重要な収入源であったと考えられ、さらには、輸入においても最大の取り扱いは陸軍への絨であり、明治政府との関係が無視できない経営実態であったといえよう。なお、その後の政府米輸出について補足すれば、それは1881（明治14）年以降に行われてい

るが、同年の三井物産損益計算書には大きな収入源としての反映が確認できず、それが確認できるのは1889年である。

　一方、同様に政府御用商売に属する石炭輸出は、1876年時点では未だ少額であったが、以降、三井物産の海外支店展開においても、あるいは全体に占める利益高の大きさからいっても、最重要取扱商品となっていく。すなわち三井物産は、1876年9月に明治政府と「三池石炭売捌方条約書」を締結し、三池炭の一手販売権を獲得すると、最初の海外支店を上海に設置することになる。この支店開設の直接の契機は清国政府からの借款要請にあったとはいえ、潜在的には三池炭輸出の企図があったことは明らかであろう。明治政府の側にとっても、三井物産に三池炭販売を委託した目的には、石炭輸出をもって外貨を獲得することがあり、次節で確認するとおり、三池炭委託販売は三井物産にとって最も重要な利益源泉となるのである。

　総合商社化の過程においては、海外支店網の形成も重要な要素であろうが、三井物産にとっての第二の海外支店は、パリ支店である。そして、パリ支店の開設もまた、明治政府との関係が重要である。前節で述べたとおり、明治政府が直輸出を奨励した背景には、正貨獲得という重大な課題があった。上述の石炭輸出・上海支店開設も、そうした路線上のものとしてとらえることができるが、パリ支店の事情には、そのことがより鮮明に現われてくる。

　1878年、パリ万国博覧会の開催に際して明治政府は、三井物産に出品業務を委託、パリへの出店を要請するが、その際明治政府は、官営富岡製糸場生産生糸の一手販売権を与え、外国荷為替の業務を任せると同時に、外国荷為替資金として年額30万円を無利子で融資することとしたのである。そして、この外国荷為替資金は、輸出された現地領事館に現地通貨をもって返済される仕組みとなっており、これにより明治政府は外貨を獲得できるし、三井物産も、この業務によって手数料収入を得ることができたのである。

　ところで、きわめて重要な支店となるロンドン支店開設は、パリ支店開設の翌1879年であるが、もともとは益田孝が三井物産の顧問であったア

三井物産会社上海支店
『三井事業史』本篇第二巻より

メリカ人、R. W. アルウィンをロンドンに派遣し店舗を開かせ、三井物産はアルウィンと代理店契約を結ぶことで、政府米等の輸出を請け負っていた。そして、この代理店を正式に引き継ぐ形で、ロンドン支店は開設されたのであるから、ここでも政府との関係は無視できない。

　この時期三井物産は、上記3支店の他にもニューヨーク支店、香港支店を開設している。中には、一時的に閉鎖されたものもあるが、これらの支店は単に海外支店というのみならず、地理的にも重要な意味を持つものであり、こうした支店が、いずれも明治政府との関係で開設されていることは重要である。総合商社化の一要因に、海外支店網の形成があるとするならば、三井物産は、政府御用商売に支えられながら総合商社化への基礎を形成したといえるだろう。

(2) 三井物産の総合商社化

　三井物産が総合商社としての様態を整えたのは、おおよそ1893（明治26）年に合名会社へ改組したころととらえるのが一般的であろう。例えば栂井義雄氏は、三井物産の歴史を企業形態によって私盟会社時代、合名会

社時代、株式会社時代としたうえで、合名会社時代を「三井物産会社が近代企業として、すなわち総合商社として定着していく時期」としている［栂井 1974、32 頁］。そこでこの項では、総合商社としての様態を整える過程、まさに総合商社化の過程について見ておくこととしよう。

　三井物産が総合商社化するにあたっては、創業期に比重の高かった明治政府御用商売から、民間部門へとシフトさせていったことの重要性が指摘されている。すなわち、設立当初は政府より委託された商品の輸出中心にすぎなかったのが、次第に産業革命に対応した民間部門との結びつきを強めた取扱品目を構成していったのである。とりわけ石炭・綿花・機械は重要で、そのことは、表 2-2 からも確認できる。

　依然、米の取扱高が大きいことに変わりはないが、それとともに石炭、綿、機械・金物の占める割合も無視できないことに気づくだろう。また、その他の商品としては、ロンドン支店を中心とした米の取り扱い、肥料・魚油・海産物などの取り扱いが重要であったことも特筆すべきであろう。なお、米の取り扱いについては後述する。

　ところで、従来、これらの商品構成が年ごとにどう変化していったかを追うことは困難であったが、近年、粕谷誠氏が、三井物産の損益計算書より取扱商品の推移を、その収益ベースで明らかにされた。そこで本項でも、その成果を借りて（表 2-3）、経過を概観しておきたい。

　粕谷氏も指摘しているとおり、創業期には米穀売買と絨輸入に支えられていた三井物産の経営が、創業直後には少額であったが、すぐに重要な収益源となる石炭輸出に下支えされつつ、機械、次いで綿花といった中核的商品を定着させていく様子が見て取れる[3]［粕谷 2002、126-127 頁］。なお、その一方で米穀取引については、政府米輸出が 1890（明治 23）年 3 月をもって終了していることもあり［日本経営史研究所 1978、110 頁］、以降、収益源から姿を消しているが、創業初期ともいえる 1881 年に大きな損失を計上していることについても目が向けられよう。この理由を粕谷

　3　粕谷誠氏は、1889 年の「ロンドン手数料」は諸注文手数料・注文品割戻口銭であり、これは機械などの輸入に対応したものと思われるとしている。

表 2-2 1890（明治 23）年商品別・店別取扱高

(単位：円)

取扱商品	東京本店	大阪支店	横浜支店	兵庫支店	神戸支店	長崎支店	函館支店	小樽支店	上海支店	香港支店	シンガポール支店	ロンドン支店	計
米	926,711	261,131	136,318	778,239		240,292	486,977	295,920				1,636,742	4,762,330
肥料・魚油・海産物	353,111	167,587	40,123	285,834			522,703	479,175	799,000				2,647,533
大小豆	31,791												31,791
その他雑穀	10,108							23,625					33,733
石炭	39,272	23,057			145,609	347,638			527,340	856,250	390,000		2,329,166
紙	230,059	579											230,638
綿	346,750	385,592				17,744			1,275,190				2,025,276
洋織物・小間物	320,466	90,975											411,441
機械・金物	338,298	784,192				71,460			252,960				1,446,910
製茶			146,075										146,075
砂糖						74,792							74,792
生糸・肩物			552,725										552,725
石油その他雑品	32,698	162,149	33,912	1,061,954	281,956	110,280	119,520	20,000					1,822,469
日本からの注文品												1,951,475	1,951,475
計	2,629,264	1,875,262	909,153	2,126,027	427,565	862,206	1,129,200	818,720	2,854,490	856,250	390,000	3,588,217	18,466,354

注) 1. 三池・鳥原・ロノ津・馬関（下関）・若松の各出張店は長崎支店の管理下にあり、天津・芝罘両出張店は上海支店の管理下にあった。
2. 香港支店・シンガポール支店の石炭取扱高の単位はドル（メキシコドル）であるが、当時1ドルはおおむね1円であったので、円として取扱った。

出典) 日本経営史研究所 (1987, 84 頁)。ただし、原資料は、財団法人三井文庫所蔵資料「物産会社営業実況報告書並意見書」明治 24 年 10 月。

氏は、東京で各地からの依頼米を売却した際の損失および限月米売買による損失と説明しているが、同時に 1889 年の米穀関係利益についても、ロンドンでの輸出米手数料から限月米売買による損失を相殺した結果であるとした上で、米穀関係利益といっても、1877 年のそれとは内容が大きく異なる点に注意しなければならないとしている［粕谷 2002、121-122 頁］。三井物産の米穀取引は、依頼米の売却、正米の売買、限月米の売買、米の輸出入からなり［日本経営史研究所 1978、93 頁］、それぞれの収益を区別して分析しなければ、正確な評価を下すことの難しい点については注意が必要であろう。

ところで、石炭の取り扱いは、三池炭が中心であるから、当初は政府御用商売の範疇に含まれるものであったといえよう。しかし、官営三池炭礦は 1889（明治 22）年に払い下げられ、三井の所有となるから、以後は純粋に民間部門の商いと評価できるだろう。

一方、綿花取引が綿紡績業と関係していることはいうまでもないが、綿紡績業は、日本産業革命の主導的部門と評価されているので、こうした産業と結び付くことは、三井物産の総合商社化において重要な意味を持った。

三井物産の綿花取引は、上海支店の開設にともない、1877（明治 10）年から始まるが、これは見本的取引にすぎなかた。綿花輸入が本格的な取り引きとして発展したのは、1886 年に大阪紡績が中国綿を使用するようになり、その輸入を三井物産が担当するようになってからである。周知のとおり大阪紡績は、1882 年に設立された紡績企業であるが、それまで日本における紡績企業経営が必ずしもうまくいっていなかった状況において、同社の成功は日本における紡績企業発展の契機となり、以後、続々と大紡績企業が出現することになる。そうした綿紡績業と結び付くことにより三井物産は、綿花の輸入を増大させ、それは三井物産にとって最も重要な取扱商品の一つとなるが、以上の状況は、表 2-3 からも見て取れるだろう。

　4　依頼米：依頼米とは、三井物産が行っていた貢米荷為替にかかわって、各地からの回漕米売却を依頼されるものであって、政府米輸出とは関係ない。
　5　限月：限月とは、先物取引の最終決済月のことであり、三井物産は現物米穀すなわち正米取引のみならず先物取引も行っていたということである。

表 2-3　三井物産損益計算書［1877 (明治 10) 年～1896 (明治 29) 年］その 1

(単位：円)

支　出	明治 10 年	明治 14 年	明治 18 年	明治 22 年	明治 26 年	明治 29 年
米取扱経費	34,620					
給料	11,770	28,216	43,697	58,193	62,178	93,877
ロンドン社費		59,467				
ロンドン手数料割戻		6,782				
滞貸引当金	11,279	10,822	20,106			
滞貸準備金				25,981	30,823	
鉱山				31,938		
開墾地売却損				9,684		
売買方売買損				30,339		
米（売買・手数）		32,738				
砂糖（売買・手数）		27,956				
茶（売買・手数）	4,188	7,322				
蝋（売買・手数）		9,206				
生糸（売買・手数）		7,856				
魚油（売買・手数）			6,795			
肥料（売買・手数）			4,475			
紙（売買・手数）				57,486		
煙草（売買・手数）				11,389		
雑費	3,617	25,806	25,485	23,099	25,862	44,845
利息	3,511	29,234	42,598	55,868	6,097	
接待費		9,266	11,641	11,376	9,045	15,999
旅費	1,701		8,500	15,724	26,289	15,519
赴任旅費						8,592
電信料	1,112	14,395	5,126		8,732	15,443
不動産償却			3,324		12,576	7,349
船舶償却					23,045	53,183
地代・家賃					6,238	10,823
その他	22,560	86,680	43,580	93,147	11,324	29,832
当期利益	200,040		84,178	40,802	122,621	356,395
計	294,398	355,746	299,506	465,026	344,831	651,859

表 2-3　三井物産損益計算書 [1877 (明治 10) 年～1896 (明治 29) 年] その 2

(単位：円)

収　入	明治 10 年	明治 14 年	明治 18 年	明治 22 年	明治 26 年	明治 29 年
米（売買・手数）	218,333		14,578	34,709		
絨（売買・手数）	28,382					
石炭（売買・手数）	4,834	64,357	74,882	46,625	54,333	105,582
麻布袋（売買・手数）	3,996					
アンチモニー(売買・手数)		7,279				
銀（売買・手数）		3,934	42,382			
海産（売買・手数）			14,049		30,179	28,037
肥料（売買・手数）				21,303		
石油（売買・手数）				17,814		
生糸（売買・手数）				14,980		
機械					89,616	123,196
棉花					29,173	76,392
農産物					8,197	
雑品					47,103	111,394
ロンドン手数料		30,805	11,828	32,936		
ロンドン雑益				23,440		
ロンドン 1880 年損失戻入		20,564				
長崎支店手数料		14,741				
函館手数料			8,599			
出張所損益		6,273	9,892	75,103		
船舶利益		21,202		27,396	32,526	47,422
船舶取扱手数料	2,899	4,797	15,711	24,163		
保険手数料					11,245	
為替相場損益	9,267		16,286	23,016		
為替手数料		2,509				
四日市運送方口銭		6,119				
76 年米運賃として除いた分	4,925					
株式相場損益		2,299				
倉敷	1,834					
配当		2,771	13,642			
利息						44,874
雑益					21,084	20,651
その他	19,928	64,886	77,657	123,541	21,375	94,311
当期損失		103,209				
計	294,398	355,745	299,506	465,026	344,831	651,859

注）　1. 各期の合計金額は、一致しないものもある。
　　　2. 支出、明治 26 年の滞貨準備金は滞貨・損失準備金、明治 29 年の船舶焼却は船舶償却・保険等。
　　　3. 収入、明治 18 年のその他は肥料分 6,421 円を含む。明治 26 年以降の石炭（売買・手数）は石炭、海産（売買・手数）は海産物、明治 29 年の棉花は棉花・綿糸、雑品は外国雑品と内地雑品の合計。

出典）　粕谷誠（2002、120-125 頁）の表 4-1～表 4-6 より作成。ただし、原資料は財団法人三井文庫所蔵の各期「損益勘定」「決算勘定」。

しかも、綿紡績業との結び付きは、綿花取引にとどまらない。それは、三井物産の機械取引にも関係するものであった。未だ機械生産が本格的に行われていなかった日本で綿紡績業が発展・定着するには、紡績機械の輸入が不可欠である。そして、大阪紡績が設立された際に設備した紡績機械は、いずれも三井物産の手によって輸入されたのだった。三井物産は、当時、最も優れた紡績機械メーカーであったイギリスのプラット社からこれを輸入したのだが、1886（明治19）年以降、三井物産とプラット社は代理店契約を結び、日本各地の紡績企業が設置した紡績機械のほとんどを、三井物産が輸入することとなったのである。以後、三井物産の機械取扱高は増加することになるのだが（表2-3参照）、そうした機械輸入の中心はロンドン支店であった。なお、紡績企業とのかかわりにおいては綿糸輸出もあるが、それについては、後の章で触れられるであろう。

次に、海外支店網の形成にも目を向けよう。総合商社化にとって重要なのは、単に海外支店が多数存在するのみならず、重要な地域として、とりわけ上海、ロンドン、ニューヨーク、そしてインドのボンベイ（現在のムンバイ）に支店の存在することであるとする見解があるが［山崎 1987、157頁］、この点、三井物産のボンベイ支店をのぞく、3支店についてはすでに述べた。残るボンベイ支店は、綿紡績業との関連で開設されている。当初、綿花の輸入が中国から行われたことについては、上述のとおりであるが、その後、綿花輸入はインドからも行われるようになる。すなわち、1892（明治25）年、三井物産は鐘淵紡績、三池紡績、三重紡績とインド綿委託買付の約定を結ぶが、翌93年、そのためにボンベイ出張所を設置しているのである。以後、三井物産の綿花輸入の中心は、むしろ中国からインドへと移行することになる。なお、一時閉鎖されていたニューヨーク支店が再開されるのは、1896年のことである。

こうして三井物産は、民間部門、とりわけ綿紡績業との関係を強めながら、重要取扱品目を確立しつつ、全体の取扱高も増大させたと推測されるが、さらには、こうした発展にともなって、本業たる貿易業務以外の諸機能を発揮する必然性を孕みつつ、次第に総合商社化していくのであった。

(3) 三菱と住友の動向

　この時期、もう一つの総合商社・三菱商事はどのような展開を見せていたのだろうか。総合商社史としての本書の性格からも、また三井物産との比較からも、この点についても触れておく必要があろう。だが、住友の動向もふくめ、二つの「商事」は、後の章では中心的存在となるだろうが、本章の対象時期には、未だ存在しない。そこで本節の締めくくりとして、その点について触れておくことにしよう。

　もともと三菱は、海運業や鉱山業に重点を置いていたこともあり、貿易業は三井と比べると盛んではなく、後に総合商社として発展する三菱商事の成立は、かなり後のこととなる。明治初期における三菱の貿易業とのかかわりとしては、わずかに貿易商会への関与があげられる。貿易商会については後に触れることになるが、三菱の岩崎弥太郎は、1880（明治13）年、福沢諭吉・大隈重信らと図って同社の設立に参加し、資本金20万円のうちの8万円を出資したとされている。もっともこの点については、木山実氏が貿易商会設立時の株主リストに岩崎弥太郎の名前がないことを指摘し、自身の部下名義によって出資したのではないかと推測されているが［木山 2009、154-155頁］、取締役兼支配人として、三菱から朝吹英二が送り込まれ、また三菱が1881年にウラジオストックに至る航路を開設、同地に出張所を開設したのも、貿易商会ウラジオストック出張所と軌を一にしたものとされていることや［三菱商事 1986、39頁］、貿易商会が大蔵省の御用米買付を命じられた際、数万石の米を三菱の船に積み込んで東京に回送していることなど［丸善 1980、87頁］、三菱と貿易商会の関係は無視できない。

　しかしながら、三菱自身の商事部門についてみれば、三菱合資会社内に売炭部ができるのが1896（明治29）年であり、以後石炭販売は他社炭も含めて自社で行われることになるものの、それがさらに発展し、銅をはじめとする、その他商品も取り扱うようになるのは、1906年の営業部への改称以降である。したがって、三井物産と並ぶ戦前の総合商社として、もう一方の雄ともいえる三菱商事の出現は、さらに後のこととなり、本章で

扱う明治前期という時期区分においては、三菱商事は未だ現れていないということになる。

次に、三井・三菱と並ぶ大財閥であり、戦後は住友商事を設立することになる住友の動向に目を転じておこう。住友は、1880（明治 13）年に製糸業を、1888 年に製茶業を、1889 年に樟脳製造業をそれぞれ開始し、一時は、それら製品の輸出をはかっている。しかし、1903 年までにはそれらの事業はすべて廃止され、住友は産銅業に集中していくこととなる。そして、総合商社住友商事の設立は、戦後まで待たなければならないため、同社についても、この時期の商社史には登場しないということになる。

そして以上のことを、明治初期にいくつかの直貿易会社が出現しても、多くは消え去り、いくつかは総合商社化することなく独自路線で発展する道を選んだことと合わせて考えるとき、三井物産という存在がいかに稀有のものであったかが理解できよう。

3　その他の繊維系商社

(1) 綿花の直輸入と綿糸の直輸出

戦後の総合商社をにらんで商社史を展開するのならば、繊維系商社の動向にも注目する必要があろう。それは、繊維産業が日本資本主義の発展に欠かせない役割を担うからであるが、戦後になって、繊維系商社のいくつかが、総合商社へと発展するからでもある。

ところで、繊維系商社の動向を、日本資本主義の成立と関連付けて論じるのであれば、綿紡績業と生糸産業という二大柱に関連させて見ていく必要があろう。

まず、綿紡績業について述べれば、近代紡績業の成立にともなって、その原料たる綿花の海外依存度が高まった。近代紡績業の発展が、大阪紡績の設立を契機としていることはすでに述べたが、紡績企業の設置に必要な紡績機械の輸入のほとんどが三井物産の手によっていたことも上述のとお

りである。一方綿花は、こちらも三井物産によるところ大であったが、綿花輸入は三井物産のみでまかなえるものではなかった。したがって、まずは綿花輸入が重要となる。

こうした状況の中で、1887（明治20）年の内外綿会社の設立をはじめとして、いくつかの繊維系専門商社が誕生することになる。

内外綿は、大阪の綿花商が集まって設立された、日本最初の綿花輸入商社であるが、鴻池善右衛門、秋馬新三郎、渋谷庄三郎、渋谷正十郎、中野太右衛門などの出資によって設立された大阪綿商社を前身と考えれば、その成立は1877年にまでさかのぼることができる。そして、1888年には、紡績企業で構成される紡績連合会から「支那棉買入方一手取扱」の委嘱を受け、その翌年、上海出張所を設け、さらには、インド綿花の輸入に関しても、1891年にはタタ商会とボンベイ綿花一手販売の特約を締結するなど、日本の紡績企業に原料綿花を供給する役を担うこととなった。しかし内外綿は、1902年に二度にわたって定款を改正し、営業目的に綿糸紡績工業と織布工業を加え、次第に営業の中心を生産業にシフトさせていくこととなり、総合商社として発展することはなかった［内外綿 1937、6・14-15・19・28頁］。

日本紡績業の急激な発展にともなう綿花需要は、三井物産と内外綿による輸入のみでは十分でなく、1892（明治25）年には新たな綿花輸入商社が設立される。摂津、平野、尼崎、天満の四紡績が中心となり、綿花商25人が発起人となって設立された日本綿花である。同社は設立直後に、インドのボンベイにおいてはガダム・バイテル商会を、エジプトのアレキサンドリアにおいてはアンドレ商会を、それぞれ取引先として選定するなど［日綿実業 1943、14頁］、直輸入の体制を整えた点で注目されるが、同社も含め、綿花輸入商として総合化する貿易商社の系列に属す江商、あるいは三井物産から独立する東洋棉花の動向については、次章以降の記述に譲ることとする。

そこで目を綿糸輸出に転じ、綿糸布輸出商の範疇に属する貿易企業について触れることにしよう。この点、やはり三井物産の取り扱いが無視できないが、三井物産の綿糸輸出が増大するのは、明治後期以降のことであ

る。三井物産以外の綿糸布輸出商社としては、後の船場八社や伊藤忠商事の存在が注目される。しかし、伊藤家の事業としては、初代忠兵衛が1893（明治26）年に伊藤外海組(いとうそとうみぐみ)を組織し、雑貨類の直輸出を試みたものの、これはその後発展することはなかった。貿易事業を発展させたのは二代目忠兵衛であるが、伊藤本店に輸出部が設置されるのは1907年のことであり［丸紅1977、41頁：宇佐美2006：宇佐美2009］、綿糸布輸出が展開されるのは、むしろ明治後期のことである。

(2) 生糸の直輸出

生糸産業は、日本資本主義成立史の中で、外貨獲得産業として位置づけられていることからも、その貿易ははじめから輸出が前提となる。生糸の直輸出は、第1節で述べた連合生糸荷預所事件とも関連するが、居留地の外国商館を仲介しない直輸出商社設立の動きとしては、同伸会社をはじめとして、貿易商会などの登場が注目される。

同伸会社は、1880（明治13）年に富岡製糸場所長の速水堅曹(はやみけんそう)が、星野長太郎、佐野理八らと図って設立した直輸出商社である。そして、同社のニューヨーク支店業務を担当したのが、日本人で最初に生糸の直輸出を実現した新井領一郎[6]であった。同伸会社は、富岡製糸場も製品の販売を委託するなど、明治初期の生糸直輸出商社としては重要な存在であったが、明治後期になって、その業績は振るわなくなった。同伸会社不振の原因としては、本来公共団体のなすべき事業を一商事会社が、いわば採算を無視して行ったことにあるとする評価もあるが［秋本1961、152頁］、結局は1909年に解散している。ただし、ニューヨーク支店を任されていた新井領一郎は、1893年にその任を辞しており、その後、森村市左衛門の協力を得て横浜生糸合名会社の設立に関与、さらにはニューヨークにおいて横

6　新井領一郎：森村組の項目で触れた森村豊の渡米の際に同行したメンバーである。このメンバーは、佐藤百太郎に率いられ渡米した者たちで、一般に「オーシャニック・グループ」と呼ばれている。そして新井領一郎は、渡米以来アメリカで活躍し、群馬県水沼製糸所の生糸直輸出を実現するのである。なお、新井領一郎については、［阪田、1996］および［阪田・木村2009］を参照のこと。

浜生糸合名会社の生糸を取り扱うことを目的とした森村・新井商会を設立した。すなわち生糸の直輸出は、同伸会社解散後も新井によって続けられていたわけである［阪田 1966、390-408 頁；阪田・木村 2009、119 頁］。

なお、横浜生糸合名会社は、1924 年にその営業が三菱商事に譲渡され、三菱商事は日本生糸[7]を設立することとなる。そして三菱商事は、アメリカにおける生糸販売については、その後も森村・新井商店の名義で行うのだが、最終的には日本生糸も、1936（昭和 11）年に新設される三菱商事生糸部に、その事業が継承されることになる［三菱商事 1986、215-216・304・421 頁］。

その三菱との関わりで先に触れた貿易商会も、生糸直輸出にかかわった商社である。貿易商会は、1880（明治 13）年、福沢諭吉が岩崎弥太郎・大隈重信らに話を持ちかけ、共鳴を得て設立した貿易会社であるといわれている。社長には丸善商社の早矢仕有的、取締役兼支配人には朝吹英二が就任したが、特徴的なことは、貿易商会が単なる生糸直輸出商社ではなく、かなり総合的に商品を扱い、また輸入も行おうとしていた点であろう。すなわち同社は、生糸以外に茶、煙草、雑貨、米の輸出、硝石、皮革類、魚類の輸入を行い、営業第 2 期（1881 年 6 月〜1882 年 5 月）には 5 万 984 円の利益を上げたことも明らかにされている（ちなみに、三井物産の 1882（明治 15）年度利益金は 4 万 6000 円である）。さらには、厳密には貿易商会とは無関係であるが、現実には密接な関係を持つ丸善為替店の設立されたことも合わせて考えると、同社は総合商社へ発展してもおかしくない商事会社であったといえようが、「明治十四年の政変」で大隈が失脚すると、後ろ盾を失ったこともあってか、業績不振に陥り、さらに次第に取扱品を生糸に特化させていく中、生糸相場の下落もあって、1886 年には活動を事実上停止するに至っている［木山 2009、168・170 頁］。

生糸の直輸出商社は、上記 2 社以外にも数社の存在が知られている。し

---

7 **日本生糸**：三菱商事は、1920（大正 9）年に小野商会との合弁で日本生糸を設立しているが、同社は 1922 年に解散している。ここでいう日本生糸は、改めて三菱商事単独で設立した、いわば新日本生糸株式会社のことである。

かしながら、これらはいずれも短命で終わっている。総合商社史の観点からは、総じて、生糸直輸出商社が総合商社に発展することはなかったといえよう。もちろん、三井物産も生糸を扱っていることを考えれば、生糸輸出商といえなくもないが、その他の商社と三井物産とでは、取扱商品の構成、その他の事情が大きく異なる。もともと、生糸輸出には豊富な資金が必要であり、三井物産が後に生糸輸出において成功したのは、その資金とともに、海外支店網の存在にもとづくところが大であった。それに対して、例えば後に有力な生糸輸出商社となる茂木合名などは、実態は売込問屋的であったという評価もあり、1920年恐慌にあって輸出滞貨が生じると、輸出を通じて回収しなければならなかった生糸代金は回収不能となり、資金難に陥った［梅津1976、119-120頁］。

　結局、生糸の取り扱いは、相場変動、資金繰りなどの点で難しさを抱えていた。この点、紡績業関連の直輸出入商社が、産業の特性から総合商社化への足がかりを得やすかったと考えられるのに対して、生糸関連の直輸出商社は、総合化するには条件的に困難であったといえよう。

4　なぜ三井物産だけが総合化の道を歩んだのか

　明治初期に登場した先駆的直輸出・直輸入商社の中で、三井物産のみが早期に総合商社化への道を歩み始めることとなった理由は何なのか。本章の締めくくりとして、その点について触れておこう。

　日本において、なぜ総合商社が誕生したのかの理由を問う論考を、「総合化の論理」と総称することがあるが、とりわけ初期の三井物産を対象とした「総合化の論理」では、他の商社との比較、御用商売の内容、益田孝を中心とした人材の育成・登用と貿易事業のノウハウの問題、企業形態・組織（産業との分業）といった初期的「条件」を、三井物産が総合商社となりえた条件として注目するのが、近年の傾向であるように思われる。そして、これらの「条件」について答えることは、他の先駆的商社が疲弊していく中、なぜ三井物産のみが総合化の道を歩み始めることができたのか

という問いに答えることにもなるであろう。本章は、必ずしもこれらの課題すべてに応えることを目的として書かれたわけではないが、明治前期の事情を取り上げた本章の内容を念頭に置き、上記の「条件」を意識しながら、三井物産の総合化について考えたい。

　これまで述べてきたとおり、明治初期に登場した商社といっても、そのタイプはいくつかに分類できる。第一に、明治政府の方針に呼応するように、あるいはそれと並行して、政府から商品輸出の委託を受けながら登場する直輸出商社である。これらの商社は、未だ輸出基盤が脆弱であったためであろうか、とりわけ雑貨・工芸品を扱っていたものは、政府とのかかわりを持ちながらも、結局は破綻するか、あるいは独自の発展経路を模索して存続したとしても、総合商社として発展することはなかった。ただし、のちに総合商社として発展する三井物産だけは別で、そこには政府とのかかわり方・委託された商品などに、その他の商社との違いがみられ、そのことが三井物産に総合商社として発展する足がかりを与えたとするのが、木山実氏の唱える説であるし［木山 2009］、また粕谷誠氏も、創業期における三井物産の経営を支えた商品として、政府米を重視していた［粕谷 2002］。

　なお、引取商からスタートした岩井商店、鈴木商店や安宅商会も商館貿易から直貿易へと転身をとげ、さらにはこの章では触れなかった兼松商店も、設立当初から商館貿易の弊害を意識していた点で、早期に直貿易を志向したタイプの派生型としておきたいが、総合商社化を可能にした要因は、明治後期以降の事情にある点で、三井物産とは異なるものであろう。この点、宮本又次氏は、岩井商店にしても、鈴木商店にしても、はじめから多角経営で、取扱商品も多く、各種産業へも手をのばし、コンツェルンを形成しようとしていて、早くから総合商社としての色彩を持っていたとしているが［宮本 1976、26頁］、取扱商品が多様であった点は、兼松商店にも安宅商会にも、ある程度いえることだろう。

　第二のタイプは、日本の産業構造に由来して、綿紡績業との関連で発展する商社である。綿紡績業は、商社が総合化するための基盤を与える条件を備えていたようでもあり、三井物産も含め、綿紡績業とかかわりを持っ

たいくつかの商社が、総合化への道を歩み始めたといってよいだろう。ただし、その歩み自体、これも明治後期以降の話であり、本章では、その先駆けとなる商社のみを取り上げた。

　第三に、同じく産業構造とのかかわりを問うのであれば、生糸産業と関係する直輸出商社を取り上げなければならないだろう。しかし、生糸の直輸出商社は、本章で取り上げたもの以外にもいくつか存在しているが、いずれも短命に終わっている。この原因については、藤本実也氏が「開業以来奮進したが海外の事情に精通しないのと直輸貿易は邦人には未だ重荷であった」［藤本1939、514頁］と分析していることを受け、秋本育夫氏は、生糸生産が座繰段階から脱却しきっておらず、生産技術が低位で、品質の均一でないことが主要因であったからとし、だからこそ三井物産にしても生糸輸出に進出するのは1895（明治28）年に器械製糸が座繰製糸の生産高を凌駕してからであり（三井物産が、一旦は中止した生糸輸出を再開するのは、1896年のことである［日本経営史研究所1978、251頁］）、それまでは途上国における農業生産物の不利を甘受しなければならず、日本商社の進出条件はそろっていなかったとしている［秋本1961、153頁］。[8] 第3節でも触れたとおり、もともと生糸輸出業者が問屋的性格であったという限界もあり、これに加え上述の事情などがあったことも考えると、生糸産業は綿紡績業と比較すると、近代的な貿易業者を育てるのに適した基盤とはなりえなかったということができるだろう。

　ところで、こうして整理すると、三井物産が第一から第三まで、すべての分類に妥当する点が特筆されるように思える。このこと自体、「総合」商社であることの証でもあろうが、同時に、第一に分類される商社として基盤をつくりながら、綿紡績業との関連を強め、さらには生糸産業とのかかわりも有しつつ総合商社化したということも可能だろう。

　そして、そのように考えるとき、木山氏がいうように、三井物産と似た発展経路を持ちながら、貿易商会が先駆的直輸出商社としても、生糸輸出

　8　ただし、上記藤本氏の引用は、生糸直輸商社全般に対して述べたものではなく、貿易商会の顛末について評価したものである。

商社としても破綻した事情は、なぜ総合化できなかったのかを問う事例として重要であろう［木山 2009、149-153 頁］。この点、木山氏は先述のとおり、貿易商会が業績を悪化させるのは、「明治十四年の政変」がきっかけであったことと、取扱商品を生糸に特化してからの不振を指摘している。すなわち、商社基盤としての生糸産業の脆弱性が問題となるが、貿易商会の場合、上で引用した藤本実也氏の主張も見逃せない。なぜなら、本章ではあまり触れなかったが、三井物産の総合商社化における益田孝の役割や、三井物産が、いわゆる学卒者を多く採用していたことについては、多くの業績が指摘していることだからである。

　しかしながら、本章では三井物産をして総合商社への道を歩み始めることのできた状況について解説したに過ぎない。三井物産が、本格的な総合商社として発展を遂げることのできた要因については、次章以降で論じられることとなろう。

【参考文献】

秋本育夫（1961）「貿易商社」松井清編『近代日本貿易史』第 2 巻、有斐閣。
岩井産業株式会社（1964）『岩井百年史』。
宇佐美英機（2006）「初代伊藤忠兵衛と『伊藤外海組』小史」滋賀大学経済学部附属史料館『研究紀要』39 号。
─────（2009）「初代伊藤忠兵衛の対米貿易事業」安藤精一・高嶋雅明・天野雅敏編『近世近代の歴史と社会』清文堂。
海野福寿（1967）『明治の貿易』塙書房。
梅津和郎（1976）『日本商社史』実教出版。
大倉財閥研究会編（1982）『大倉財閥の研究──大倉と大陸』近藤出版社。
粕谷誠（2002）『豪商の明治──三井家の家業再編成過程の分析』名古屋大学出版会。
桂芳男（1989）『幻の総合商社　鈴木商店　創造的経営者の栄光と挫折』現代教養文庫（ただし、本書は桂芳男（1977）『総合商社の源流　鈴木商店』日本経済新聞社を再販したものである）。
木山実（2009）『近代日本と三井物産──総合商社の起源』ミネルヴァ書房。
阪田安雄（1996）『明治日米貿易事始　直輸出の志士・新井領一郎とその時代』

東京堂出版。
阪田安雄・木村昌人（2009）「佐藤百太郎と新井領一郎」阪田安雄編著『国際ビジネスマンの誕生——日米経済関係の開拓者』東京堂出版。
栂井義雄（1974）『三井物産会社の経営史的研究——「元」三井物産会社の定着・発展・解散』東洋経済新報社。
内外綿株式会社（1937）『内外綿株式会社五十年史』。
日本経営史研究所（1978）『稿本三井物産株式会社100年史』上巻。
日綿実業株式会社（1943）『日本綿花株式会社五十年史』。
藤本実也（1939）『開港と生糸貿易』下巻、開港と生糸貿易刊行会。
丸善株式会社（1980）『丸善百年史』上巻。
丸紅株式会社社史編纂室（1977）『丸紅前史』。
三井文庫編（1974）『三井事業史』資料篇三。
三菱商事株式会社（1986）『三菱商事社史』上巻。
宮地英敏（2008）『近代日本の陶磁器業——産業発展と生産組織の複層性』名古屋大学出版会。
宮本又次（1976）「貿易商社の源流」宮本又次・栂井義雄・三島康雄編『総合商社の経営史』東洋経済新報社。
森村商事株式会社（1986）『森村百年史』。
山崎広明（1987）「日本商社史の論理」『社会科学研究』第39巻第4号。

補論1　なぜ日本に総合商社が発生したのか

　なぜ日本に総合商社が誕生したのかという問いは、従来から多くの論者が取り組んできた課題である。本書の、とりわけ戦前期を対象とした各章の論点をより明確にする意味も含め、ここでは研究史の整理をしておきたい。

　さて、いわゆる「総合化の論理」を紹介するにあたっては、最初に中川敬一郎氏の先駆的業績［中川 1967］を取り上げるのが妥当だろう。中川氏の主張は、明治初期の日本には貿易を仲介する専門的な業者が存在しなかったため、貿易業者自らが外国為替、海上保険、海運事業などの補助的な業務を兼営しなければならず、それが故に、補助的業務をも営むことができる大企業にならざるを得ず、大企業として成り立つために、多様な商品を大量に輸出入しうる総合商社として発展したというものであった。

　これに対して森川英正氏は、最初の総合商社三井物産が補助業務を兼営した事実はほとんどなく、むしろ商品取扱量の増大、取扱商品・地域の多様化が補助業務の兼営を必要にしたと主張したうえで、商社が多様化を目指さなければならなかった理由について、後進国日本が発展させねばならなかった事業分野がきわめて広範だったのに対し、企業者資源が限られていたため、「人材」をフルに活用しなければならず、また高価な人材をフルに稼働させ人件費を吸収するためには、取扱商品、地域、あるいは貿易外業務の多様化、すなわち総合化が必要だったと説明した［森川 1976］。この森川氏の主張は、一般に「人材フル稼働」仮説と呼ばれるようになるが、森川氏は、論考の中で「総合化の論理」という表現を繰り返し用い、以後この問題を「総合化の論理」と呼ぶことが一般的となった。

　中川＝森川論争以降、いわゆる「総合化の論理」について接近した業績は多いが、接近方法そのものに大きな影響を与えたのが、米川伸一氏、山崎広明氏と橋本寿朗氏であろう。

　すなわち山崎氏は、日本における総合商社化の必要性や必然性を問うのではなく、成立・発展しえた条件を解明しなければならないとした［山崎 1987］。ここで山崎氏は、三井物産の条件を分析し、その条件として、益

田孝の役割、初期段階における政府御用商売の役割、リスク管理組織の形成と見込み商売への進出、三井財閥との関係の四要因を上げたうえで、その条件を、その他の総合商社にも個別に当てはめ類似の条件を上げつつ、類似しないものについては三井物産に対する相対的劣位の条件としている。

しかしながら、山崎氏自身が、すでに米川伸一氏は「条件」を問うことの必要性を意識していたと評するように、米川氏は、山崎論文に先駆けて、日本に総合商社が開花した歴史的具体的条件を論じている［米川 1983］。ここで米川氏は、商社の歴史的論理としては、成長を維持しようとする限り「総合化」せざるを得ないし、実際には欧米にも総合商社は存在したが、欧米には「総合化」を促進させない条件があったのに対し、三井物産には貿易業務のノウハウ、経営の人材、企業形態と組織という三つの要素が相互に絡み合って、総合商社の形成に適合した特異な主体的・客観的条件があったと論じた。

一方、橋本寿朗氏は、上述の論考を含む先行研究を検討したうえで、新たな見解を示した［橋本 1998］。橋本氏の先行研究に対する批判点は多岐にわたるが、とりわけ中川氏の業績を、規範的観点から歴史的必然論で捉えた結果、総合商社の革新性を見過ごすこととなったとしたうえで、総合商社を、国際交通システムの割高な環境を組織的革新遂行の主体的条件とし、そうした条件への創造的適応として、一般貿易・卸売業務を中核にジェネラル・マーチャントへと回生したものとして位置付けた。従って橋本氏は、こうした主体的条件に適合した革新的企業者活動や、「人材」の育成、活用、評価、登用といった側面の分析を重視している。

ところで、以上のような研究史を整理した結果、三井物産が最初の総合商社であり、総合商社の取扱商品と取引地域が多様であったという点においては共通認識であるとしたうえで、従来の研究史の中で見過ごされていたのは、明治初期に存在した三井物産とその他の商社を比較考察する視点と、創業期三井物産の経営に重要な意味を持った御用商売について、その御用商売の種類を細かに見定めようという視点であるとしたのが木山実氏である。同氏は、明治前期における政府の貿易政策や三井物産の益田孝が属した旧幕臣ネットワークが三井物産の総合商社化にとって、きわめて重

要であったと主張している［木山 2009］。

　さて、以上のような「総合化の論理」の研究史を振り返ると、研究が進むうちに、とりわけ三井物産を中心に、総合商社となりえた条件は何なのかを問う方向で議論されるようになったといっても良いように思われる。それは、三井物産が最初の総合商社である以上、当然といえば当然のことであるが、三井物産のみが総合商社であるわけではないし、本書でも、後段の章になればなるほど、その他の総合商社の記述量が増してくることはいうまでもない。そのことを考えたとき、上山和雄氏が「後発商社は、専門商社としてももちろん存続可能だったが、三井物産というモデルが形成されると、機会を捉えてモデルへのキャッチ・アップを図ることになる。その機会とは第一次世界大戦、1930 年代中期の軍需景気の時代、戦後復興、さらには高度成長の時期などであった。後発性、高成長という限定のもとで、『いつでもどこでも総合商社』になろうとする動きがでてくる」［上山 2005、14 頁］と述べられていることは、留意する必要があるだろう。読者におかれても、そのことを念頭に置きつつ、本書を読み進めていただきたい。

　また、この補論では、本書の性格を意識しつつ研究史整理をしたため、どちらかというと「経営史的」な「総合化の論理」の紹介に偏ったかもしれない。経営史的なものに限っても、そのすべてを紹介したわけではないが、これらの論議とは大きく異なる「経済史的」な「論理」も存在する。しかし、これらは基本的には戦前期の総合商社を財閥系商社と位置付けており、本書が「財閥系ではない総合商社」をも対象としているため、この補論での詳細な解説は省略した。こうしたことにも関心を持たれた読者の方には、代表的な研究書として柴垣和夫氏の業績［柴垣 1965］の一読をおすすめしておく。

【参考文献】

上山和雄（2005）『北米における総合商社の活動──1896〜1941 年の三井物産』

　　　　日本経済評論社。
木山実（2009）『近代日本と三井物産――総合商社の起源』ミネルヴァ書房。
柴垣和夫（1965）『日本金融資本分析』東京大学出版会。
中川敬一郎（1967）「日本の工業化過程における『組織化された企業者活動』」『経営史学』第2巻第3号。
橋本寿朗（1998）「総合商社発生論の再検討――革新的適応としての総合商社はいかにして生まれいでたか」『社会科学研究』第50巻第1号。
森川英正（1976）「総合商社の成立と論理」宮本又次・栂井義雄・三島康雄編『総合商社の経営史』東洋経済新報社。
山崎広明（1987）「日本商社史の論理」『社会科学研究』第39巻第4号。
米川伸一（1983）「総合商社形成の論理と実態――比較経営史からの一試論」『一橋論叢』第90巻第3号。

用語解説

絹糸と綿糸

　絹糸と綿糸はどちらも衣料品の素材に使われる繊維であるが、その特徴はかなり違っている。

　絹糸はカイコガの幼虫である蚕が吐いた糸から作った繊維である。成長した蚕は糸を吐いて繭を作り、その中で蛹となる。この繭から取った繊維を合わせ生糸とした後、練ることによって絹糸となる。

　絹糸は軽くて光沢にすぐれ、手触り・吸湿性・保温性も良く、そのため天然繊維の中で最上位に位置する。原産地は中国とされるが、世界各地に主産地が生まれ、日本もその一つであった。第二次世界大戦前には世界シェアが80％に達したこともある程、日本にとっては重要な輸出品であった。その後、化学繊維・合成繊維の台頭や農業政策の変化によって日本の絹糸製造業（製糸業）は衰えた。

　綿糸は綿花から作られる繊維である。水、アルカリに強い点で絹糸に比べるとより実用性に富んでいる。江戸時代には西日本を中心に各地で栽培され、当時の代表的な商品作物であった。当時は米納年貢制で、田では稲の栽培が義務付けられていた。しかし、消費水準が上昇すると共に衣料への需要が伸びるなか、農家の中には儲けの多い木綿栽培を選択し、販売代金で米を買って納める者もいた。

　明治以降、綿糸の機械生産が導入・定着し、需要は大幅に増えた。しかし、その原料の綿花の国内生産は、輸入綿花に押されて急激に衰退した。他方で機械による綿糸・綿布生産は飛躍的な発展を遂げ、第二次世界大戦後に至るまで日本産業の機軸をなしていた。

（加藤　慶一郎）

参考文献

上坂酉三（1976）『商品大辞典』東洋経済新報社。
本城正徳（1994）『幕藩制社会の展開と米穀市場』大阪大学出版会。

人物コラム 益田 孝

（ますだ たかし・1848-1938年）

　三井物産をして、日本最大の総合商社に発展させた功労者は誰であろうか。

　その答えとしては、多くの人物を上げることが出来るだろう。しかし、まずはじめに益田孝の名前をあげることに反対する人は少ないだろう。そんな益田は、三井のような江戸時代から続く商家の伝統である、丁稚奉公を経て出世した人物ではない。実は、明治期の三井を支えたとされるキーマンには、商家経営の伝統的雇用のプロセスを経ずして雇われた人物が多いのだが、では益田自身は、どのような経歴の持ち主であろうか。

　益田は、維新前に幕臣としての渡欧経験がある。それは幕府が池田筑後守を使節としてフランスに派遣した際、会計役として随行する父親の家来と偽ってのことであったという。帰国してからは、横浜で書生としての英語修業を経て、幕府の騎兵を率いるようになり、明治維新においても幕府側の騎兵隊を指揮していた。維新後は、一時、中屋徳兵衛と名乗って自ら商売を行っていたこともあるが、その後、居留地のウォルシュ=ホール商会に勤め、貿易業務を習得したといわれている。そしてこのころ、井上馨の知遇を得たことで大蔵省に出仕することになるものの、井上が予算をめぐる紛争で大蔵大輔を辞任すると益田も辞職、井上と益田は先収会社を創立する。

　先収会社は、井上の政府復帰にともなって解散するが、その業務は三井物産に引き継がれ、益田は三井物産の経営を任されることになる。その後、三井物産が日本最大の商社に発展するにおよび、三井財閥における益田の地位も向上し、中心的な人物の一人となる。

　また、中上川彦次郎の三井改革・工業化をめぐっては対立していたとの説もあるが、この話はそれほど単純なものでもないようである。しかし、いずれにしても中上川の死後は、事実上三井財閥のリーダーシップを握り、行き詰まっていた工業化路線の修正をはかったのも事実である。

　さらに、官営三池炭礦の払下げ入札において思い切った手を打ってこれを獲得したり、三井合名会社を設立するなどの功績もある。この時、自らは三井合

名会社顧問となるが、その後、団琢磨を三井合名会社理事長に据えて引退。晩年は悠々自適の暮らしを送り、91歳で没した。

　なお益田孝は、茶人・茶器収集家としても高名で、「千利休以来の大茶人」とも称された。茶人としての益田は鈍翁と号したが、これは益田が収集した茶器「鈍太郎」に由来したものである。
　　　　　　　　　　　　　　　　　　　　　　　　　（藤田　幸敏）

参考文献

白崎秀雄（1998）『鈍翁・益田孝』上・下巻、中公文庫。
長井実編（1989）『自叙益田孝翁伝』中公文庫。

第3章　明治後期

総合商社としての三井物産の確立と
その他の商社の活動

はじめに

　本章では、1890（明治23）年から第一次世界大戦が始まる1914（大正3）年まで（以下、明治後期とする）の商社の動向を見る。この時期には日清戦争・日露戦争の影響による好不況を繰り返しながらも、様々な企業が勃興し、新しい産業が形成された。1885-1915年の一人当たり実質GNPは年率1.5％程度で増加しており、綿紡績・鉄道・鉱山業などの欧米からの移植技術と大経営を特徴にもつ近代産業のみならず、織物業・醤油・酒・味噌・陶磁器などの在来産業の成長が著しかった。とりわけ、この章では、①日本の工業化と商社の活動、②巨大商社に成長した三井物産の位置づけ、③三井物産以外の商社の活動の実態を検討する。なお、本章の構成は、1でこの時期の商社の動向を概観し、2で三井物産の活動を追い、3で三菱、住友、伊藤忠・丸紅などの活動を見る。

1　明治後期の商社の動向

　いわゆる総合商社の特徴としては、①取扱商品の多様性、②取引範囲の広さ（外国貿易・国内外における多数の支店網）、③多様な機能（製造業への投資・技術導入など）、④巨大な売上規模がしばしば指摘される。後に詳しく見るように、明治後期において①〜④の条件を満たしていたのは、三井物産のみであった。従って、明治後期の総合商社の歴史は三井物

産の歴史に置き換えることも可能であろう。しかし、これら四つの条件を満たしてはいないが、明治後期には様々な商業・貿易従事者が多様な活動を繰り広げていた。こうした事業体の活動を無視すれば、歴史の多様性・複雑性を見失うことになる。むしろ、明治後期において①～④の条件を備えた三井物産の活動こそが極めて特徴的であったと見るべきであろう。

　事実、明治後期には、取扱商品を1種類ないしは1業種に特化し、後に「専門商社」と呼ばれるようになった専門商・貿易商が成長を遂げた。繊維専門商としては、紡績会社への綿花輸入商の役割を果たした内外綿・半田綿行・日本綿花・江商・北川商店などがあり、これらに加えて、輸入洋反物商（「唐物屋」）と綿糸商（「糸商」）から事業を拡大していった伊藤萬・田村駒・山口（玄洞）・丸紅・伊藤忠・八木商店・豊島商店・岩田商事・丸永商店・又一などがあった。さらに、生糸輸出商としては茂木商店、羊毛輸入商社としては兼松商店、鉄鋼専門商では岸本商店・安宅商会・岩井商店などが挙げられる。以下では、これら専門商・貿易商の個別事例を見てみたい。

　1892（明治25）年に設立された日本綿花（日綿實業、ニチメンと改称後、現在の双日の母体の一つ）は、中国・インド・アメリカ産綿花の輸入に従事するとともに、支配人代理に就任した喜多又蔵の主導の下で、中国への綿糸輸出を始めた。1903（明治36）年に上海支店が設けられ、翌年、漢口（現、中国武漢市）支店がおかれた。両支店では、「商工併進主義」の下、綿花・綿糸・綿布に加えて繰綿工場・紡績工場が経営され、上海支店ではメリヤス・コウモリ傘・薬品・肥料、漢口支店では肥料・食料品・木蝋・菜種・マッチなどが取り扱われた。また、同社は、1907（明治40）年にボンベイ支店を開設し、インド綿を生産者から直接買い付けた［日綿實業1943、63頁］。日本綿花に加えて、綿花輸入・綿糸布輸出に従事した1905（明治38）年設立の江商は、1907年に神戸雑貨部を創設し、メリヤス輸出と自転車の輸入を行っていた［江商1967、96頁］。

　1990（平成2）年代初めの「イトマン事件」によって歴史の表舞台から姿を消した伊藤萬の事業は、1883（明治16）年に伊藤萬助が洋反物商店を開業したことに始まる。創立当初には外国商館から洋反物を仕入れてい

たが、1891（明治24）年に三井物産ロンドン支店と提携して紅金巾など を日本に直輸入した。伊藤萬は、モスリン友禅・毛布・洋傘布地の販売で 成功し、これらの全国的な出張販売に加えて、朝鮮・満州などへも販路を 伸ばした。しかし、「舶来織物並模造品の売買を以て専業とす、但し他業 を為すを許さず」という1899（明治32）年の店則に見られるように、取 扱商品は繊維製品に特化していた［伊藤萬商店1933、27-73頁］。

伊藤萬と同様に輸入洋反物商として活躍した山口商店（創業者山口玄洞） は、日清戦争を契機に、毛布・金巾・モスリンなどの販売で急拡大を遂げ た。商品は提携した外国商館から仕入れ、洋反物の販売に特化していた。 同社が綿布輸入を手がけたのは、株式会社に改組した1917（大正6）年以 降のことであった［山口1965、34-40頁］。

羊毛輸入商として特筆すべきは、オーストラリア貿易に従事した兼松商 店である。1889（明治22）年に設立された同社は、翌90年にシドニー支 店を開設して、日豪貿易に着手した。日清戦争期には、豪州から肥料・小 麦・大麦などを日本に輸入し、日本から手巾・羽二重・雑貨、さらには精 米を豪州へ輸出していた。日清戦争期の兼松は、中国へ燐寸・綿糸などを 輸出し、大豆・豆粕などを輸入した。だが、「学卒社員」の前田卯之吉の 経営合理化方針によって投機性の高い中国貿易からしだいに撤退してい き、兼松は豪州貿易に特化するようになった。日露戦争後に豪州からの羊 毛輸入に専念した兼松は、豪州羊毛市場において大きな地位を占めるよう になった［天野2004a、2004b］。

1896（明治29）年に岩井勝次郎が創業した岩井商店（現在の双日の母 体の一つ）は、外国商館を通さない直輸入貿易を求め、イギリスのウィリ アム・ダフ商会と提携した。創業時の同店の取扱品目は、医薬品・金物品・ 毛織物・文房具・紙などであった。1904（明治37）年頃に岩井商店は、 ボンベイへのメリヤス・雑貨・マッチの輸出、麻袋の輸入に着手し、イン ド・ジャワへのメリヤス・燐寸・樟脳などの輸出をはじめた。さらに、帝 国制帽会社の帽子、ドイツのステッドラーの鉛筆などを一手に販売した。 1908（明治41）年には、フィリピンとの貿易を始め、メリヤスなどの輸 出、マニラ麻・砂糖の輸入に従事し、1909年には、ジャワ・バタビアへ

の綿糸輸出、同地からのゴムなどの輸入を始めた。こうした活動を経て、1910年には、岩井商店の日本の輸入貿易総額に占める割合は2.6%となった［岩井産業 1964、107-176頁］。

　大阪に本店をおいた岩井商店は、明治後期に東京・神戸・横浜に支店を築いたが、ロンドンのダフ商会の店舗に事務所を設置したのを除けば、外国に支店を備えなかった。岩井商店が外国に店舗をはじめておいたのは、1915（大正4）年のニューヨーク出張所であり、後述する明治後期に国内外に支店網を築いていた三井物産とは異なる特徴をもつ。なお、後に鉄鋼専業商社といわれるようになった岩井商店の鉄鋼取引は、第一次世界大戦期以後に本格化した。

2　三井物産の活動

(1) 取扱商品の多様性

　総合商社と呼ばれるに相応しい、三井物産の取扱商品の多様性についてみたい（以下の記述は、主に日本経営史研究所 1978、に拠る）。

　1908（明治41）年の支店長諮問会議では、各々の商品が、A1：取引拡張、A：拡張、B：危険なき程度に取扱、C：特別の事情による継続、D：調査研究の上存続・廃止を決める、E：廃止すべきに分けられた。表3-1に示されるこのA1〜Eを見れば、1908年当時の三井物産の取引商品の多様性が窺える。

　三井物産の創立時には、米・石炭・生糸・茶・海産物の取扱を主としていたのに対して、日露戦争後には、表3-1に見られるように、当時の花形産業であった石炭・綿紡績に加えて、胡椒・醬油・洋傘などまでのおよそ110種類の商品を取引していた。表3-2によって取扱商品の上位構成を見れば、取引拡張方針（A1）がとられた石炭・綿花・綿糸・綿布・生糸の取引額が大きい。こうした多種類の商品取引を三井物産の社内では「問屋的百貨業」と呼んでいた。取引品目の多様化によって、三井物産の

表3-1 三井物産の取引品目（1908年）

A1	石炭（コークス含む）、生糸、木材、枕木、燐寸（マッチ）、綿花、機械、鉄道用品、米
A	綿糸、綿布、紡績絹糸、羽二重・絹ハンカチーフ、砂糖、樟脳、花筵、銅、官蔘、大豆、豆類・その他豆類、大豆粕、人造肥料、化学肥料、雑粕、燐鉱石、金物類、錫、鉛、鉄類、羊毛、トップ、小麦、麦類、硫黄、植物性油、麻袋、阿片、紡績用品
B	パルプ・製紙用品、麦酒原料・麦酒用品、ゴム原料、鉱石類、紙類、毛糸、綿実、繭及屑物、魚油、麦粉、麹、菜種、セメント、石油箱茶箱類、アンペラ
C	皮革・製革原料、洋反物、毛織物、麻類、支那麻、マニラ麻、製帽用品、米国木材、珊瑚、酸類、石膏、鉛管、チーク材、軍用品、麦酒、葉煙草、耐火煉瓦、フランネル会社製品、柞蚕糸、牛骨、木炭、燐寸用品、銀、氷砂糖、骨炭、平野水、ターピッチ、園田缶詰、樽、硝子、硝酸曹達
D	染料、薬品類、支那漆、胡椒、石鹸原料、鉱油、タオル、莫大小シャツ、木蝋、パイナップル、胡麻、台湾酒精、寒天、スヱフト社製品、絹紬ポンヂー、蝋燭原料、豆素麺、硝子器
E	醤油、蝋燭、洋傘、椎茸、象牙、土管、貝鉛、煉瓦、官煙、缶詰類、ペイント、ヴアニッシ、石鹸、西洋小間物、藍、海参、陶器、生皮、火山灰

注） A1〜Eの分類は本文中に記載。
出所） 三井物産（1965、29-31頁）。

表3-2 三井物産の取扱商品高の割合
（単位：％）

	1904年	1910年
石炭	17.3	11.7
綿花	13.8	15.4
綿糸	9.6	8.2
米	9.1	1.7
生糸	6.7	11.5
砂糖	5.7	6.5
羊毛・毛製品	4.7	1.1
銅	4.1	0.9
綿布	2.9	5.6
鉄道用品	2.6	1.6
機械	2.3	5.4
マッチ	2.0	0.8
豆粕	1.0	1.3
大豆	0.7	5.7
煙草	0.7	—
木材	0.6	1.8
セメント	0.5	0.7
麦粉	0.4	1.0
燐鉱石	0.3	0.7
樟脳	0.0	2.5
その他	15.0	15.9

出所） 日本経営史研究所（1978、222-223頁）。

商品取引額は、1904年の1億2700万円から1910年の2億7800万円に増えた。

(2) 営業網と管理機構

営業網の拡大

こうした取扱商品の多様化と取引規模の増大は、次に見る「営業店」（支店・出張所・出張店）網の拡大にあった。

1893(明治26)年に三井物産が開設していた営業店は、国内が小樽・函館・横浜・大阪・神戸・馬関（現下関）支店、高崎・長崎・口ノ津・三池出張店、兵庫・若松・三角出張所の計6支店7出張店・出張所、海外が上海・香港・シンガポール・ロンドン支店、天津・ボンベイ出張所の計4支店2出張所であり、国内外の支店・出張店・出張所を合わせて19店あった。三井物産の営業店数は、この15年後の1908年に、支店・出張所合わせて国内22、海外38の総計60店に増えた。1893-1908年の店舗網の拡大は、名古屋・新潟などの国内営業店の創設もあったが、営口・台北・漢口・京城（ソウル）・福州・釜山・サンフランシスコ・ハンブルク・マニラ・リヨンなどのアジア・欧米諸国を主とした営業店の開設にあった。

管理機構

こうした営業店の増設にともなって、三井物産は1898(明治31)年に「共通計算規定」を設けてこれら営業店の管理体制を構築しようとした。創業以来三井物産は支店の独立採算制度を採用してきたため、取扱商品をめぐる支店間の取引慣行の不統一によって、支店間の競争が激化していた［森川 1980、272-273頁］。そこで模索されたのが「共通計算規定」である。この規定を詳しく見れば、消費者と直接契約する支店を「首部」として、この「首部」の指示に基づき、仕入・仲次（商品の配送）・販売（商品の販売）を行う業務を各支店に担わせ、一連の業務から得られた利益を共通計算するものであった。綿花・綿糸・石炭・大豆・生糸・綿布・マッチ・米・肥料などの重要取扱商品にこの規定が適用されたものの、個々の商品で仕入などの流通形態に差異があったため、「共通計算規定」を複数の商品に一

律に適応させるのは難しかった。そのため、1900（明治33）年には支店間の共通計算の原則のみを残し「共通計算規定」は廃止された。

1908年に各支店長が本店に集まって開催された支店長諮問会議では、各支店の取り扱う商品が支店ごとに定められ、各支店の「新商品ノ取扱ハ（中略）一切取扱ヲ為スベカラズ」とされた［三井文庫 2004、3頁］。例えば、マッチの取引は、国内生産者と取引できる「仕入主店」が大阪支店のみとされ、上海・香港などが「販売店」とされた。生産地に近い名古屋支店・神戸支店がマッチの製造業者と取引する時は、必ず大阪支店を通すこととされた。このように三井物産は、「共通計算規定」廃止後においても、各支店の取扱商品と仕入・販売業務を制限して、支店間の競争を抑制しようとしていた。

しかし、この会議では、64店が120種類の商品を取り扱っていることについて、「統一ヲ欠キ」「実ニ危険極マル」と指摘されていた［三井文庫 2004、130-131頁］。さらには、出張員が自らの考えに基づいて商品の取引をすることもあった。こうした状況を三井物産の管理部は、「大将軍ノ下ニアル軍隊ガ、其命ヲ奉セズ、各師団各連隊各々自由ノ行動ヲ為スト同シク」と言って批判していた。すなわち、社長（本店）の命令に背き、支店や出張員が独自の営業活動を行っていたことが危惧されていた。

このように三井物産の取扱商品の多様化、取引規模の拡大の背後には、本店・支店・出張員の指令・連絡系統が十分に整備されていない側面があったため、三井物産は「共通計算規定」をはじめとする管理機構の構築に従事していた。

見込商売

三井物産の商業活動は、生産者と消費者との商品販売取引を仲介することにあった。具体的には、①生産者から販売手数料を得るコミッション・ビジネス（委託売買）、②あらかじめ生産者から買い取った商品を消費者に売る活動（買越）、③販売商品をもたないまま消費者と販売契約する活動（売越）があった。売越買越を行う②と③の見込商売は、商品価格の変動によってリスクはあるが高い収益を得るチャンスがある。また、東アジ

ア市場では綿糸・綿布・小麦粉・マッチなど先物約定習慣がなく現物売りを主体とする商品取引や、綿花・羊毛・外国米・粕類・油類など商品集荷に買持が必要とされる農畜産物などの取引を展開する上で、見込商売が不可欠であった［鈴木 1981］。

　そのため支店・出張所の拡張は、営業店の見込商売の規模を増やした。コミッション・ビジネスを主とする外国商社に対し、見込商売に着手した日本商社の競争優位性を指摘する見解もあるが［石井 2003、125-126頁］、その反面で見込商売はリスクの増加をもたらすことになる。1898年の商務諮問会議において、商品取引は、コミッション・ビジネスを主とする方針が徹底された。見込商売については、本店の許可なしに営業店が行うことを禁止された。綿花を主とする先物取引では、本店の許可を得た見込商売が盛んであった。だが、牛荘支店が独自の判断で豆などの見込商売を行うこともあり、支店長諮問会議において問題となることもあった。このように三井物産はコミッション・ビジネスを主としながらも見込商売によって取引の拡大を図っていた。

(3) 主要取扱商品

取扱商品の特徴

　三井物産の商品取引は、①国内の商品を海外で販売する（輸出）、②海外の商品を国内で販売する（輸入）、③国内の商品を国内で販売する（国内取引）、④海外の商品を海外で販売する（外国間取引）からなった。1897（明治30）年の三井物産の総取扱額5,300万円のうち、輸出19.5%、輸入62.7%、国内取引17.4%、外国間取引0.3%であった。他方、1907年には2億3000万円のうち輸出34.9%、輸入44.4%、国内取引14.2%、外国間取引6.5%となった。両年を比較すれば、1907年に低下するものの輸入の占める割合が大きく、国内取引は横ばいに推移している。他方で、輸出の割合は増え、中国産生糸・大豆のヨーロッパ向け販売を主とした外国間取引は大きく伸びている。

　表3-3によって主要な輸出入品の動向を見れば、輸出商品としては綿糸・石炭・生糸、輸入商品としては綿花・機械が挙げられる。とりわけ、

表 3-3　三井物産の輸出・輸入商品

(1) 輸出

(単位：千円)

商品名	1897 年	1907 年
綿糸	3,968	8,862
石炭	2,292	16,807
生糸	1,351	29,650
米	1,239	3,134
綿布	166	6,687
合計	9,016	65,140
物産総取扱額	10,432	82,107

(2) 輸入

(単位：千円)

商品名	1897 年	1907 年
綿花	13,822	37,214
機械	12,610	19,246
米	371	7,461
砂糖	319	3,682
綿布	229	912
合計	27,351	68,515
物産総取扱額	33,540	104,450

出所）　日本経営史研究所（1978、227-258 頁）。

1897 年と比較すれば、1907 年に石炭・生糸・綿布の輸出は大きく伸びている。以下では、これらの主要商品の取扱動向を概観してみたい。

綿糸・石炭・生糸

　三井物産の主要輸出品目の綿糸・石炭・生糸は、当時の日本の重要産業であった。

　1882（明治 15）年に設立された大阪紡績によって機械製紡績業が本格的に始まり、日本の綿糸生産は着実に増加し、1897 年には日本の綿糸輸出量が輸入量を超えた。綿製品の貿易収支は戦前期に一貫して入超であったが、安価な国内供給、雇用創出、経営制度の構築によって日本経済を支え、紡績業はその中心的存在であった［阿部 1996］。三井物産は、綿糸輸出国となった日本の紡績業を流通・販売面から支えた。日本総綿糸輸出量に占める三井物産の取扱量は、1897 年に 29.4％、1907 年に 29.2％であったものの、1906（明治 39）年には三井物産の取扱量は総輸出量の 52.4％に及んだ。三井物産の綿糸輸出先は、インド・イギリス綿糸との競争に打ち勝った中国市場を主としていた。綿糸輸出は、三井物産の上海・香港・天津・営口などの支店・出張所による販売活動が重要であった。

　なお、前章で強調された綿紡績業との関係については国内取引先企業の動向を分析した箇所で詳述したい。

石炭積出の風景
石炭を入れたバイスケ（ザル）を手渡しして積み込みする様子

　紡績業とともに蒸気機関用の熱源、製鉄用の原料コークスとして石炭鉱業の発展は工業化には不可欠であった。幕末期の開港とともに外国船舶の燃料用炭として高島、三池、筑豊で石炭鉱業が勃興し、日本工業化とともに生産が拡大した。とりわけ、三井物産は、官営三池炭鉱の石炭の販売を担った創設期から石炭は重要取扱商品であった。三池炭鉱に加えて三井物産は、三井鉱山が日清戦後に産炭地筑豊において経営に着手した田川・山野炭鉱の出炭を一手に取り扱った。さらに、三井物産は1898年から三井財閥以外の炭鉱企業の石炭（社外炭）の販売契約を増やそうとした。こうした結果、1897年に460万トンであった三井物産の石炭取引量は、1907年に3,000万トンに増えた。
　外国貿易商によって担われていた日本の生糸輸出に関しても三井物産は重要な地位を占めた。当初三井物産は、三井元方所属の富岡などの4製糸工場から産出される生糸輸出の担い手であったが、横浜支店が中心となって、製糸家への前貸金供与などを行い優良製品の輸出を志した。その結果、1897年に生糸の国内総輸出量に占める三井物産の割合が2.4％であっ

第3章 明治後期：総合商社としての三井物産の確立とその他の商社の活動　83

ボンベイの棉花野積場（明治末年）
『三井事業史』本篇第二巻より

たものの、1907年には25.5％へ急上昇した。さらに輸出地においても、1897年に再開したニューヨーク支店が横浜支店と緊密に情報の交換を行い、アメリカでの三井物産の生糸販売を成功に導いた。こうした三井物産の生糸輸出の意義は、外国貿易商から生糸販売の主導権を奪い、日本の生糸輸出の国際競争力を向上させたことにあった。

綿花・機械

こうした日本で生産された財を輸出することに加えて、三井物産は外国からの輸入にも携った。

まず綿糸製造の原料となる綿花の輸入についてみておこう。これは国産綿花が割高であったことと輸入紡績機械にそれが馴染まなかったことによる。そこで注目されたのがインド綿花であり、1893年の日本郵船のボンベイ航路の開拓、1896年の綿花輸入税撤廃などが後押しし、インド綿花の輸入は増えた。

1897年の国内総綿花輸入量の31.7％は三井物産によって取り扱われ、1907年においても32.2％を占めていた。三井物産のインド綿花の買付は、1893年に開設されたボンベイ出張所が担当した。仲買商を経て買付られ

たインド綿花には粗製品・不均一品が多かったため、1903年にボンベイ支店はインド綿花産地への直接買付を開始した。インド綿花の他には、ニューヨーク支店によって担われたアメリカ綿花の輸入が1896年から行われ、中国綿花の輸入も三井物産は担った。

綿花とともに重要な三井物産の輸入品は機械であった。工業化は機械生産によって高い生産性を上げることができるが、三井物産は紡績・鉱山機械、原動力となる蒸気機関、鉄道車両などを輸入していた。ロンドン・ニューヨーク支店を通して輸入された三井物産の1897年の国内総機械輸入額に占める割合は35.4％、1907年のそれは42.8％であった。

(4) 国内取引先企業の動向

三井物産は多くの外国企業、日本企業と取引関係を築いた。ここでは三井物産の取引企業の特徴を見るため、東京本店の商品の販売先に関して原資料を通して見てみたい。

三井物産東京本店から社内向けに毎日公表されていた『業務要領日報(旬報)』には、取扱商品の市況状況、各支店・取引先との電信を要約したものに加えて、販売契約が成立したものの一覧が示されている。各商品の名称・数量・取引先名が記載されているこの「売約」項目から支店間の取引を除き、三井物産の商品販売先を大量観察する。この史料の分析には、①商品の販売面の動向に限定され、仕入に関する動向が不明、②東京本店に活動に限られているという問題が存在するが、三井物産の取引先を包括的に分析した研究が数少ないため、『業務要領』を題材にする意味は大きいと思われる。

1906年の東京支店の主な売約掛は、綿花糸布掛・金物掛・雑貨掛・米穀肥料掛・鉄道掛・機械掛・石炭掛であった（なお、1906年末から史料に登場する毛類掛は取引数が少ないため分析対象から省く）。『業務要領』の分析結果を示した表3-4は、専業商を除いた各掛と一度でも取引のあった主要企業の一覧である。従って、取引量の大小はこの表からは明らかにならない。

表3-4によれば、1906年に四つの掛の売約掛と取引があるのは、鐘淵

第 3 章　明治後期：総合商社としての三井物産の確立とその他の商社の活動　85

表 3-4　三井物産東京本店における各売約掛の主要取引先企業 (1906 年)

業種	取引先	綿花糸布	機械	鉄道	石炭	雑貨	米穀肥料	金物	類型
繊維	東京紡績	○							MCX
	鐘淵紡績	○							MCX
	下野紡績	○							MX
	東京モスリン	○							M
	富士瓦斯紡績		○						MCX
	東京瓦斯紡績								M
	日本絹綿紡績								M
	品川毛織								MCX
	東京モスリン								MC
	桐生燃糸								M
	千住製絨所								M
	山崎染工場								M
	青木染工場								M
	北海道製麻								MX
電力	東京電燈								MC
	高崎水力電気								MC
セメント	三田土ゴム					○			CX
	鈴木セメント								C
	品川白煉瓦			○					MCX
製粉	東亜製粉								M
	日本製粉						○		MX
鉄道	九州鉄道		○	○					MX
	鉄道作業局		○	○					MX
	東京鉄道		○	○					MCX
	日本鉄道			○					X
機械・鉄鋼	石川島造船所					○			MX
	芝浦製作所					○			MCX
	鈴木鉄工所								MX
	月島製鋼								X
	東京製鋼		○						X
	新潟鉄工所								X
	日本鉛管製造所								X
	日本ペイント								X
製糖	大日本製糖								C
	日本精製糖								CX
	台湾製糖								MX

業種	取引先	綿花糸布	機械	鉄道	石炭	雑貨	米穀肥料	金物	類型
鉱業	加納鉱山				○			○	C
	古河鉱業				○			○	MCX
	三菱合資鉱				○				MC
	北海道炭礦				○				MX
	貝島炭坑				○				M
	荒川鉱山								CX
	磐城炭礦				○				MCX
	芳ノ谷炭鉱								MC
	亀井戸コークス								M
	久原鉱山事務所								M
	日本石油								X
	飯田板硝子								M
	尾去澤鉱山								C
	寳鉱山								C
	院内銀山								C
醸造	大日本麦酒					○			MX
	日本麦酒								X
肥料・化学	関東酸曹								MX
	館林製粉								MX
	東京人造肥業						○		MCX
	武田鳥人造肥料								M
	鹿児島人造肥料								MX
	北海道肥料								MX
	新潟硫酸								MCX
製紙	王子製紙		○			○			MCX
	富士製紙					○			CX
軍工廠・官庁・国策会社	横須賀海軍工廠							○	CX
	東京砲兵工廠							○	MC
	佐世保海軍工廠								M
	海軍水路部								M
	海軍造兵廠								M
	赤羽根海軍工廠								CX
	韓国支部印刷局								M
	製鉄所								M
	専売局								M
	関東新民政署								M

注： 1. 類型は、M：機械掛、C：石炭掛、X：機械・石炭以外の売約掛を示す。
2. 原則として企業名は史料の通り。年内に合併した企業も含まれる。
出所： 三井物産東京本店『業務要領日報』(1906)。

紡績・鉄道作業局・日本鉄道・東京人造肥料であり、三つの掛と取引しているのは東京紡績・富士瓦斯紡績・品川毛織・品川白煉瓦・芝浦製作所・古河鉱業・王子製紙・横須賀海軍工廠である。

表3-4に基づき産業別に三井物産と企業との取引関係を探りたい。繊維に関して見れば、全ての企業が三井物産より機械を購入しており、紡績機械・汽罐をはじめとしてヒューズなどの機械附属品まで多岐に及んだ。他方で、多くの紡績会社が三井物産からインド綿花を主とした原綿を購入しており、豆田粉炭などの銘柄の石炭を紡績会社は三井物産から買入れていた。とりわけ、1901年に三井物産と鐘淵紡績との原綿取引契約によれば、三井物産は売掛による無担保の信用供与、良質な綿花の供給、低率な手数料で鐘紡と取引する反面、鐘紡は綿花使用量の70％を三井物産から購入することになっていた［高村1971、130-131頁］。なお、品川毛織・東京モスリンは1906年末に毛類掛からインド・オーストリア産の羊毛を購入していた。

三井物産は電力会社へ発電機・変電機などの機械とその附属品・石炭を販売していた。窯業・セメント会社について見れば、石炭掛との取引が盛んであり、三田土ゴムへは、雑貨掛がボルネオゴム・セメントを納入していた。製粉会社に関してみれば、東亜製粉・日本製粉と三井物産はボイラー・発電機・温熱機などを取引し、日本製粉は雑貨掛から小麦を購入していた。

鉄道会社に関しては、三井物産は鉄道掛を設けており、ここでは機関車・軌条・車輪などの鉄道関係の製品が取り扱われた。機械・鉄鋼会社については、芝浦製作所が金物掛からボイラー材料を購入し、電動機をはじめとした様々な機械器具を機械掛と取引するとともに、石炭を買約していた。

製糖会社と東京本店の取引は、日本精製糖について見れば、雑貨掛が爪哇原料糖を主とした原料・石炭を販売し、三井物産が設立を主導した台湾製糖は、機械掛より貨車などを購入していた。鉱業会社は、東京本店と機械・石炭の取引が盛んであった。とりわけ、三菱合資は節炭機・給水喞筒、古河鉱業は削切器などを東京本店から購入していた。1906年に大阪麦酒・日本麦酒・札幌麦酒の合併によって設立された大日本麦酒とは麦芽原料を

取引していた。
　化学・肥料会社と東京本店との取引は、雑貨掛の硫黄、米穀肥料掛の燐鉱石を主とする原材料からなっていた。1906年に東京人造肥料は、燐鉱石・豆粕を米穀肥料掛、コンベアーなどを機械掛と取引するとともに石炭を購入していた。製紙会社を見れば、王子製紙が雑貨掛とパルプを取引していたが、富士製紙は硫黄を主として購入していた。
　軍工廠・官庁・国策会社について見たい。多くの軍工廠が三井物産から機械を購入していたが、横須賀海軍工廠が電動機・モーターをはじめとした機械・煉瓦・缶詰などの雑貨、錫・鋼板などの金物、石炭を購入し、東京砲兵工廠が機械のみならず鉛・ニッケル・石炭を大量に購入していた。専売局は1906年に葉煙草を雑貨掛と取引し、八幡製鉄所は機械付属品が東京本店からの主な購入品であった。
　こうして見れば、三井物産と企業との取引は、機械と石炭を機軸にしていたことが分かる。表3-4の類型が示すように、石炭・機械掛と取引していない企業も存在するが（類型X）、多くの企業が機械掛（M）、石炭掛（C）、機械・石炭掛（MC）と取引しており、石炭掛ないしは機械掛と他の売約掛（MX・CX）、石炭・機械掛とその他売約掛（MCX）で類型される。とりわけ、MCX型の企業のうち東京紡績・鐘淵紡績・富士瓦斯紡績・王子製紙は、三井物産から機械・機械器具、その動力源となる石炭、さらには原料を購入する関係にあった。また、石炭市場においては競合関係にあった古河鉱業、三菱合資、貝島炭坑などと機械取引において三井物産は顧客関係にあった。
　ここでの分析は取引期間を考慮していないが、メーカーとの長期的な特約関係が三井物産の優位性の一つとして挙げられている［大島 2010、182-183頁］。こうした三井物産と企業との「共生」ともいえる取引関係は、1企業と多品種の取引を行う関係からも垣間見られよう。
　ただし、三井物産と企業との長期的な取引関係が瓦解する場合もあった。三井物産は1917年に筑豊の炭鉱企業貝島鉱業・麻生商店と販売炭の共同利益計算をなす「プール計算規約」を結び、これら炭鉱企業の販売を三井物産は一手に引き受けた。しかし、三井物産が貝島・麻生炭を売り

叩いているとの疑念を炭鉱企業がもち、第一次世界大戦の炭価高騰期に貝島はプール計算規約から離脱した。麻生・貝島は独自に自社販売組織を設置して、1920年代には三井物産と石炭市場で競争関係になった［松元1979、583-645頁；長廣2006、316-322頁］。

(5) 貿易補助業務

　横浜正金銀行と三井物産の関係は緊密であり、海外に支店網を築いた横浜正金銀行と三井物産の支店・出張所は荷為替契約を結んだ。1896年に販売代金の回収難から三井物産が資金難に直面した時には、横浜正金銀行は手形決済を延期することもあった。

　三井物産の商品販売業務において輸送は重要である。三井物産の自社船は石炭輸送を主としていたが、1898年頃から石炭以外の輸送に自社船が用いられるようになった。1903年に船舶部が設けられ米、砂糖、綿花の輸入などに使われた。しかし、自社船が利用されていたのは三井物産取扱貨物量の25％にすぎず、傭船による輸送が主であった。日清日露戦争時に三井物産は、陸海軍の物資の輸送・調達に従事し、所有船舶の提供をした。なお、1898年から大阪商船、日本郵船などの船舶代理業務に従事したが、事業規模は小さかった。この他に三井物産は、海上損害保険、火災保険、生命保険会社の代理店業務に従事していた。

3　三井物産以外の商社の活動

(1) 三菱合資の営業部門

　1893（明治26）年に設立された三菱合資会社の営業活動は、所有鉱山から産出される石炭・銅に限定されており、三井物産と比較すれば、取扱商品の種類・支店数は少なかった［三菱商事1986、55-73頁］。これは三菱合資が社内品の販売業務に特化する方針にあったためであり、この時期の三菱は社外品の取扱に消極的であった。日露戦争後の三菱合資の取扱商

品は、石炭・銅・銅板・コークス・タール製品・洋紙・ビールであった。洋紙とビールを除けば、高島炭鉱・尾去沢・佐渡・生野などの石炭・銅山・大阪精錬所・牧山骸炭製造所の三菱合資の所有鉱山・工場によって生産された商品であった。

1890-1910年の三菱合資の支店・出張所は、新潟・大阪・神戸・門司・若松・長崎に開設されていた。三菱合資設立以前にも上海・香港に海外出張所は存在していたがいずれも廃止された。三菱合資設立後に海外支店・出張所が設けられたのは、1902（明治35）年の漢口が最初であり、さらに1906年に上海・香港、1909年に北京に開設された。三菱合資が支店・出張所網を拡大したのは1910年に入ってからであり、1912-15年に小樽・函館・青森・横浜・名古屋・呉、1915-17年に台北・大連・天津・シンガポール・ロンドン・ニューヨークに支店・出張所が開設された。

三菱合資の営業活動に関して見たい。1896年の三菱合資の組織機構の改変にともない、鉱山部などとともに営業部が設置された。石炭の取り扱いは、産炭地に近い長崎・下関支店が担ってきたが、1896年に東京本店で一括して石炭販売するために売炭部が設けられ、この売炭部が営業部に引き継がれた。営業部は各支店・代理店、社船を統括する部署となり、売炭・売銅、鉱山・造船所などの資材購買が中心であった。1906年には、鉱山部と営業部とが統合されて鉱業部が創設され、採掘から輸送、販売までがこの統一された部署で行われた。

三菱合資は、1907年に設立された麒麟麦酒を系列会社とし、ビールの中国輸出に従事した。しかし、中国では菱華公司という別名で漢口出張所が販売業務を担い、三菱合資の生産品とは区別された。1901（明治34）年から三菱合資の系列会社となった神戸製紙所（1904年に三菱製紙所と改称）の製造する洋紙は、同社が独自に組織した取扱店によって販売されていた。1906年から三菱合資の上海支店が洋紙の輸出業務を担い、社内品と同じように取り扱われた。

このように三菱合資の商業活動は、社内・系列企業品に特化されていたが、1908年から漢口出張所が石炭、鉄鉱の輸出入が途絶する時期に、綿花などの雑貨取引を始めた。しかし、この取引においても菱華公司という

別名が使用され、三菱合資の活動とは区別された。さらに、上海・香港両支店においても雑貨取引が開始された。

　1911（明治41）年に鉱業部から営業部門が再び分離され、営業部が創設された。営業部の活動は、鉱山部の産出する鉱物の販売業務、支店の統括、配船業務と定められ、社外品の販売に関しては業務規定に加えられていなかった。だが、漢口支店は、1909年から綿花の取引に従事し、1911年から桐油の精製と欧米向け輸出を始めた。また、上海支店は、損失によって失敗するものの、綿糸の取引に従事するようになった。

　こうした中国に所在する支店の社外品取扱の拡大によって、綿糸布・綿花・桐油・雑穀・雑貨の取引が1912（明治45）年に各支店に認められた。社外品取引拡大の転機は、1914年から始まる第一次世界大戦であった。この時期にはヨーロッパ諸国との輸出入途絶によって、三菱合資の内外支店は他種類の商品の取引に乗り出した。

(2) 住友

　住友商事は、戦前期に企業組織として存在していなかった［畠山1988、258-260頁］。明治後期の住友は、別子銅山の採掘業から、伸銅・鋳鋼・電線製造の金属加工業へ多角化し、筑豊炭田の忠隈炭坑の経営、さらには住友銀行、住友倉庫を設立した。住友が商社を設立しなかったのは、総理事鈴木馬左也の「住友の経営方針は地下資源の開発と製造工業を枢軸とすべきであって、単なる商事は鉱工業経営の邪魔になる」という見解に示されているように［鈴木馬左也翁伝記編纂会 1961、273-274頁］、生産中心主義にあった。

　だが、住友は銅、金属加工業品の販売を自社内で行っていた。1871（明治4）年に神戸銅売捌出張所（72年に神戸支店と改称）を開設し、1890-1910年に尾道・若松・東京に、1913-20年には、呉・横須賀・舞鶴・博多・名古屋・札幌などに支店・販売所を設立した。国外では、1879年に開設された釜山支店が5年で閉鎖されたが、1916（大正5）年に上海・漢口・天津に住友洋行という名称の販売店を開設した。中国では電線を主とした住友製品を販売した。しかし、第一次大戦ブーム後に上海住友洋行を残し

て中国での営業活動から撤退した。

(3) 伊藤忠・丸紅

伊藤忠兵衛家の事業

現在の伊藤忠商事・丸紅の起源は、滋賀県出身の兄弟関係にある伊藤長兵衛・伊藤忠兵衛が1872（明治5）年に博多・大阪で開設した店舗にある。伊藤忠商事の名称は創業者伊藤忠兵衛の名前に由来し、丸紅の名称は忠兵衛の商号（㊜）に起源をもつ。現在の伊藤忠商事・丸紅は、伊藤忠兵衛の事業に端を発しているため、以下では忠兵衛の活動を見たい［丸紅1977；伊藤忠商事1969、15-54頁］。

行商商売をしていた伊藤忠兵衛が1872年に開店した大阪店では、呉服・近江麻布・羅紗・ビロードが取扱われていた。1884年に開店当初より商号を紅忠としていた大阪店を伊藤本店と改称し、染呉服を扱う伊藤京店が開店した。京店の取扱商品は、羽二重などであった。また、京店は1896年に伊藤染工場を開設し、日露戦後にアリザリン系の染料の黒染を開発し、九重染と命名した。専売特許を得た九重染は、後の大正天皇が成婚時に購入したことで有名となった。

1892年から愛知県の一宮町に店員を派遣して綿糸の販売を模索し、93年に伊藤糸店を開業して綿糸卸売業を始めた。国産綿糸と神戸、横浜の外国商館から仕入れた輸入綿糸の国内向け販売を糸店は行っていたが、日清戦後不況などの影響を受けて創業から10年間は経営難が続いた。1903年の忠兵衛の死後、次男の精一が二代伊藤忠兵衛を名乗った直後の糸店は、鐘淵紡績をはじめとした国内の主要紡績会社と取引し、「大砲」という商標名でブランドを確立した。1908年に東京支店を開設し、さらに1910年に一宮出張所を設けた。

伊藤本店・京店・染工場・西店は伊藤忠兵衛家が経営し、糸店は分家の伊藤孝太良家が経営していたが、1908年にこれら4店1工場に加え、本店の輸出部を伊藤輸出店として分離独立させ、伊藤忠兵衛本部が管理する組織上の改革が行われた。そもそも初代伊藤忠兵衛が糸店は長女とき、京店は次女こう、後述する西店は次男精一（二代伊藤忠兵衛）のために開店

伊藤本店
『伊藤忠商事 100 年』より

したものであり、これら店の開業には伝統的な同族家業意識が強かった。三井物産の経営管理方式を模したともいわれる伊藤忠兵衛本部の設立は、家業意識からの逸脱を図る一歩となった。

貿易事業

　洋服需要の増加を見込んだ忠兵衛は、1886 年に伊藤西店を開業し、羅紗の直輸入を行った。伊藤家の海外貿易への本格的な進出は、1893 年に忠兵衛が甥の外海鉄次郎と共同経営した伊藤外海組（いとうそとうみぐみ）に始まる［宇佐美 2006；宇佐美 2009］。伊藤外海組は、忠兵衛・外海が株主として関与した 1889 年に設立された日本雑貨商社に起源をもち、この事業を引き継いで 1891 年に創設された日本雑貨貿易商社（翌年に日本雑貨貿易商会と改称）に由来する。伊藤外海組は、本店を神戸とし、横浜・サンフランシスコに支店をおいた。この貿易会社は、絹ハンカチ・花筵などの雑貨類を直輸出したとされるが、取扱品目については詳しくわかっていない。だが、忠兵衛がそれまで本業としてきた繊維関係とは異なる雑貨貿易事業に進出したことには注目すべきである。伊藤外海組の経営状態は、ドル決済の帳簿では純利益がでていたものの、売掛金の回収が困難となったように、良好と

はいえなかった。そして、1895（明治28）年には伊藤家店員の鶴谷忠五郎に事業が譲渡され、伊藤外海組は解散することになる。解散は、外海の病気が理由として挙げられているが詳細は定かではない。

伊藤外海組が解散した翌年の1896年に、忠兵衛は外海などとともに、神戸に本店、上海に支店をおいた日東合資会社を設立した。綿花の売買を主としたこの会社の経営は、前川善助と外海が行い、忠兵衛は出資者の一人に留まったようである。

さらに貿易事業を見れば、1897年頃に伊藤本店は、大阪の朝鮮屋という買継店を通して、朝鮮への直輸出を試みた。朝鮮向け直輸出は、日露戦争後の1906年に伊藤本店が輸出部を設置したことから始まった。京城においた本店輸出部の出張所では、綿糸・綿布・絹綿交織・麻布・絹織物・呉服太物の日本製品が取り扱われた。また、1907年に西原借款で有名な西原亀三が設立を促した朝鮮人資本の共益社と鐘淵紡績の重目粗布を朝鮮で販売するための契約を結んだ。本店輸出部は共益社とともに、中国東北部(「満州」)への綿布販売拡大に従事し、牛革・大豆の輸移出に取り組んだ。

中国での商業活動に関して見れば、1906年に上海に店員を駐在させて絹綿交織・綿織物などを取り扱っていた。1908年に本店の輸出部から独立した伊藤輸出店が1909年に上海店を伊藤洋行の商号でもって、綿花の日本向け輸出を始めた。伊藤洋行は、1910年に漢口で信昌洋行という商号で綿糸・綿布などの販売に従事した。これらの活動に加えて、伊藤輸出店は、1910年にマニラ出張所を開設してフィリピン貿易を始めた。フィリピンでは、日本製綿布に加えて、ローソク・陶磁器などの雑貨類、食産物を取り扱った。1912年にマニラ麻の日本向け販売を始めるとともに、高瀬貝（ボタン原料）などを取り扱った。こうした南方貿易に対応して、1911年に神戸に出張所事務所をおいた。

さらに、伊藤輸出店は台湾での販路開拓に従事したが、本店輸出部・伊藤輸出店の営業状態は、不慣れな貿易業務、為替変動による損失、海外経費の増大などによって赤字が続いた。しかし綿布取引は拡大していったため、1913（大正2）年に輸出店を廃止して、中国向け綿糸輸出を糸店へ移し、綿布部を新設して生地、広幅綿布の輸出と国内販売にあてた。麻輸

入が主となったフィリピン貿易は、出張所から支店に昇格した神戸支店が担った。

　1914年に伊藤本店・伊藤京店・伊藤染工場・伊藤西店・伊藤糸店の経営を伊藤合名会社に統合した。さらに1918年に伊藤合名会社は、伊藤忠商店と伊藤忠商事を株式会社として分割し、両社の持株会社となった。伊藤忠商店は呉服・洋反物・羅紗を取り扱う本店、京店の事業を引き継ぎ、伊藤忠商事は綿糸布を取り扱う糸店、神戸などの国内外の各支店が担った貿易事業を継承した。

4　明治後期の商社における三井物産の位置づけ

　明治後期において戦前期日本の3大財閥と呼ばれる三井・三菱・住友のなかで積極的な商社活動を行っていたのは、三井のみであった。三井物産は、日本の貿易額に大きなシェアを占め、石炭のような財閥グループ内で生産された商品の販売のみならず、様々な商品を取り扱っていた。こうした三井物産の活動は、住友が社内品の販売に特化したこと、三菱が社外品の取り扱いには慎重であったこととは対照的である。

　論点はなぜこの時期に三井物産のみがこうした大規模な事業展開をしていたのかということであろう。第一に、三井物産の事業規模の拡大は、国内外での営業店網の拡張にあったが、ネットワークに結ばれた個々の営業店が仕入・販売活動をすることで、情報の共有化による取引コストの削減と、規模の経済性が実現していた可能性が高い。第二は、当時の花形産業であった紡績・石炭企業などとの関りである。例えば、鐘淵紡績の製品を販売し、綿花・機械・石炭などの投入財を供給するような、三井物産と企業との「共生」関係による取引の拡大があった。第三は、横浜正金銀行との密接な関係が挙げられる。第四は、営業店網の拡大と本店の経営管理についてである。この点については、「共通計算規定」を設けて独立採算制による弊害を是正する管理体制の構築が挙げられる。だが、支店・出張所が本店の統率を離れて独自に商業活動をしていたように、拡大する営業店

網に対して管理面での限界も存在していた。第五に、こうした管理体制の構築を制約していた支店・出張所店員の利益に対する敏感な行動も、三井物産の活動を支える1要因になっていたと思われる。

　明治後期の三井物産の経営規模は、市場競争において他の事業体を圧倒する存在であったが、専門商・貿易商の活動も見逃してはならない。伊藤忠兵衛家は、初代忠兵衛が伊藤外海組を組織して雑貨貿易に取り組んだように、海外貿易に対する興味が大きかった。さらには、綿・絹織物からなる繊維製品のみならず、1918年の伊藤忠商事の設立につながる、中国・フィリピン貿易などを通して多様な商品を取り扱おうとした。「専門商社」と後に呼称される岩井商店なども多様な商品を取り扱っていた。こうして見れば、多種類の商品の海外取引を志向する伊藤忠兵衛家や岩井商店などの活動は、三菱と住友に比べれば総合商社的であったように見える。だが、取引規模・取引品目を鑑みれば、伊藤忠兵衛家などの活動は、三井物産には及ばない。伊藤忠兵衛家・岩井商店などの活動は、当時の貿易商人の目指した行動に等しく、その成功者たる三井物産の活動が極めて特殊な様相を呈していたのである。

【参考文献】

阿部武司（1996）「綿業」西川俊作他編『日本経済の200年』日本評論社。
天野雅敏（2004a）「明治後期の兼松商店の経営動向と日本商社の豪州進出」『大阪大学経済学』第54巻第3号。
―――（2004b）「貿易商社兼松商店の経営と前田卯之助」『国民経済雑誌』第189巻第1号。
伊藤忠商事株式会社社史編集室編（1969）『伊藤忠商事100年』。
上村雅洋（2005）「近江商人の近代化」安岡重明編『近代日本の企業者と経営組織』同文舘出版。
岩井産業株式会社（1964）『岩井百年史』。
宇佐美英機（2006）「初代伊藤忠兵衛と『伊藤外海組』小史」滋賀大学経済学部附属史料館『研究紀要』39号。
―――（2009）「初代伊藤忠兵衛の対米貿易事業」安藤精一・高嶋雅明・天野雅敏編『近世近代の歴史と社会』清文堂。

大島久幸（2010）「総合商社の展開」阿部武司・中村尚史『講座日本経営史2 産業革命と企業経営1882〜1914』ミネルヴァ書房。
株式会社伊藤萬商店（1933）『伊藤萬六十年史』。
江商社史編纂委員会編（1967）『江商六十年史』。
鈴木邦夫（1981）「見込商売についての覚書──1890年代後半〜1910年代の三井物産」『三井文庫論叢』第15号。
鈴木馬左也翁伝記編纂会（1961）『鈴木馬左也』。
高村直助（1971）『日本紡績業史序説』下巻、塙書房。
長廣利崇（2006）『戦間期日本石炭鉱業の再編と産業組織──カルテルの歴史分析』日本経済評論社。
日本経営史研究所（1978）『稿本三井物産株式会社100年史』上巻。
日綿實業株式会社（1943）『日本綿花株式会社五十年史』。
畠山秀樹（1998）『住友財閥成立史の研究』同文舘出版。
松元宏（1979）『三井財閥の研究』吉川弘文館。
丸紅株式会社社史編纂室編（1977）『丸紅前史』。
三菱商事株式会社編纂（1986）『三菱商事社史』。
三井物産株式会社（1965）『三井物産小史』。
三井文庫監修（2004）『三井物産支店長会議録7』（丸善復刻版）。
安岡重明・藤田貞一郎・石川健次郎編（1992）『近江商人の経営遺産』同文舘出版。
山口玄洞（1965）『山口玄八十年史』。

用語解説

コミッション・ビジネスと見込商売

　コミッション・ビジネスと見込商売（買越・売越）は、商社の取引形態として挙げられる。コミッション・ビジネスとは、他人勘定経営（business on commission）を意味し、見越売買は自己勘定経営（business as principal）を意味する。現代の日本においても、貿易会社が他人勘定と自己勘定経営を併せもつことは、世界的に見て稀有であるとされ、総合商社の特徴の一つとして数えられる。以下では、1回の取引を概念図化したものを見ながら、コミッションと見込商売の特徴を概観したい。

　図のAに示されているコミッション（手数料取引）の場合、商社は生産者から財を委託される（①）。すなわち所有権の移転をともなわないまま、消費者へその財を生産者が認めた金額で販売する（②）。そして、商社は消費者から販売代金を回収し（③）、販売代金を生産者に渡し（④）、手数料を得る（⑤）。他方で、B示される買越では、生産者から財を仕入れる（①）と同時に仕入代金を生産者へ支払い（②）、商社は消費者へその仕入れた財を販売し（③）、消費者からその販売代金を得ると同時に利益が発生する（④）。さらに、Cに見られる売越では、商社は仕入前に消費者と販売契約を結び（①）、販売代金を回収した後（②）、生産者から財を仕入れ（③）、利益金を手にする（④）。

　財の所有権が移らないコミッションの場合、商社は、仕入費用を必要とせず少額の運転資金で利益を得ることができるが、大きな利益を手にすることはできない。他方で、買越・売越の場合、生産者から財を買い取るため、その保管費、販売リスクなどが生じるものの、価格が安い時に買う（買越）、価格が高い時に売る（売越）ことによって、コミッションビジネスによる手数料収入よりも大きな利益を得ることも可能である。とりわけ、戦争による物価高騰期、相場変動の激しい財は、買越・売越によって投機的利益を得られる。

　これらの前提としては、生産者と消費者との間に介在する商社が、市場や財の情報を十分に把握し、輸送・倉庫・決済などの販売を円滑に進める上での手段を持ち合わせていることが重要となる。

　三井物産がこれらの取引方法によって利益を上げるには、生産者との力関係も関ってくる。資金供与などによって生産者よりも有利な場合、三井物産はコ

ミッションであっても販売価格の決定権を握ったり、安く仕入れしたり、手数料率を引き上げたりできる。ここでの概略を通して、個々の商社の取引方法の歴史的実態を探る必要があろう。　　　　　　　　　　（長廣 利崇）

コミッションと見込売買の概念図

A　コミッション（手数料取引）

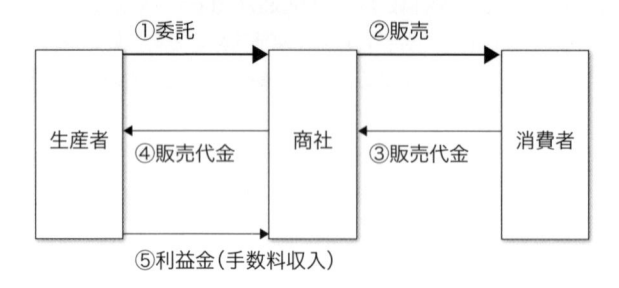

生産者 →①委託→ 商社 →②販売→ 消費者
商社 →④販売代金→ 生産者
商社 ←③販売代金← 消費者
⑤利益金（手数料収入）

B　買越

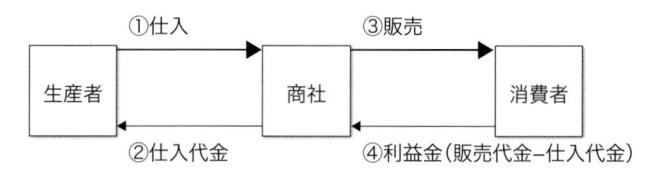

生産者 →①仕入→ 商社 →③販売→ 消費者
商社 →②仕入代金→ 生産者
商社 ←④利益金（販売代金−仕入代金）← 消費者

C　売越

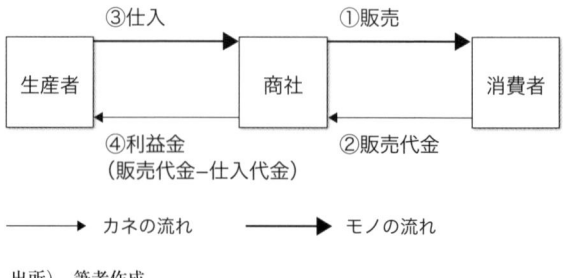

生産者 →③仕入→ 商社 →①販売→ 消費者
商社 →④利益金（販売代金−仕入代金）→ 生産者
商社 ←②販売代金← 消費者

──→ カネの流れ　　━━▶ モノの流れ

出所）筆者作成

人物コラム 藤野 亀之助

(ふじの かめのすけ・1867-1920年)

　日本の商社は戦前期からメーカーの原材料調達や製品販売を任される存在であり、メーカーとの関係維持につとめてきた。戦前期最大の総合商社であった三井物産もおびただしい数のメーカーとの関係を維持してきたが、現在のトヨタ自動車ももとをただせば三井物産なしでは語れない存在である。三井物産は自動織機の発明者として知られる豊田佐吉を19世紀末から支援し続けた。三井物産において豊田佐吉を終始粘り強く支援し続けたのは、藤野亀之助であったといってよい。

　藤野亀之助が三井物産本店で綿糸布を扱う部署に勤務していた1899（明治32）年に、非常に安くて品質のいい綿布が東海地方で出回っているとの情報を得ると、彼はただちにその綿布の製造元であった愛知県知多半島の乙川綿布会社を訪ねた。そこで藤野はその綿布が豊田佐吉の織機によって織られていることを知るに至る。佐吉の織機は価格が安いのに品質もよかったので、三井物産側から豊田佐吉に支援をもちかけ、同年中に三井物産全額出資で井桁商会が設立された。その際、三井物産から2名の社員を派遣して同社役員とし、豊田佐吉は技師長となり、井桁商会は織機・付属品の販売を三井物産に任せ、三井物産に5％の手数料を支払うという契約が交わされた。だが経営方針で衝突が起こり、2年足らずで佐吉は井桁商会を脱退する。しかしその後も藤野亀之助は佐吉を説得して粘り強く支え続け、三井物産側から出資して名古屋織布、豊田式織機、豊田紡織などの会社を次々と設けている。これらはいずれもなかなか軌道に乗らず、豊田佐吉の発明優先主義への批判も高まって、1910（明治43）年には佐吉は豊田式織機株式会社を解任されてしまう。失意の中にあった佐吉は欧米諸国視察の旅に出るが、その旅先でも三井物産の海外スタッフが待ちかまえ、佐吉をサポートした。それを事前に手配しておいたのは、当時、大阪支店長となっていた藤野亀之助であった。

　大正期になると、ようやく三井物産の豊田に対する支援は報われるようになっていく。三井物産は豊田への投資からあがる配当が年々増加し、豊田の織機販売総代理店として、年間100万円以上の利益も獲得するようになったの

である。そのさなか、藤野は 1920（大正 9）年に病に倒れて帰らぬ人となっていたが、その後も三井物産と豊田の関係は続き、1929（昭和 4）年に豊田が自動織機の特許を英国プラット社に譲渡した際も、両社間を仲介したのは三井物産であった。この特許譲渡時に豊田が得た資金が、1933 年に豊田自動織機製作所に自動車部が設けられた際の重要な資金源になって、これが現在のトヨタ自動車につながっているのである。　　　　　　　　　　（木山　実）

参考文献

木山実（2011）「藤野亀之助論──三井・トヨタ関係構築史」関西学院大学『商学論究』第 58 巻第 3 号。

第4章 戦間期

商社ブームと破綻

はじめに

　本章では、第一次大戦期から両大戦間期にかけての総合商社の展開を検討する。この時期は商社ブームや鈴木商店の破綻など商社史を考える上で大きな転機の時期にあたる。そこで本章では特に商社間競争の展開とそれを規定した条件に留意しながら検討を進めたい。明治期まで圧倒的な競争優位を占めていた三井物産は、第一次大戦期に新設商社の設立や既存商社の拡張など商社間競争が激化するなかでその優位性を後退させていった。しかし、両大戦間期になると三井物産や三菱商事など財閥系商社の優位性が強まる一方、関西系商社などは不況下で業績不振に陥り、有力商社であった鈴木商店も破綻するなど商社間の格差が広がっていった。他方、不況下における巨大商社の躍進は、社会的摩擦を一方で引き起こす結果ともなった。こうした商社間競争の激化やその後の格差の拡大といった事態はそれぞれの時期における商社を取り巻く環境に規定される側面が大きかった。

1　第一次大戦期における商社新設ブーム

　第一次大戦期は商社にとって大きな転機の時期であった。この時期には「成金時代」とも評されるように急激な輸出増大によって未曾有の好況を迎えた。第一次大戦期における好景気は、軍需の拡大とヨーロッパ各国か

らの輸入の途絶による内地・アジア市場の拡大という貿易を基点としたものであったため、商社関連分野における事業機会が拡大していた。

また、大戦期には明治末まで貿易において大きな勢力を占めていた外国商社が後退したことも、日本商社の拡大を助長していた。外国商社では、当初は支配的であったイギリス商社が「保守退嬰的」でその勢力を後退させていたのに対し、ドイツ商社は「敏捷なる精力主義」と評せられ、大正初期までに次第にその勢力を拡張していた［日本銀行調査局 1917、236頁］。しかし、第一次大戦の戦乱のなかで、とりわけドイツ商社は多大なダメージを受け後退していったのである。このように第一次大戦期は、商社をめぐる事業機会が大きく拡張したにもかかわらず、既存業者が撤退するという状況の中で、商社ブームと呼ばれる事業進出が相次ぐこととなった。

この点について、部門別利益率を示した表4-1によって確認してみよう。同表は三井合名が日本国内の株式会社について産業別の利益率を調査したものから算出したものである。同表によれば大戦初期に20％弱であった商事会社の利益率は、1917-18（大正6-7）年になると、産業平均の36％を大幅に上回り9割近い比率となっていることが分かる［武田

表4-1　産業部門別利益率

（単位：％）

	1914年	1915～16年	1917～18年	1919～20年上
銀行	12.3	12.5	16.2	28.8
商事	19.6	61.0	90.6	36.9
紡績	14.4	30.5	62.8	76.0
製糖	13.3	25.1	27.0	41.9
製粉	11.2	19.5	38.9	56.8
鉱業	13.6	27.8	37.0	24.2
海運・造船	13.9	42.1	102.5	48.6
鉄鋼	18.6	18.2	40.2	8.0
肥料	11.1	27.1	44.7	38.7
電力	9.1	10.2	13.5	12.7
鉄道	7.1	7.9	11.2	13.3
平均	11.5	19.8	36.3	31.3

出所）　武田晴人（1995、154頁）より再掲（原典：三井合名会社「本邦諸会社戦前戦時及戦後七箇年間営業成績」）。

1995、154-156 頁]。

　こうした商社事業機会の拡大を受けて、古河商事、浅野物産、久原商事、三菱商事など、それまで主として財閥内の鉱業生産物販売のための付帯事業として展開されてきた財閥内販売機構を分社化し、総合商社化するケースが相次いだ。たとえば、三菱の場合、三菱合資会社傘下企業の社内品を販売するための機構であった営業部において、次第に社外品も扱うようになり、それら営業部を独立させる形で 1918 年には資本金 1,500 万円で三菱商事が設立され、その

成金はローソクがわりに 100 円札を
（和田邦坊画）

支店網も拡充されていった。古河の場合も、社内品の販売を基礎とする古河合名営業部で、1910 年代初めから社外品の取引を急増させていた。その後、同社でも営業部を独立させる形で 1917 年に古河商事を設立し、海外支店網も拡大した。大戦ブームの中で取扱商品の安易な拡大や投機性が指摘できるとはいえ、それら商社は付帯事業を分社化したという点では一定の進出合理性があったのである。他方、安部幸や増田屋、茂木合名など売込商や引取商からスタートし、すでに貿易商社として業態を整えつつあった各社もこの時期、業務の拡張をはかり、総合商社化をはかっていった。

2　商社間競争の激化

(1) 参入条件の緩和にともなう商社間競争の激化

　こうした商社の新設・拡張にともなう商社間競争が激しくなる中で、

明治末にかけて圧倒的地位を有していた三井物産は1914（大正3）年から18年の間にそのシェアを5％ほど下げて、相対的地位を低下させた。

他方、これとは対照的に第一次大戦ブームの中でとりわけ成長の著しかったのが鈴木商店であった。鈴木商店は、鈴木岩次郎が創業した神戸の砂糖引取商に起源を持つ。岩次郎の死去後、大番頭であった金子直吉の強力なリーダーシップのもと、台湾の樟脳販売権の獲得や大里製糖所の設立・売却などを通じて、製糖業、製鉄業など多角化を目指した。商社としての鈴木商店も、大戦勃発前に世界的な事業活動の組織を有しており、大戦勃発の3か月後には「〈すべての商品船舶に対するいっせい買い出動〉という〈大方針〉を決定」して、戦時ブームに積極的に対応し事業を急拡張した。こうした積極方針の結果、1917年の段階ではその取扱高は15億円と、三井物産の10億円台を抜いて最大の総合商社となったのである[1][橋本1992、91-96頁]。

第一次大戦期には鈴木商店に限らず、明治末に三井物産が他社を圧倒していた状況と異なり、各商社の活躍が目覚しかった。こうした動向の背景には、三井物産が休戦後の需要減少を想定して慎重な経営方針をとっていたこともその要因として指摘できるが、他方で明治後期にかけて三井物産が有していた優位性が一般化したことも大きく影響していた。以下では、三井物産の競争力が低下し、商社間競争が激化した要因として、後発商社の参入条件が大きく緩和された点を検証してみたい。以下、それら条件が緩和された具体的要素として傭船市場と人材の動向を見よう。

(2) 傭船市場

三井物産では、日露戦後に海運機能を主管する船舶部を社内に設立した。その理由は、同社が広範な地域間で取引するのに際して、社内で発生する船腹需要を効率的に処理するため、輸送需要を船舶部という社内組織

---

[1] 従来、1917年に鈴木商店の取扱高が三井物産の取扱高を超えたとされてきたが、近年、鈴木商店は三井物産の取扱高を超えることはなかったのではないかという見解が提起されている［鈴木2014、68-69頁］。

で一元的にコントロールする必要性があったからである。本来、往復貨物輸送手段の効率的手配という課題は、海運取引所制度（ボルチック海運取引所）が発達したイギリスの場合、外部制度を利用することで達成されうる可能性があったが、日露戦後の日本のように市場制度が未整備な段階では、船舶部という内部組織を創設する必要性があったといえよう。

しかも当該期には市場間の連絡が不充分で内外価格差が存在したため、三井物産は他に比して有利な傭船活動を行うことが可能であり、海運業の兼営は市場における傭船者としての圧倒的地位とあいまって営業上の競争力を補強する有力な手段となっていたのである。

しかし、第一次大戦期における未曾有の海運ブーム期には、市場環境が大きく変容する。すなわち当該期には大量の貸船主義を採る船主が発生するとともに鈴木商店、山下汽船など新たな大口傭船者が登場した。さらに当該期には荷主・傭船主・船主を仲介する仲立業者が神戸を中心に叢生したため傭船機構が大幅に整備された。神戸は上海、香港にかわる世界的な傭船市場として多数の船主、仲立業者が集まる情報の集積地となったのである。その結果、三井物産の傭船市場における相対的地位が低下し、各地傭船市場間の調整による優位性が薄れるとともに内部貨物の調整機能についても、明治期の三井物産のように内部組織を構築しなくても市場制度を活用して商社機能を発揮することが可能となった。

後発商社でも鈴木商店船舶部、三菱商事船舶部など海運業の兼営が広く見られたが、第一次大戦期には運賃の高騰によって、むしろ社外荷積取りによる運賃収入や船腹の獲得が重要な意味を持った。商社の海運機能は第一次大戦にともなう市場環境の変化を契機として大きく変化したのである。

(3) 人材

明治期において人材面で重要な役割を果たした学卒者に関しても三井物産の優位性は低下していた。三井物産では、日清戦争から日露戦争の時期にかけて、急激な海外事業の拡張に対応してそれら事業を担う高学歴者の採用を活発化させた。しかし、外国貿易を担える学卒者層は貴重であり、また東アジアを中心とする海外事業で必要とされるスキルに対する高等教

育課程での教育内容が十分対応するものでなかったため、三井物産では「清国商業見習生」制度など多数の社内人材教育システムを設置して、独自の対応を図っていた。

しかし、第一次大戦期には商学系大学、学部および商業学校の新設、増設が相次いだ結果、商社が対象とする新卒者の供給が急速に拡大した。甲種商業学校の在籍者は1915（大正4）年に1万4981人であったものが、1925年には6.18倍、1935（昭和10）年には11.52倍の17万人強にまで急増したのである［若林2007、147-157頁］。

他方、この時期には商社の相次ぐ新設によって、ベテラン商社マンの需要も増大していたが、既存商社の人員を中心にそれら人材も第一次大戦期には流動化していた。たとえば、従来、将来の出世が約束され、一種の名誉と考えられていた三井物産のニューヨーク支店の駐在員でも、大戦中の事業拡大による駐在員の激増にともなってエリート意識が低下し、将来への不安も芽生え始めていた［上山2005、97-98頁］。また、大戦中には三井物産でもベテラン商社マンの引き抜きが社内的に問題となっていたのである［若林2007、229-231頁］。

また、外国商社の後退にともなって、商館番頭と呼ばれる人員も流動化していた。すなわち、外国商館では、番頭、倉番、書記、顧問、人夫といった日本人が雇用されていたが、中でも番頭は外商と邦人との取引仲介を担当し、外商の代理人としての地位を与えられていた。しかし、これら館員では外商の不振によって解雇されるものが増加した。特にドイツ商社においては顕著であり、多くの商館において館員の解雇が行われ、また俸給の減額が行われた［日本銀行調査局1917、252-256頁］。

商社ブームと呼ばれる第一次大戦期にあって、拡張する業務を担当する人員は概して手薄であった。たとえば三菱商事の場合、営業拠点が急速に拡大する中で、新規採用者が大幅に増加した結果、営業部以来の人員が新規営業拠点に異動し、そこに大量の新卒採用者が送り込まれるという人材不足の状況が見られた［大島2001、67-71頁］。商社ブームにおけるベテラン商社マンの不足は三井物産社員の引抜きや商館番頭の流動化によって補われる側面があったという点で、人材流動化は商社新設の重要な前提条

件だったのである。

3　商社ブームの破綻

(1) 商社ブームの終了

　しかし、大戦期に叢生した商社の多くは1920（大正9）年恐慌によって挫折することとなる。新設商社の多くは未経験の取扱商品を急速に拡大して総合商社化を図るなど、時代状況を反映して多分に投機的性格を有していた。たとえば、三菱商事（営業部）の場合、1917年に雑貨課が新設されると無原則に取扱商品を拡大するとともに見込商売を拡大したが十分な成果を見なかった。こうした事態の背景には、後述する古河商事と同様、現場の暴走を十分にコントロールするだけの管理組織の構築が進んでいなかったことが挙げられる。

　ただし、こうした風潮は、通説で慎重な経営方針をとっていたとされる三井物産でも例外ではなかった。三井物産の見込商売は、第一次大戦期に急速に拡大していた（表4-2参照）。すなわち、売越買越限度額は、1914年5月時点で、買越限度2,790万円、売越限度1,183万円であったものが、17年5月にはそれぞれ4,600万円、3,300万円となり、さらに19年6月には8,121万円、5,476万円にまで拡大した。しかも1919年にかけて、実際の買越額は1億9000万円と許可限度を大きく上回り、売越も限度内ではあるものの2,300万円と巨額に達していた。三井物産は1918年に一挙に5倍の増資を行い資本金1億円（1920年に満額払い込み）となっているが、同社の買越額はその資本金額をはるかに上回る額に達していたことになる。しかもこうした許可限度を超えた見込商売の拡大は、見込商売を管理する本店業務課の規制を無視した現場の暴走によるものであった。すなわち、戦争終結を前にして1918年11月に三井物産内外各店に手持ち商品売り抜きの指示があり、その結果について翌年の2月から3月にかけて報告を受けたところ、巨額の見込限度超過と損失の発生が発覚したからであ

表 4-2 三井物産における見込み限度と見込み商売の規模の推移

(単位：千円)

年次	買越許可高	使用高	使用率(%)	売越許可高	使用高	使用率(%)
1914.5	27,896			11,832		
1915	29,042	8,840	30.4	12,613	3,137	24.9
1916.5	46,600					
1917.5	46,000	17,000	37.0	33,000	5,600	17.0
1918.5	89,000	44,000	49.4	58,000	4,300	7.4
1919.2-3	67,750	190,000	280.4	48,460	23,000	47.5
1919.4	79,460	160,000	201.4	54,760	18,000	32.9
1919.6	81,210	177,000	218.0	54,760	47,000	85.8
1920.7	67,240	54,390	80.9	21,330	9,600	45.0
1921.7	55,500	24,990	45.0	20,190	5,778	28.6
1922.4	43,620	27,650	63.4	18,070	2,060	11.4
1923.4	36,270	25,900	71.4	18,180	4,070	22.4
1924.4	50,160	22,030	43.9	21,890	14,990	68.5
1925.4	46,713	28,154	60.3	21,645	6,397	29.6
1925.10	50,840	29,840	58.7	23,830	10,870	45.6
1926.4	55,035	25,073	45.6	25,537	12,810	50.2

出所）「第3回支店長会議」(159頁)、「第4回支店長会議」(216頁)、「第6回支店長会議議事録」(7-8頁)、「第7回議事録」(336、339-40頁)、「第8回議事録」(613-615頁)、「支店長会議議事録（大正15年）」(14頁) より作成。

る。判明した見込商売の額はそれまでの報告から本店が試算した予想額の2倍以上に膨らんでおり、その損失見込み金は2,500万円に達していた。また同年には北米における豆油取引で2,000万円近い損害を発生させる（紐育事件）など、売越買越に関する制度は運用上重要な危機に直面していたといえよう［大島 2010、197-198頁］。

ただし、戦後ブームにおける対応では、三井物産とその他の商社では異なっていた。大戦期のブームは1918年の休戦によって一旦終焉を迎えるが、19年半ばから株式、商品、土地の騰貴が盛んになって再びインフレーショナルな好況を迎え、1920年3月の株式市場における株価暴落を契機に恐慌へと向かうこととなる。大戦期に急成長を遂げた鈴木商店では、金子直吉が1918年早々に事業整理を進言したロンドン支店の高畑誠一の意見を拒否したものの、同年7月ごろには、退却準備を始めるべきだと認

識していた。しかし、実際には社員が思うように動かなかった点を彼自身回顧しており、撤退の時期を失することとなった［石井 2003、146 頁］。これとは対照的に三井物産では大幅な見込限度超過が発覚した 1919 年以後、部制度を強化して投機的取引を大幅に抑制した。その結果、戦後復興にともなうブームに乗じて営業を拡大していた各社が 1920 年恐慌によって大きな打撃を蒙る一方、三井物産の損失は軽微なものとなったのである。

　こうして、三井物産など一部の例外を除いて、この時期総合商社化をはかった多くの商社が 1920 年恐慌によって大きな打撃をこうむることとなった。三菱商事や古河商事以外にも大戦期に横浜を拠点に総合商社へと事業の拡張を図った茂木家は総損失 1 億円といわれる損失を発生させて破綻したほか［石井 2003、148 頁］、砂糖引取商からスタートした増田も 1,000 万円以上の損失を発生させて整理されることとなり、増田と関係の深かった安部幸も増田に比してその損失は軽微であったとされるものの、20 年恐慌で事業の清算を余儀なくされた。

　そのほか、大戦期に久原鉱業から商事部門を独立させて事業を拡張した久原の損失は 6,000 万円に達して個人資産を持ってしてもその不足は補えず、浅野も 600 万円の損失によって改組を余儀なくされ、湯浅も使用人の 3 分の 2 を解雇する徹底的整理に追い込まれた。関西に拠点を置く商社も例外ではなく、伊藤忠商事は一時、資産 5,600 万円に達したが、「差引零ニ近」くなった他、江商は 3,000 万円近く、日綿は 1,000 万円以上といわれる損失を生じさせたのである［上山 1997、389-391 頁］。

(2) 古河と住友

　商社ブームへの対応は、その後の財閥としての発展をも左右する大きな岐路となった。その典型が住友と古河である。古河商事の場合、1919 年に、古河鉱業の「社銅売止ノ方針」によって主力品であった銅の見込商売を行って失敗した後、さらに戦後ブームの中で投機的な取引で大きな損失を発生させていくことになる。同社では繰り返される現場からの雑貨取引拡大の要求にトップが妥協し、その結果、大連出張所で豆粕取引が拡大して 2 年弱の間に 1 支店 1 商品で 5 億円もの取引が展開された。しかも大連

出張所の先物取引が損失を重ねるなか、管理の甘さからその実態の発覚が遅れ、さらに1920年恐慌による商品相場の暴落によって損失が拡大し、破綻する結果となった［武田1980、17-57頁］。

　他方、住友でも、自社製品の販売にとどまらず、商事・貿易に乗り出そうとする意見が次第に有力となり、商事部門の新設が企画された。その際、住友のトップ・マネジメントを担当していた鈴木馬左也が出張中であったため、留守の幹部の間に、時期を失わず商事部門を発足させる案がまとまり、『他所製品取扱の件』と題する起案文書まで用意して鈴木の帰国を待ち、決裁を得て実施に移す予定であった。しかし、帰国後の鈴木の反対にあって、商社設立計画は実施されなかった［麻島1983、345-346頁］。結局、住友は商事会社の設立を回避して、財閥としての発展を遂げていくことになる一方、同じく産銅業を中心に多角化していた古河は商事会社の破綻によって一流財閥への道を閉ざされることとなった。古河でも古参の専門経営者である近藤陸三郎が商事会社の進出に強く反発していたが、1916年の近藤の死去後に商社進出に拍車がかかった。近藤の亡き後、商社の進出に大きく舵を切った古河と、社内の進出圧力を押し止めた鈴木の存在を考えるとき、専門経営者の存在は大戦ブームにおける対応を大きく左右する要因であったことが分かる。

(3) 東洋棉花の創設

　巨大商社であった三井物産では、社内部門が分離独立することでいくつかの大企業が設立されている。たとえば、1937（昭和12）年には三井物産造船部が分離独立して玉造船所（後の三井造船）が設立されており、42年には三井物産船舶部が独立して三井船舶（現、商船三井）が設立された。後に9大商社の一角を占めることとなる東洋棉花も三井物産の一部門が分離・独立したものであった。1920年4月、三井物産棉花部の綿花・綿糸・綿布等に関する業務をすべて継承し、資本金2,500万円で東洋棉花が設立された。総株数50万株のうち、90％を三井物産が、残り10％を東洋棉花従業員等が所有するとともに、取締役会長には三井物産の藤瀬政次郎、専務取締役には棉花部長であった児玉一造が就任し、三井物産が2,000万円

を限度として融資する条件がつけられていた。棉花部の独立構想は第一次大戦前からあったが、第一次大戦終結後「内外財界ノ情勢ハ大ニ警戒スベキモノガアルコトヲ痛感シ…新会社設立ノ議ハ急遽ニ決セラレ」た。東洋棉花の独立は、綿花商売が投機的であることや同業者間の競争が他の商品と比較して激しかったため、独立によって機動性や資金力を強化する必要があったのである［日本経営史研究所 1978、363-364 頁］。

4　両大戦間期における商社の破綻

　1920 年恐慌では数多くの貿易商社が破綻したが、両大戦間期にも商社の破綻は相次ぐこととなった。関東大震災後には、機械の有力商社であった高田商会が破綻した。同社は、アメリカのウエスティングハウス社の電気機械の一手販売権を取得するとともに、90 余の外国会社の代理店を得て、輸入品のみで 7,500 万円の年商を誇っていた。また、傘下に高田鉱業や旭紡織、宮城水力、高田機械製作場、ボロヂン高田酒造、高田船底塗料、北海道養狐、ペイント製造、伊藤コンクリート、自動車製作所、大連酒精を抱える巨大企業群でもあった。しかし、同社では関東大震災による直接被害に加え、震災後の大量輸入にともなう為替損害等によって巨額の損失を発生させ、1925（大正 14）年 2 月に突如休業するに至った。その後、最終的には銀行団とウエスティングハウス社との意見の不一致から暗礁に乗上げ、同社は遂に 20 年余の歴史を閉じることになったのである［日本経営史研究所 1978、422-423 頁］。

　また 1920 年恐慌では、茂木、増田、安部といった横浜を拠点とする商社が相次いで破綻する一方、後に関西系と呼ばれる商社の多くは生き残った。しかし、それら関西系商社でも 1920 年代には苦境が続いていた。二代目伊藤忠兵衛によって第一次大戦期に海外貿易などの業務を拡大した伊藤忠商事では、20 年恐慌による巨額の欠損を受けて、大幅な人員整理と業務の縮小を行い、国内繊維問屋であった伊藤忠商店については、住友銀行の斡旋で伊藤長兵衛商店と合併して、21 年に丸紅商店を設立する一

方、海外貿易を担当した伊藤忠商事は貿易部門を切り離して別会社（大同貿易）とし、主力の綿糸布に専念することで再建を模索したが、1930年まで無配を余儀なくされた［辻 1992、18-21・58-59 頁］。岩井勝次郎が創業した岩井商店でも第一次大戦期に多角化を進めていたが、反動恐慌によって経営危機を向かえ、相次ぐ事業の撤退を図ったものの、12 年間にわたり無配を継続し「存続の基礎を脅か」す事態を迎えていた［岩井産業 1964、297 頁］。他方、日本綿花の場合、第一次大戦期の内部蓄積で、戦後恐慌の損失は比較的軽微に乗り切ったものの、関東大震災を境に急速に経営を悪化させ、昭和恐慌期には資本金の大幅原資や損失処理、人員整理、支店の縮小といった諸政策を断行せざるを得ないほどのきわめて深刻な経営危機に陥った［ニチメン 1994、58-82 頁］。また同じく綿花商として有力であった江商は反動恐慌で財務体質を弱化させたうえに、昭和恐慌による損失で自力再建が不可能な経営危機を迎えることとなった（表 4-3 参照）。

　こうした商社の苦境が続く中で、1927（昭和 2）年には鈴木商店が破綻する。1920 年恐慌は、砂糖・小麦粉取引等の利益や大戦中の利益の蓄積を基礎に乗り切ったものの、同社の多角化戦略は大戦後も継続され、業績は次第に悪化をたどっていった。経営再建の資金を台湾銀行に仰ぐことで、両社の関係が抜き差しならない状況に陥る中、震災手形の処理法案に関連して金融不安が高まって台湾銀行からの貸出し停止を受けると、鈴木商店の経営は行き詰まり、負債総額およそ 5 億円といわれる大型倒産につながった。その後、同社破綻の混乱は台湾銀行の休業へと発展し、全国的な取付け騒ぎが発生して未曾有の金融パニックへと発展していったのである。鈴木商店の破綻の混乱が収まった後、ロンドン支店長の高畑誠一を中心にその再建が図られ、日本商業（後の日商岩井の前身の一つとなる）として再出発していくこととなった［日商 1968、22-174 頁］。

5 財閥系商社の躍進

(1) 三国間貿易の発展

こうした各商社の不振が続く一方で、両大戦間期には三井物産に代表される財閥系商社の躍進が見られた（表4-3参照）。三井物産では、第一次大戦期から戦後にかけて、外国間貿易が大幅に拡大していった。第一次大戦前、満州特産物を中心として商品取扱総額の15％弱に過ぎなかった外国間売買の比重は、1918（大正7）年以後になると3割を越え、輸出、輸入の比重を上回り、1920年代を通じて増減はあるもののそうした基調が続いていった。そして三井物産を追うようにして発展してきた三菱商事など他の商社も、両大戦間期にかけて外国売買に力を入れていったのである。なお三菱商事はブロック経済の形成や重化学工業化の進展とともに戦

表4-3　主要貿易商社の払込資本金利益率の推移

(単位：％)

	三井物産	三菱商事	日綿	伊藤万	田附	岩井商店	安宅商会
1924上	14.0	17.6	22.3	26.9	5.3	10.5	3.1
1924下	14.4	9.0	27.0	52.5		6.2	18.6
1925上	16.1	1.8	25.5	3.4	▲0.8	3.7	▲1.1
1925下	16.3	10.9	25.9	20.4		2.9	10.2
1926上	17.6	11.9	16.8	11.2	4.1	3.4	5.3
1926下	16.0	4.5	2.0	22.3		▲1.5	6.3
1927上	15.2	8.6	17.1	26.0	5.8	4.2	9.7
1927下	16.0	15.9	16.9	25.6		4.3	3.1
1928上	18.0	16.2	16.2	15.0	10.5	3.7	6.5
1928下	17.3	22.7	11.6	17.5		6.6	5.8
1929上	17.6	3.2	13.6	10.6	1.7	2.5	0.8
1929下	17.5	2.0	9.3	8.5		0.3	7.7
1930上	17.2	2.7	▲297.7	1.8	▲21.5	▲3.0	▲0.5
1930下	13.0	2.5	▲49.0	13.6		▲5.3	▲3.7
1931上	14.9	2.7	1.4	17.6	▲0.5	▲3.8	1.0
1931下	11.8	▲26.7	▲22.5	13.6		0.4	7.8

出所）　日本経営史研究所（1978、428頁）より再掲。

銀行の入り口に殺到した群衆　1927（昭和2）年

時経済期にかけて三井物産に急追する勢いをみせるがその点については次章で検討したい。

　こうした日本商社の活動に着目し、1926年以後には、外務省や商工省でも商社の外国における活動の実態把握に努めるようになっていった。たとえば、ニューヨークの商務書記官は報告書の中で、高度な製作品ではなく代替性がある、大量かつ一般的に需要される、取引組織が発達し利幅が薄い、需要の変動が激しく投機的といった性格をもつ国際的商品取引に適した組織の商社がアメリカには存在せず、日本の三井物産や三菱商事などがその取扱に適している点を指摘している［上山 2005、318-319頁］。いわゆる「ステープルでバルキーな商品」と表現される商域において国際的に強い競争力を有する総合商社の存在が、商工当局、そして商社自らにも強く認識されるようになっていったのである。

　しかし、外国間売買はニューヨークの商務書記官が指摘するようにリスクが大きく、利益率の極めて低い取引でもあった。たとえば、三井物産の場合、1909（明治42）年から20（大正9）年までの商売別年平均純益率

でみると、輸出が 1.99％、輸入が 2.27％、内国売買が 1.51％であったのに対して、外国間売買は 0.36％ときわめて低位にあった。また、1936 年上期の主要商品利益率でも輸出を主とする商品 2.5％、輸入を主とする商品 1.4％、内国売買を主とする商品 2.2％に対して、外国間売買を主とする商品は 0.6％と低水準であった［山村 1981、122-123 頁］。では、総合商社はいかにしてそれら商域での競争力を得ていたのか。以下では、その要因の一つとして、輸送コストの問題とリスク管理制度の整備について検討しよう。

(2) 海運市場の変容

前述のように第一次大戦期には神戸が不定期船海運の世界的な市場として台頭することとなったが、1920 年代後半になると、世界的に不定期船の定期航路化が進展することで、不定期船を中心とする傭船市場の意義そのものが後退することとなった。なかでも日本では過剰船腹輸入が続いたため、本来不定期船向きの貨物でも定期船積みが促進され、傭船市場の意義はとりわけ小さくなっていったのである。他方、定期船取引では、表向き運賃同盟が結成されており、特定顧客を対象とした優遇策が禁止されていたものの実際には大口顧客を中心に秘密裏の優遇策が実施されていた。固定的取引関係を前提に社内でも担当者などごく一部にしか公にされない水面下で取り交わされるリベートである秘密運賃割戻し制度が広く普及していったのである。日本船主の主要取引相手であった三井物産では、この時期、それら秘密割戻し運賃を利用して営業上の競争力を補強していた。とりわけ、1930（昭和 5）年初頭には三井物産は大阪商船と秘密裏に全社的な特約関係を提携し、輸送上の優位性を得ることとなった。同様な展開は三菱商事と日本郵船との間でも進んでいたと想像され、日本商社と日本海運との密接な協力関係は、1930 年代における日本貿易の伸張とあいまって商社の国際競争力を大幅に高めていた［大島 2009、8-16 頁］。

(3) 両大戦間におけるリスク管理制度の整備

また、20 年恐慌以後の環境変化の中で、商社の経営にとって極めて大

きな課題となったのが取引先の信用不安への対応であった。たとえば三井物産の場合、不良債権である滞貸金の額は1916年下期に952万円であったものが、1922年には常務から各支店長宛に固定債権の整理の通達が出されたこともあってその規模は膨らみ、同年下期には半期で1,364万円という巨額に達した。取引先の信用不安にともなう固定債権の増加が大きな経営上の課題となっていたのである。他方、20年恐慌を乗り切った三菱商事の場合も同様で、1920年代にかけて取引先の破綻にともなう債権整理がたびたび問題となり、役員の処分などが行なわれていくことになる。

　このような1920年代の時代状況の中で、商社は取引先の信用を精査し、コントロールするための制度を整えていくこととなった。三菱商事では1925年には新たに取引先の信用限度制度や取引先に対する取引残高制限などを制度として定めて、債権の焦げ付きが経営上の大きなリスクにつながらないための取り組みが進められていった。三井物産でも1924年には規則を改正して新たに買付先に対しても信用程度（信用限度）を設定するとともに、取引先毎の売買約定残高に対しても最高限度を定めて、その管理の範囲を拡大するとともに取引先信用に関する制度を強化していくことになった。これら制度は、現場である支店からの申請に基づき、本店が取引先ごとの信用を精査して、取引先の破綻にともなうリスクをコントロールしようというものであった。商社ではこれらリミットのあり方を景況に応じて変化させながら、リスクに対応しうる体制を整えていったのである。

　その際、各社では、新規の取引先を開拓する際などに世界各地の興信所を活用して会社の概況や資産状況、経営者の性格などのレポートを受け取り、それらをもとに本店に取引先の限度額を申請していた。ただし、信用調査機関の情報は、企業間に差別化をもたらすものではない。基本的には支店は新しい取引先の開拓など事業の拡張を望むのに対して、本店側はその限度額の引き締めをはかる傾向にあった。支店ではそうした信用調査会社から得られた一般的な信用に関するデータ以外にも、取引先銀行の調査や取引先との対話の中から事業の将来性を汲み取って、取引枠の拡大を目指す一方で、本店側も、マクロの経済環境が大きく変わったときには、一斉に現場の取引先の限度額を再構築させるなど全体的見地からマネジメン

トを進めていった。こうした 1920 年代に繰り広げられた本店と現場のせめぎあいの中で、企業ごとに取引先信用に関する情報の質に差が生まれ、それらが企業の競争力の差へとつながっていったのである［大島 2010、204-207 頁］。

　また、両大戦間期のリスク管理ではリザーブとよばれる支店における秘密積立金の存在が重要な意味を持った。ステープルでバルキーという商域上、見込商売の重要性は依然として大きかった。三井物産の買越額は 1919（大正 8）年はじめに 2 億円弱にまで増加した後、1920 年代にかけて 2,000 万から 3,000 万円の間を推移しており、売越額は変動的で 200 万円から 1,400 万円の間を推移した（表 4-2）。こうした見込商売に関する商務を担当する支店では、支店毎の積立金をおいて精神的余裕や業績向上に繋げたいという要求が強く、実際にはかなり早くから支店単位でのレザーブと呼ばれる積立金を蓄積していた。レザーブとは損益計算書に未計上の収益金を指し、支店・出張所の業績が好調なときに一部の収益金を表面に出さず、業績が低下したときに表面に出すというバッファー的機能を有していた［三井文庫 2001、549 頁］。たとえば、1913（大正 2）年の会議では損失準備金に関して社内で議論が行われ各店からすでに広く存在しているレザーブを公式化することを要求していた。そして、1914 年には各支店における損失準備金が認められることとなったのである［日本経営史研究所 1978、321-322 頁］。

　しかし、その後も正規の帳簿にまったく上帳されないものや、どこかの勘定科目に紛れ込ませた形でレザーブは存在し続けた。たとえば、サンフランシスコ支店の場合、1925 年下期より極秘の別口積立金が判明しており、その繰越額は 1934（昭和 9）年下期には 10 万ドル、38 年上期には 20 万ドルを超えた。これら資金は店限雇員の退職金などにも使われたものの投機的取引の危険引当金としても位置付けられ、本店でも各支店のレザーブの量や使途を察していたとされる［上山 2005、167-171 頁］。こうしたレザーブによって見込商売の運営の柔軟性が図られたのである。

(4) 巨大商社の摩擦——安川の地方進出と反発、ドル買いと転向

　こうして商社間の競争格差が広がり、財閥系商社が躍進する一方で、不況下という時代を背景に競争力を拡大する商社に対して社会的摩擦も大きくなっていった。1920年代にかけて三井物産では、安川雄之助の主導の下、従来の「警戒的緊縮主義」から「穏健なる積極主義」への転換を図っていた。具体的には、新発明・新事業計画の注視、同業者との協調、協同組合の利用、地方市場進出、生産過程への進出、外国間貿易の積極化がその方針として示されていった。こうした戦略には、安川の産業貿易観が反映されていた。安川は日本の小工業、小農等小経営独自の競争力を評価し、小経営の共同化によるその存続を求めていた。彼によれば小工業は賃金の相対的低位性と弾力性などの長所を有する反面、機械力の不十分な利用や広告宣伝負担力の欠如などといった弱点を抱えており、それら欠点は協同組合によって克服するべきと考えていた。こうした大規模組織と小経営の結合による小経営の欠点の克服という考え方は、場合によっては三井物産が組合に代わって、小経営が必要とする原材料や資金を供給し、その見返りに製品を購入して、それを輸出するという発想と容易に結びつくこととなった。その点で安川の小経営観は地方進出の方針と結びつく性格のものであったといえよう［日本経営史研究所1978、429-434頁］。

　しかし、外国貿易の不振への対応の一つとして国内取引の拡張を目指す方針は、やがて三井物産への批判へ発展する結果となった。とりわけ問題とされたのは、国内商業の拡張方法、すなわち中小商業を侵食するやり方への批判であった。地方農村の工業化を三井物産の組織力を持って達成するという姿勢は、「横綱には横綱らしい品格があるべきだが……商売に掛けては、足を取ること目つぶしをくれることも、敢えて辞せない横綱」という世評が与えられることとなったのである。確かに三井物産の国内小商売は自社の利益を生み出したが、他方で農村工業や商業的農業の発展にも大きく貢献していた。しかし、そうした営業活動の進取性と合理性は、往々にして伝統的流通機構や、それに根拠を置く地方の中小問屋商人の利益を侵食することにつながった。そうした反発が、昭和初期の不況や、

軍部右翼の反財閥キャンペーンの活発化、ドル買い事件[2]への批判と合流したとき、その反発はきわめて大きな世論となっていったのである。こうした批判のピークが団琢磨の暗殺というショッキングな事件を直接的な契機として、三井合名首脳部をして、安川に詰め腹を切らせることにつながった。

三井物産では安川の解雇を通じて、三井物産の「徹底したコマーシャリズム」に対する世論の反発をかわそうとしたのである。なお、三井物産の国内小商売緊縮の方針は、その後さらに徹底化し、特に二・二六事件後は、営業上のマイナスを覚悟で地方派出員を閉鎖する方針を採用していった［日本経営史研究所 1978、577-584 頁］。

三井襲撃を報じる記事
『三井事業史』本篇第三巻中より

同様の摩擦は、三井物産が抱える各港湾埠頭の業務の効率化に際しても現れていた。三井物産では昭和初期にかけて同社の役員であった小林正直の主導の下、近代埠頭を建設して、従来から抱えていた港湾荷役業者のドラスティックな再編を進めていった。しかし、そうした取組みは従来の回漕業者や地元の商工会議所の反発を招いていった。結局、小林は安川と同時に解雇され、港湾近代化への取組みも一定の限界を有することとなった

2 　ドル買い事件：日本は第一次大戦以来金輸出が禁止されていたが、1930 年に浜口内閣において井上準之助蔵相が金輸出解禁政策を実施した。ドル買い事件とは、世界情勢の変化の中で金解禁政策が次第に追い詰められていくなか、金輸出再禁止を予測した財閥が、円の低落に先立って多額の円をドルに交換し資産の安全を企図した事件をいう。これに対して軍部や右翼が国策に反したとして財閥批判を強め、1932 年には血盟団事件によって三井財閥の団琢磨が暗殺された。

のである。
　また社会的摩擦の高まりとあわせて、メーカーによる商社を介さない直販の動きも次第に問題となりつつあった。例えば製糸業の有名メーカーであった片倉では1920年代にアメリカ市場に直輸出を開始した。ただし、こうした動きは1920年代にはまだ大きな流れとはなっていなかった。一例を挙げれば、砂糖の有名メーカーであった明治製糖が増田屋の破綻を受けて明治商店を設立し、内地販売の直販化に踏み切ったものの、輸出入に関しては三菱商事に一手販売を委託したことがその例といえよう。しかし1930年代になると電機メーカーなどメーカーの発言力の増大によってそれまでの販売権が動揺し、商社は対応策としてメーカーへの投資を増大させていくことになった。

【参考文献】

麻島昭一（1983）『戦間期住友財閥経営史』東京大学出版会。
石井寛治（2003）『日本流通史』有斐閣。
岩井産業株式会社（1964）『岩井百年史』。
上山和雄（2005）『北米における総合商社の活動——1896～1941年の三井物産』日本経済評論社。
―――（1997）「破綻した横浜の『総合商社』」横浜近代史研究会・横浜開港資料館『横浜の近代』日本経済評論社。
大島久幸（2001）「三菱商事成立期の人材形成——職員の異動を中心として」『社会科学年報』第35号。
―――（2009）「両大戦間期における海運市場の変容と三井物産輸送業務」『経営史学』43巻第4号。
―――（2010）「総合商社の展開」阿部武司・中村尚史『産業革命と企業経営』ミネルヴァ書房。
鈴木邦夫（2014）「三井物産ニューヨーク事件とシアトル店の用船利益」『三井文庫論叢』第48号。
武田晴人（1980）「古河商事と『大連事件』」『社会科学研究』32巻第2号。
―――（1995）『財閥の時代』新曜社。
辻節夫（1992）『関西系総合商社』晃洋書房。
ニチメン（1994）『ニチメン100年』。

日商（1968）『日商 40 年の歩み』。
日本経営史研究所（1978）『稿本三井物産株式会社 100 年史』上巻。
日本銀行調査局（1917）『欧州戦乱ノ我産業界ニ及ホシタル影響』。
橋本寿朗（1992）「財閥のコンツェルン化」橋本寿朗・武田晴人『日本経済の発展と企業集団』東京大学出版会。
三井文庫編（2001）『三井事業史』本篇第三巻下。
山村睦夫（1981）「第一次大戦後における三井物産会社の展開」『三井文庫論叢』15 号。
若林幸男（2007）『三井物産人事政策史 1876～1931 年──情報交通インフラと職員組織』ミネルヴァ書房。

コラム
鶏卵と総合商社

　鶏の卵がもつイメージは「物価の優等生」で、昔から余り値段が変わらない、割安な食料品というものであろう。日本では卵を生食できる程に鮮度が厳密に保たれ、短期間での生産―流通―消費のサイクルが定着している。しかし、明治後期には鶏の卵は貿易品として国境を越えて取引されていたのであり、それに三井物産も携わっていた。

　こうした鶏卵流通拡大の背後には、国民の生活水準の上昇にともなう卵の消費量増大があった。たとえば、1906（明治40）年から10年間で国内生産は2倍以上増えている。愛知県や長野県が有力産地であった。しかし、生産が需要に追い付くことは難しく、それを中国から安い卵を輸入して補わざるを得なかった。

　こうした鶏卵流通の動きの中で、1920年代以降、三井物産は上海卵や天津卵などを輸入し、国内の問屋へ販売していた。海外からの輸入のためには製氷貯蔵庫や冷蔵船を準備しなければならなかったが、それで引きあうほどの条件が当時はあったのである。多数の中国卵を輸入したため、三井物産は社外で「内地産の卵の敵」と言われていた。

　しかし、昭和の初めごろ、すなわち1920年代後半になると状況は一変した。というのも貿易赤字を減らすため、国内の養鶏業の保護育成に政府が踏み切ったからである。輸入卵に対して高率の関税をかけ、全国各地に養鶏技術の研究・普及を担う施設を設立した。他に、外国為替の変動が輸入卵に不利に働いたことも追い風となった。

　情勢が一変する中で、三井物産は180度その取り組み姿勢を変えた。すなわち、それまでの輸入業務を止め、国産鶏卵の取り扱いを始め、さらにはヨーロッパへの輸出にも挑戦したのである。とはいえ、輸出はデンマークなどの壁が厚く、また「日本の卵は魚臭い」との風評もあり、苦戦を余儀なくされた。

　海外市場進出は頓挫に近かったが、国内市場におけるその影響は小さくなかった。なぜなら、三井物産の進出が鶏卵市場において長きにわたって拡大し続けてきていた問屋流通を突き崩す面があったからである。問屋流通は一般に経路が複雑で、非効率になりがちであった。そこに巨大流通企業である三井物

産が進出を図った。その際に、代金の即金払いを武器に各地の生産者団体を束ね、大口の出荷と入札取引を実現したのである。三井物産は「問屋の問屋」として流通機構に君臨したのであった。流通の効率性という観点からすると、三井物産が「鶏卵取引所」のような機能を果たすことで大いにより合理性・透明性を増すことができたのである。

　こうした三井物産の各地方に割拠する生産者を糾合するような戦略は、当時の筆頭常務取締役、安川雄之助の陣頭指揮によるものだった。こうした点については第4章で述べられている通りであり、他社の経営が破たんする中で三井物産は躍進する一方で、摩擦も引き起こした。しかし、最終的には戦時体制下で頓挫するものの、農産物流通を巨大流通企業が担うという意味で、「流通革命」の端緒が開かれたのであった。　　　　　　　　（加藤　慶一郎）

参考文献

加藤慶一郎（2008）「両大戦間期における三井物産の農産物取引──鶏卵を中心に」『流通科学大学論集─流通・経営編』第21巻第1号。

人物コラム　**金子 直吉**

（かねこ なおきち・1866-1944年）

　戦前期日本の最大の総合商社である三井物産の取扱高を、一時的とはいえ凌駕したといわれた商社は神戸に本店を置く鈴木商店である。鈴木商店は明治末期から大正期に急拡大したのち、1927（昭和2）年に倒産するというきわめてドラマチックな商社であったが、その経営者金子直吉なくして鈴木商店の栄光と挫折を語ることはできない。

　鈴木商店は、もともと鈴木岩治郎が明治初期に神戸に開店した砂糖引取商であったが、岩治郎が1894（明治27）年に病没すると、彼の妻よねは番頭の金子直吉と柳田富士松に経営を全面的に任せることにした。柳田は前面に出るようなタイプの人ではなく、もっぱら金子を支える姿勢に徹したので、鈴木商店の経営は金子直吉のかじ取りによってなされていく。これ以後、番頭金子のもと鈴木商店の大飛躍が始まる。

　金子直吉は1866（慶応2）年に土佐（高知県）に生まれたが、家が貧しかったため学校にも行けなかった。彼は12歳から砂糖商、質屋などで奉公の日々を積み、1886（明治19）年、21歳の時に高知から神戸に出て鈴木商店に雇われたのであった。その後も商売の修業を積み、彼への信頼も厚くなってきたところに、主人の死後、店の経営を任された。金子29歳の時である。鈴木商店はそれまでに樟脳も扱うようになっており、日清戦での戦勝で樟脳の世界有数の産地であった台湾が日本に割譲された後、金子は台湾民政長官の後藤新平に近づき、樟脳の副産物であった樟脳油の販売権獲得に成功する。また砂糖商売についても1903（明治36）年、九州小倉近在の大里に製糖所を設けて生産部門に進出した。その大里製糖が軌道に乗ると、鈴木商店は投資総額250万円の大里製糖を1909年に大日本製糖に650万円で売却し、ここで得た資金が金子の活発な投資戦略の原資となった。鈴木商店の投資で買収・設立された企業で現在も残っている有名企業としては神戸製鋼所、帝人（帝国人造絹糸）を双璧とし、ほかにも豊年製油、日本商業、播磨造船所、日本クロード式窒素肥料など、その後他社との合併などで社名変更して現在まで残っている企業も多い。金子は1918年に民間を代表してアメリカ側と交渉し、船鉄交換を成

立させるなど華やかな財界活動でも名を残しているが、同年中には米騒動のあおりで鈴木商店が米を買い占めているとの噂をたてられ、鈴木の神戸本店が焼き討ちされるという悲哀も味わった。彼の生活はきわめて質素で私欲がなかったといわれる。会社の金子の机の引き出しから手を付けていない半年分の月給袋が出てきた、鈴木商店全盛期ですら金子は持ち家をもたず借家住まいであった、金子は貧しい学生を支援し毎月多額の学資金を送っていた、など数々の逸話が残されている。

（木山　実）

参考文献

白石友治編（1950）『金子直吉伝』金子柳田両翁頌徳会（同書は1998年にゆまに書房から復刻版が出ている）。

桂芳男（1989）『幻の総合商社鈴木商店——創造的経営者の栄光と挫折』現代教養文庫。

人物コラム　安川 雄之助

（やすかわ ゆうのすけ・1870-1944年）

　明治後半以降、総合商社化を推し進める三井物産の中で、中堅社員として活躍したのが安川雄之助であった。その辣腕振りから「カミソリ安」との異名をとり、三井財閥の首脳陣の一角を占めるに至る。筆頭常務取締役として彼は、大正〜昭和初年の慢性的不況下、国内市場への積極的な進出を促すなどして手腕を発揮した。（そこに至る過程については第4章参照）。しかし、昭和初年に三井財閥へ国益を顧みないとの批判が高まる中でその責任を負わされる形で退任を余儀なくされた。

　安川は1870（明治3）年、京都府で代々農業を営む家に生まれた。京都中学を経て入学した大阪の第三高等中学校では法科の所属で、周りに影響されたこともあって政治家志望だった。しかし、大阪で外国人商人が貿易を牛耳る様子を目の当たりにして、貿易を「どうしても日本人自らが行わねばならない」と考えるようになり、実業家の道を進もうという固い決意が生まれた。そしてより実践的な学問を学ぶため大阪商業学校（現　大阪市立大学）へ転校し、卒業した1890（明治22）年に三井物産に入社した。

　大阪支社を振り出しに東京本社勤務などを経て、1892（明治25）年にインドの港湾都市ムンバイ（当時の名称はボンベイ）に初めての日本人社員として赴任することになった。当時、日本の紡績業の発展とともにその原料である綿花の売れ行きが伸びており、その買い入れのため現地の出張所長に抜擢されたのである。

　彼は現地語や訛りのある英語が分からず、相談できる日本人もいない中で、出張所の場所や取引相手の問屋の選定など、たくさんの問題に取り組まなければならなかった。これは「僕の全生涯を通じて最も忘れられない、最も真剣な時代」だったのであり、「以後自分の手腕の見るべきものがあるとすれば皆この時に得た体験を応用したに過ぎない」と言い切れるほど貴重な体験であった。安川のムンバイ行きが決まった当初は「あんな小僧っ子が行って仕事ができるか」という声もあったようだが、彼はこうした前評判を覆すことができたのである。

その後、大阪支店への再勤を経て神戸支店に転ずると、神戸の華商と連携しつつ、満州の特産物で国際商品の大豆粕を取り扱った。その中で、ロシアが影響力を持つ現地鉄道会社を経営して大豆粕の輸送効率の向上を図ろうとした計画については、「僕の一生を通じてあとにも先にもない大計画であった」と自負していた。

　1918（大正7）年には常務取締役に就任してからは、新聞や雑誌だけでなく著書を通じて彼の見解が世間の人々の目に触れる機会が増えた。これらは貿易振興策や財界回顧談にとどまるものではなく、彼の産業貿易観を背景にしたより体系的なものであった点に大きな特色がある。　　　　（加藤　慶一郎）

参考文献

安川雄之助（1996）『三井物産筆頭常務　安川雄之助の生涯』東洋経済新報社。
―――著作編纂会編（1996）『安川雄之助　論叢』同会。

第5章 戦時期

戦時体制と総合商社

はじめに

　1937（昭和12）年7月の盧溝橋事件以後、日中戦争から太平洋戦争へ戦争が拡大していく中で、日本経済は経済統制の動きを徐々に強め、国内取引や輸出入取引を担ってきた商社の活動も大きく転換した。本章では、まず各商社の活動に大きな影響を与えた戦時貿易統制の構築過程を整理した上で、貿易の全体像を確認する。続いて、戦時体制が強化されていく中で、他の商社を圧倒する形で事業を展開した三井物産と三菱商事に注目し、総力戦を支えた両商社の展開を概観したい。

　太平洋戦争の開戦により、商社にとって重要な市場であった欧米諸国との貿易が途絶する一方、「大東亜共栄圏」の比重が飛躍的に高まった。欧州やアジア地域での戦争の拡大によって、各商社は長年にわたって培ってきた商品や地域から否応もなく切り離され、新たな事態への対応が求められたのである。各商社の取扱商品や地域は、開戦前と大きく変化し、「国策」として進められた中国・南方[1]との交易および占領地経営が商社の中心的な業務となっていった。

　そして、この「戦時」が作り出した状況は、商品・地域を特化することで生き残ってきた専門商社にも大きな変化をもたらした。本章の後半では、繊維商社・鉄鋼商社といわれた関西系専門商社の戦時期の動向を跡づ

　1　南方：地理的範囲は、オランダ領東インド（蘭印）、英領マレー、フィリピン、ビルマ、フランス領インドシナ（仏印）、タイ、東ニューギニア、東ティモールなど。

け、商品・地域の商圏を拡げて「総合性」を強めていった各専門商社の業容の変化をみていきたい。

1 戦時体制の構築と貿易の動向

(1) 貿易統制の深化

1930年代の政治・外交面における軍部の台頭は、外交面での国際的孤立を招くとともに、軍事費を中心とする財政支出の急激な拡大をもたらし、軍事支出は36(昭和11)年の約10億円(全政府支出に占める割合9.8％)から37年の29億円(同22.7％)に増加した［三和・原 2010、129頁］。軍需増大を見越した36年末からの輸入の急拡大によって、37年の輸入額は前年から約37％増の37億8318万円に達した(表5-1)。この巨額の入超によって外貨不足が現実となり、37年1月の輸入為替管理令を皮切りに、直接統制が開始された［中村 1989、73頁］。二・二六事件の後、広田弘毅内閣、林銑十郎内閣を経て、国民の期待を集めた第一次近衛文麿内閣が37年6月に誕生した。しかし、同内閣も高まる軍部の圧力を抑えきれず、国際収支の均衡、生産力の拡充、物資需給の調整からなる財政経済三原則を掲げ、通常の経済・財政運営では対処できない難局を経済統制によって乗り切ろうとした［中村 1989、5-6頁］。

1937年9月に輸出入や輸入品を原料とする製品の消費・譲渡などに対して、政府による命令・制限を可能にする輸出入等臨時措置法が制定され、貿易面での経済統制もいよいよ本格化していった。その後、39年7月に日米通商航海条約の破棄が米国政府より通告され(40年1月失効)、同年9月には第二次世界大戦が勃発し、日本と米国・欧州間の通商関係は大きな転換期を迎えた。欧米諸国との貿易が困難になりつつある状況下で、39年7月には、戦時貿易振興策が閣議決定され［通商産業省 1971、228頁］、①円ブロック(日本・朝鮮・台湾・満州・華北)貿易の強化、

表 5-1　貿易額の推移（1935-45 年）

(単位：百万円)

年次	輸出 総額	満州	関東州	中国	米国	輸入 総額	満州	関東州	中国	米国	輸出-輸入 総額
1935	2,499	126	300	149	536	2,472	191	26	134	810	27
1936	2,693	151	347	160	594	2,764	206	34	155	847	▲71
1937	3,175	216	396	179	639	3,783	249	45	144	1,270	▲608
1938	2,690	316	536	313	425	2,663	339	60	165	915	26
1939	3,576	536	756	455	642	2,918	406	62	216	1,002	659
1940	3,656	582	604	681	569	3,453	358	59	339	1,241	203
1941	2,651	558	471	630	278	2,899	377	45	433	572	▲248
1942	1,793	568	423	523	−	1,752	505	41	676	14	41
1943	1,627	480	317	502	−	1,924	361	39	922	5	▲297
1944	1,298	375	258	489	−	1,947	427	29	1,251	1	▲649
1945	388	121	51	201	−	957	235	12	608	22	▲568

出所）　東洋経済新報社（1991、176-182 頁）。

②東南アジア貿易の振興、③中南米諸国との求償貿易[2]の推進が目指された。

　1941（昭和16）年5月に貿易部門における総動員体制の確立を図るべく、貿易統制令が公布された。続く同年7月の日本軍による南部仏印進駐を契機として、米国・英国・オランダによる対日資産凍結が発表され、貿易政策はさらなる転換を迫られることになった。日中戦争期に段階的に整備された貿易統制は、貿易関係業者からなる貿易組合等の各種調整機関をベースにした自治的統制を基礎に展開したが、これ以降、政府の統制機能を強める方向へ大きく舵を切った。同年12月に貿易業整備要綱が定められ、中小貿易業者の整備・企業合同が実行された。同時に国家総動員法(38年4月公布）に基づき、貿易機構の整理・統合も進められた。42年1月に貿易統制の実務機関として日本貿易会（同年5月に貿易統制会に改称）、同年4月には重要物資管理営団が設立され、前者が輸出を統制し、後者が輸入を統制するという二元統制体制が成立した。

　2　求償貿易：輸出と輸入の総額が一定期間内に均衡するように2国間で協定を結び、差額決済のための正貨（国際決済通貨）を不要にする貿易方式。

その後の戦局の悪化にともない、戦時計画経済の根幹たる物資動員計画[3]（物動計画）を支えるため、より強力かつ総合的な貿易統制・調整機関が必要となり、重要物資管理営団と貿易統制会を合体改組する形で1943年6月に交易営団が発足した。交易営団は物動計画に基づいて貿易の統制・運営を実施する政府代行機関であり、直営方式により物資の輸出入・買入・譲渡・保管ができる強力な機関であった。

　こうして戦時貿易統制は、従来の貿易組合等を介した間接的統制から、交易営団を通じた直接的統制の強化へと進み、政府の指示・命令を各民間貿易業者に徹底させる体制が整えられた［鴨井 2006、106-107頁］。外貨不足を回避しつつ、重要物資の円滑な輸入実現に力点を置いていた戦時貿易統制は、重要交易物資の需給適正化という戦時動員行政の性格を強めていったのである。さらに営団に対しては、統制の実効性を高めるため、物資の輸出入価格を決定する権限も与えられ、民間貿易商社の裁量範囲は大きく限定されることになった。

　しかし、交易営団の実態としては、営団主導の貿易や物資集荷・配給業務は一部の実施にとどまり、貿易における直営方式も実務の大部分は民間貿易業者への委託によって運営された。民間への依存は、営団の人員・組織の面からも明らかであった。交易営団の前身となった重要物資管理営団の理事長には元三井物産常務の住井辰男が就任し、理事5人中3人が三井物産、1人が三菱商事出身であった。加えて86人の三井物産社員が営団に転職して実務にあたった［三井文庫 2001、559-560頁］。交易営団においても、三井物産筆頭常務を務めた石田礼助が総裁となり、副総裁に住井辰男が就任し、新たに85人の三井物産社員が送り込まれたのである。

(2) 戦時下の貿易

　表5-1は、1935（昭和10）年から45年の貿易額の推移を示している。この期間の貿易動向は、太平洋戦争開戦を前後して二つの局面に分けられ

　3　**物資動員計画**：民需向けの輸入および内需の抑制を行い、重点分野（主に軍需）に物資を集中配分するために立案された需給計画。

る。前半が欧米からの輸入に依存しつつ、円ブロック地域への輸移出が増加した日中戦争期であり、後半が第三国貿易の途絶によって、大東亜共栄圏のみに交易が限定された太平洋戦争期である［金子 1994、423 頁］。

1937 年以降、貿易政策では、軍需用資材の輸入促進を実現すべく、不要不急とされた民需用資材の輸入抑制と外貨獲得のための第三国（円ブロック外）向け輸出の拡大が重要な課題となった［通商産業省 1971、226 頁］。輸入為替の統制強化による輸入抑制策が功を奏して、早くも 38 年に貿易収支は出超に転じたものの、国際収支の均衡に重点が置かれたため、輸出入双方の貿易額が縮小するという結果になった。戦争の長期化が予想される中で、原材料の確保（輸入）とそれに必要な外貨獲得（輸出）のため、輸出入リンク制[4]や貿易金融制度など、様々な輸出振興策が講じられた。

日中戦争開戦後の貿易・為替規制の強化は、商社の自由な貿易活動を制限していたが、ここに至って日本の輸出入を担う商社への期待は以前にも増して高まった［日本経営史研究所 1978、553 頁］。各商社の積極的な販路開拓に加えて、第二次世界大戦の勃発も重なり、39 年の輸出額は日中戦争開戦前の水準に回復し、39・40 年の貿易収支は合計 8 億 6184 万円の黒字を記録した。その後、欧州からの輸入が激減したものの、米国からの軍需用の緊急備蓄資材や工作機械等の輸入が増加し、輸出も復調した。40 年の輸出入額の合計は 70 億円を突破し、貿易額は戦前期最大の規模となった。

地域別の輸入動向をみると（表 5-1）、1940（昭和 15）年まで総輸入額の約 3 分の 1 を占めていた米国からの輸入が対米開戦後に急落し、代わって 42 年以降、円ブロックからの輸入が全体の 70％を占めるようになった。なかでも 44・45 年の中国からの輸入額は、全体の約 3 分の 2 を超えるまでに膨らんだ。

輸出面では、37 年に 25％であった円ブロック向け輸出が、日中戦争の拡大とともに大きく増加し、44 年には輸出額全体の 86％に達した。対日資産凍結などにより、41 年後半から本来の外国貿易が消滅し、大東亜共

4　**輸出入リンク制**：製品の輸出と連携して原材料の輸入を許可する貿易制度。

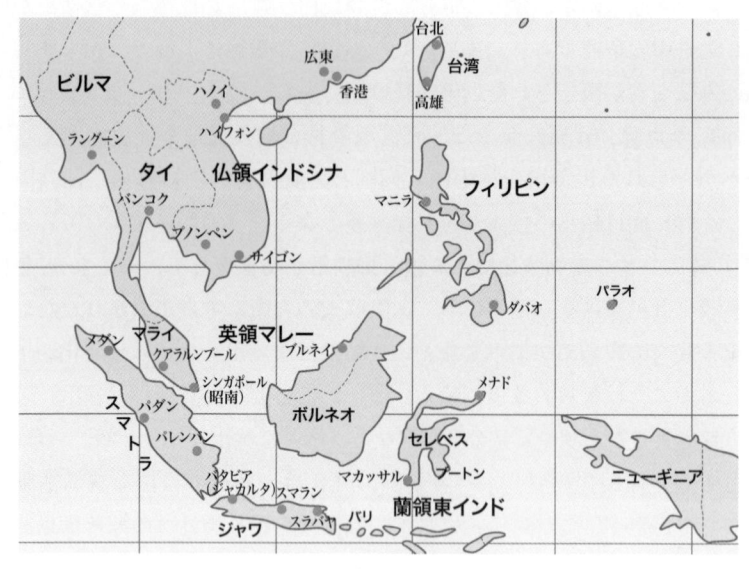

図 5-1　南方地域の拠点

栄圏内に対外取引が限定される中で、日本の交易は、南方地域（図 5-1）および円ブロック、とりわけ中国市場への依存を強めていった。

　日中戦争から太平洋戦争へ続く戦時体制下の日本において、商社を取り巻く経営環境は大きく変貌した。明治以来の近代日本の歩みと軌を一に発展してきた商社も、総力戦を遂行する「国策」への協力を進める以外に途は残されていなかったのである。

2　戦時体制下の三井物産

(1) 戦時下の経営組織

　三井物産は、1933（昭和 8）年の取締役会において「世界ニ於ケル貿易ノ大勢ト各国ノ輸出入統制政策ニ鑑ミ、商業方面ニ於ケル当社将来ノ発展ハ余リ多クヲ期待スル能ハズ。従ッテ当社ノ活動力ヲ工業的投資方面ニ拡

充スルノ極メテ喫緊要事ナルヲ痛感スル」との認識を示し、ブロック化の進む世界経済を背景に重工業部門進出の方針を打ち出した［日本経営史研究所 1978、557 頁］。三井物産は日中戦争以降もこの方針を維持し、太平洋戦争開戦の直前にも、対英米開戦による商品取扱量の激減が予想される中で、生産部門への進出とそれを基礎とした商品取引に活路を見出すという方針を再確認している［三井文庫 2001、553 頁］。具体的には、社内で「特殊関係」とも表現された重工業メーカーとの関係強化であり、積極的な株式投資を続けていった。

内部組織に関しても、事業投資を強化するため、1933 年 8 月に本店内に査業課（39 年 4 月に査業部に昇格）を設置し［三井文庫 1994、317 頁］、太平洋戦争期の 42(昭和 17)年 1 月に政府・陸海軍との折衝および経営方針・新規事業を立案する総務部の新設、査業部から事業部への改組を行った［三井文庫 2001、553 頁］。また 35 年以降、ソヴィエト連邦・中南米・中近東などの新市場開拓を進め、38 年には政府の輸出振興策に対応する形で、各店の一体的活動を強化すべく、本店内に輸出統制事務委員会を設置した［日本経営史研究所 1978、570 頁］。さらに国内支店の専門技術員を欧米各国に派遣し、輸出市場の拡大を図った。

戦時期に膨張の一途を辿る資金需要と三井家の課税問題など三井全体の問題を解決するため、三井物産は 1940（昭和 15）年 8 月に財閥本社の三井合名会社を吸収合併し、三井の持株会社となった。その後、44 年 3 月に再び商事部門が分離独立し、新たに三井物産が設立され、(旧)三井物産は三井本社に商号を変更した。三井財閥全体の目まぐるしい組織再編の渦中にあって、戦時期の持株会社化は、三井物産の目指した「三井の重工業化」に寄与したが、戦後の過酷ともいえる三井物産解体の遠因にもなったともいわれる［日本経営史研究所 1976、122 頁］。

日中戦争の長期化にともなう英米との関係悪化と重要性を増す中国市場を背景に、三井物産は東アジア支店網の再編成と人員の再配置を実施した（表 5-2）。日本国内の人員が 40 年 9 月の 1,863 人から 43 年 4 月の 1,166 人に激減したのに対し、中国・東南アジアの人員は 603 人から 1,081 人に増加した［三井文庫 2001、554 頁］。特に満州・華北・華中の営業網の強

表5-2 三井物産の海外営業網の推移

年 \ 地域	朝鮮・台湾地域	中国地域 満洲	華北	華中	華南	計	東南アジア・中東地域	欧州地域	北米・カナダ地域	合計
1940年	7	7	6	3	4	20	13	1	3	44
1944年	6	12	12	9	6	39	20	0	0	65

注) 支店・出張所の合計。
出所) 三井文庫（2001、555頁）。

化は目覚ましく、中国地域全体の支店・出張所数は、40年の20か所から44年の39か所に倍増した。

輸出入取引において三井物産と関係の深かった米国との商取引に関しては、1930年代後半の日貨排斥の拡大、米国政府による規制の強化などによって、在米支店の活動は縮小の一途を辿った［上山2005、542-548頁］。41年7月の在米日本資産の凍結によって事実上の業務は停止したが、三井物産在米支店は、資産凍結を見越して事前にメキシコへの資金逃避や「レザーブ」（第4章参照）による資金の隠匿を行っていた［三井文庫 2001、549-550頁］。当時のニューヨーク支店長の証言によれば、本店に無断でこのレザーブを利用して資産凍結後の政官界工作や開戦回避工作が行われたとされる。

1930年代に入って、三井物産は商品取扱高を急増させつつあった三菱商事の猛追を受けた（表5-3）。両社は「妨害的行為」や「誹謗的言辞」を応酬し、他社や政府・軍をも巻き込み、熾烈な競争を繰り広げた［三井文庫 2001、546頁；三菱商事 1986、817頁］。そこで、三井物産は「国家目的ノ達成ニ協力以テ貿易報国ノ実ヲ挙クル」ため、また三菱商事も「貿易同業者ガ依然トシテ蝸牛角上ノ争ヲ繰返スハ、徒ニ累ヲ国家ニ及ボス」として、1940年11月に三井物産常務・石田礼助と三菱商事会長・田中完三が両社協調の盟約を締結し、無用の軋轢回避を図った。

(2) 主要取引の動向

表5-3にみられるように、日中戦争期に三井物産の取扱高（輸出・輸入・国内取引・外国間取引の合計）は、1937（昭和12）年度の約23億4584

表 5–3　三井物産の業績の推移 (1936–1944 年)

(単位：万円)

年度	取扱高 (a)	三井物産 総益金	純損益	商品別取扱高上位 5 品目 1 位	2 位	3 位	4 位	5 位	三菱商事 取扱高 (b)	(b)/(a)
1936	179,740	4,413	1,606	金物 (17.0%) 30,592	ゴム (9.8%) 17,536	機械 (9.5%) 17,073	石炭 (7.2%) 12,948	生糸 (5.5%) 9,914	88,398	49.2%
1937	234,584	6,381	2,206	金物 (19.1%) 44,846	ゴム (11.3%) 26,566	機械 (7.7%) 17,981	石炭 (6.9%) 16,260	砂糖 (5.0%) 11,827	116,211	49.5%
1938	239,357	6,155	1,846	金物 (21.5%) 51,506	食料品 (20.3%) 48,482	繊維 (11.5%) 27,481	雑品 (11.0%) 26,400	機械 (10.3%) 24,696	140,363	58.6%
1939	291,436	7,482	2,441	食料品 (21.8%) 63,393	金物 (20.3%) 59,169	繊維 (11.7%) 34,022	雑貨 (11.0%) 32,086	機械 (10.8%) 31,330	174,627	59.9%
1940	344,604	10,569	3,482	食料品 (24.4%) 83,953	金物 (18.7%) 64,346	雑貨 (13.5%) 46,496	繊維 (10.5%) 36,138	機械 (9.4%) 32,383	201,164	58.4%
1941	385,797	14,202	5,202	食料品 (30.5%) 117,848	金物 (13.5%) 52,268	雑貨 (13.3%) 51,368	石炭 (10.3%) 39,785	機械 (8.9%) 34,267	242,259	62.8%
1942	330,722	14,678	5,502	食料品 (37.8%) 125,169	雑貨 (14.7%) 48,709	雑貨 (11.7%) 38,711	金物 (9.5%) 31,481	機械 (9.1%) 30,213	199,014	60.2%
1943	395,538	16,020	4,284	食料品 (39.3%) 155,495	雑貨 (16.0%) 63,381	石炭 (11.3%) 44,593	機械 (9.4%) 37,083	金物 (7.9%) 31,233	259,978	65.7%
1944	504,689	21,008	2,510	食料品 (28.3%) 142,870	繊維 (20.1%) 101,555	雑貨 (14.8%) 74,813	金物 (13.2%) 66,757	薬品 (7.8%) 39,503	317,975	63.0%

(注) 1. 商品別取扱高上位5品目は、1936・37年度と1938年度以降で商品区分が異なる。
(注) 2. 商品別取扱高上位5品目の ( ) 内は、取扱高全体に対する割合を示す。
(注) 3. 三菱商事の取扱高は、三井物産の会計年度に対応して算出されているため、表5–6と数値が異なる。
(出所) 三井文庫 (1994, 507 頁) および三井文庫 (2001, 545・558・559・598 頁)。

万円から41年度の38億5797万円に急増した。しかし、その内実は両大戦間期以前と大きく異なる様相を示した。日中戦争が長期化する中で、日本国内の取扱高（輸出・輸入・国内取引の合計）は、37年度の17億9226万円から41年度の24億5020万円に増加した。しかし、その後、国内取扱高は減少を続け、全取扱高に占める割合は、37年度の76.4％から43年度の46.1％に急落した［日本経営史研究所1978、571・706頁より算出］。他方、外国間取引は、37年度の5億5359万円から43年度の21億3190万円に増大し、この間の拡大を支えたのが、華北・華中の取引であった。

中国全体の取扱高は、1939年度の2億8700万円（全取扱高に占める割合6.4％）から42年度の15億8900万円（同34.7％）、44年度の21億4900万円（同45.6％）に躍進し、終戦間際の44年下期（44年10月～45年3月）には31億4700万円（同84.1％）になり、取扱高の過半を占めた［三井文庫2001、557頁］。戦時体制下にあって、経済統制は徐々に深化・強化され、国内取引の比重が低下していったが、三井物産は中国取引に依存を強めながら取扱高を伸ばしていったのである。一方、大東亜共栄圏に組み込まれた南方地域の取扱高は、41年度の3億6100万円（全取扱高に占める割合6.5％）から43年度に4億1600万円（同7.6％）に増加したが、徐々に海上輸送が困難となる中で、営業網の強化に比べて取扱高は伸び悩んだ。

1930年代前半に三井物産の商品取引では、軽工業部門商品の比重が減少し、重化学工業部門商品の比重が増大した［三井文庫1994、288頁］。具体的には、生糸取扱高が激減し、代わって金物取扱高が大きく伸張したのである。国内取引も大きな変化が生じ、石炭・砂糖取引が急落したのに対して、機械・金物取引が急増した。石炭は大正末期に国内取引の30％近くを占め、三井物産の主力商品であったが、36年度に機械が国内取扱高でトップに立った。30年代前半まで石炭に次ぐ国内取扱高を誇った砂糖も34年度以降、金物・機械に次ぐ地位に後退した。その後、日中戦争期の石炭需要の急増により、三井系鉱山の一手販売権を握る三井物産の取扱高も増加し、38年度に再び石炭が国内取扱高で首位に返り咲いた［三井文庫1994、508-516頁］。この間、鋼材・銑鉄を中心とした金物取引、

兵器・軍用品が激増した機械取引も好調に推移した。

　輸出取引では、1930年代に従来の主力商品であった生糸・石炭・砂糖の構成比率が低下し、機械・金物・綿布の比率が増大した［三井文庫1994、306頁］。日中戦争勃発後の輸出をみると、生糸輸出が輸出取扱高全体に占める割合を低下させつつ（32年54.9％→37年25.6％→1940年23.8％）、首位を堅持したが、2位以下は目まぐるしく変化した［三井文庫1994、520-521頁］。輸出振興の掛け声の下、従来の北米・インド・東南アジアに加えて、中南米・豪州へ輸出された綿布は、1937年度に輸出取扱高が急伸（36年度2,978万円→37年度4,400万円）したが、民需産業を抑制する戦時統制の強化により、40年度には1,786万円まで低下した。38・39年度に生糸に次ぐ輸出額を記録した機械は、南満州鉄道株式会社[5]（以下、満鉄）向けの鉄道用品を中心に植民地および満州に大きく輸出が伸びた。40年度には、全体的に低調な輸出において、第二次世界大戦開戦を契機に欧州向けの缶詰輸出が激増した。同年度の缶詰輸出の取扱高は2,926万円となり、生糸輸出（6,892万円）に次ぐ地位に躍り出た。

　太平洋戦争期の主要商品の取引状況をみると、石炭取引では、配給統制機関の日本石炭株式会社が1940（昭和15）年5月に設立されたが、当初は緩やかな統制であったため、三井物産と国内炭鉱業者の一手販売契約は存続し、石炭取扱量は大きく変動しなかった［三井文庫 2001、563-568頁］。しかし、徐々に統制の強化が進み、三井物産全体の石炭取扱高は、43年度の4億4593万円から44年度の1億1246万円に急落し、全取扱高に占める割合も2.2％に低下した。屑鉄・銅・錫といった金物取引は、41年の米国による対日資産凍結によって急減し、取扱高も38年度の5億1506万円（全取扱高に占める割合21.5％）から42年度の3億1481万円（同9.5％）に減少した。ただし、鉄類、特に多様な品種を有する鋼材は流通統制が難しく［三井文庫 2001、572頁］、商社排除の方向性を持ちつつも、三井物産の鋼材取扱は続けられた。

　5　**南満州鉄道株式会社**：日露戦争後の1906（明治39）年、大連に設立。鉄道事業を中心に日本の満州経営の中核を担った。

機械の取扱高は1938年の約2億4696万円から43年の3億3083万円に増加した。機械取引を得意としてきた三井物産には、長年にわたる機械メーカーとの「好関係」が存在し、戦時期に入っても一手販売契約・代理店契約が継続されたのである［三井文庫2001、577頁］。しかし一方では、①陸海軍の直接購入、②メーカーの自販化、③民需向け機械生産の縮小など、取引環境の変化も生じつつあった。三井物産も民需から軍需に機械取引をシフトさせるとともに、太平洋戦争開戦後には、米国・ドイツ製品の取扱途絶を受けて、日本メーカーや在満州・関東州[6]メーカーとの取引をより強化していった。

(3) 重工業投資の活発化

　三井物産の株式投資は、表5-4にみられるように1934（昭和9）年度以降活発化した。日中戦争期以降は投資規模も拡大し、100万円以上の投資件数が急増した。新規投資は重化学工業に加えて、鉱業・窯業・繊維・食品加工など多分野にわたったが、最大の投資先は重化学工業部門であった。34年以降、三井物産は津上製作所（精密機械）・東洋鋼材・日本空気機械（鉱山土木機械）・東洋レーヨン・東洋護謨化学工業などへの投資を精力的に行った［三井文庫1994、318-320頁］。機械需要の急増した日中戦争期においては、一手販売権獲得の手段として投融資が活用され、機械メーカーへの新規・追加投資が増加した［三井文庫1994、519頁］。三井物産の機械取扱高は、この間に約2倍となり（表5-3）、一手販売契約は機械取引の安定化と拡大に寄与したといえる。また商品取引の拡大を目的として、満州・関東州・東南アジアに対する海外投資も積極化した［三井文庫1994、322-326頁］。

　1942（昭和17）年以降、三井物産は日産自動車・日本製鋼所・大同製鋼・東京芝浦電気・東京石川島造船所・丸善石油などへの新規投資・関係強化を計画した［三井文庫2001、166頁］。続く43～44年にかけて三井物産

　　6　**関東州**：日露戦争後にロシアから引き継いだ旅順・大連地域を中心とする日本の租借地。租借地とは、条約によって他国に貸与した土地。

表5-4　三井物産の社外投資（1933-1940年）

(単位：万円)

年度	年度末株式投資残高（払込額）	投資額	新規投資件数 計	100万円以上	50万円以上	10万円以上
1933	5,360	402	8	2	–	2
1934	6,146	785	33	7	3	18
1935	6,837	692	26	2	4	11
1936	7,563	726	41	2	4	19
1937	11,599	4,036	57	21	2	10
1938	13,591	1,993	59	12	10	6
1939	16,281	2,690	77	23	6	24
1940	18,418	2,137	85	15	13	14

出所）　三井文庫（1994、317頁）。

は、昭和飛行機工業への資本参加を強化し、遅まきながら航空兵器生産部門に本格参入した。しかし、戦局の悪化に為す術もなく、十分な成果を挙げることなく、終戦を迎えた［三井文庫 2001、193-198頁］。

　この時期は三井財閥全体として、重化学工業基盤の整備・拡充の方針が明確となり、三井物産も商品取引の手段としてだけでなく、発言権の強化、経営権の獲得を視野に入れた投資活動を強めていった。こうした動きの中で、日産自動車への資本参加に関係して、43年頃に日産コンツェルン総帥・鮎川義介による軍部や商工大臣・岸信介を利用した三井の乗っ取り工作（当時、三井物産は三井財閥の持株会社であった）が計画された［三井文庫 2001、171-172頁］。総力戦遂行を掲げる軍や政府の発言力の強化は、重化学工業への投資を進めた三井物産にとって追い風となる一方、平時には予想すらできない戦時特有の問題も発生し、プラスとマイナスの両面をもたらしたのである。

　以上のような多方面にわたる投資活動は、三井物産独自の経営判断に基づきつつ、三井財閥全体の利害や「国策」への対応など複合的な要因から行われ、その全体的な評価は容易ではない。しかし、この時期の投資活動

が、主に商品取引の維持・確保を軸に展開した点は、客観的評価として妥当であろう。メーカーや国策会社・統制会社への投資による経営関与を通じて、三井物産はメーカーの販売権を確保するとともに、統制会社の実質的な流通機能を担う下請機関として取引の拡大を実現した。また戦時期における三井物産の投資の急拡大に関しては、その意図せざる結果として、従来の自己資本による資金調達を困難にし、借入金の増加が株式公開へと繋がり、戦後のグループ化（株式相互持合い）の基盤を形成したとの見方もある［春日 2010、695頁］。

(4)「国策」と三井物産

日中戦争から太平洋戦争へと戦局が拡大していく中で、三井物産は、「コノヨウナ時世ニ在ッテ我々貿易商業ニ従事スル者モ、私的企業精神ヤ私的利潤追求ニ没頭スルコトノ許サレナイ……（中略）……今後ハ国家ノ要請ニ副ヒ、国策ノ向ウ処ニ従ッテ、一意専心、戦争経済ニ協力スル事ガ新物産ノ根本精神デナケレバナラヌ」［日本経営史研究所 1976、123頁］との会長訓辞を行った。親英米派とみなされていたため、幾分か誇張気味の表現が随所にみられるものの、この訓辞に表れているように、三井物産も日本の総合商社のトップ企業として「国策」への協力姿勢を強めざるを得ない状況に置かれていた。

太平洋戦争期に三井物産の農産物（食料品）取引は急増し（表5-3）、1943（昭和18）年には取扱高の約40％を占めるに至ったが、この背景には満州・華北・華中での農産物収買事業の拡大があった［三井文庫 2001、587頁］。満州では、日中戦争期に急増した欧州向けの大豆輸出が第二次大戦の勃発と統制の強化によって事実上不可能となり、満州での農産物収買に力を注いだ。41年度の満州農産公社による割当では、大豆・小麦・高粱などの収買割当量が特約収買人に指定された三井物産と子会社の三泰産業を合わせて約49％に達した。割当量で第2位の三菱商事は14％にとどまり、44年の特約収買人制度の廃止まで、三井物産は、満州の農産物取引の主導的立場を維持した。

その後の戦局の拡大にともない、三井物産は現地日本軍や興亜院[7]の命令に基づき、華北・華中においても、小麦粉、雑穀、綿花などの多岐にわたる商品の収買事業を展開した。太平洋戦争期の華北では、天津支店を中心とする農産物収買事業によって農産物や油脂の取扱高が年間4〜5億円の規模に達した［三井文庫 2001、593頁］。華中においても、上海支店を基点に軍用米や小麦、採油種実などの取引を展開した。

太平洋戦争開戦後、南方は軍政の敷かれた甲地域（蘭印、英領マレー、海峡植民地、フィリピン、ビルマ等）と非占領地域で現地政府を通じた間接支配が行われた乙地域（仏領インドシナ、タイ）に区分された。三井物産は、開戦前から南方との貿易において大きなシェアを占め、南方経営に関しても具体的な調査を進めていた。そのため、政府・陸海軍に命じられて指定業者となった三井物産は、三井関係各社の中心となって、両地域で多種多様な南方受命事業に取り組んだ［疋田 1995、373頁］。南方では、流通・運輸関係だけでなく、各種の生産事業にも関わり、木造船建造、セメント製造、ビール醸造、ゴム、山林開発、麻袋製造、マッチ製造などの受命事業に取り組んだ。ただし占領地である南方での活動は、当然ながら三井物産の自由な裁量で実施されたものではない。「民間業者の立入る余地はなく、ただ陸軍の命令でゴムやヤシ油を集荷するだけ」［日本経済新聞社 1980、102頁］と当時のジャカルタ支店長が戦後回想するように、「全部が軍の下請仕事」［矢野 1992、78頁］であり、本来の商社業務とは異なる性格のものであった。他方、戦局が厳しくなり、海上交通も途絶する状況であったが、南方での生活自体は比較的安定していたようであり、太平洋戦争中にサイゴン支店に勤務していた社員は、当時の生活を「飲みもの、食べもの、なんでも豊富な生活が続いた。在留邦人たちもこんな歌を口ずさむほどだった。『カンボジア、ラオス、そしてまたコーチシナ[8]の果てまでも、サイゴン米のおいしさに打つ舌鼓、我々は祖国と同じ暮らしで

7　興亜院：中国占領地の政治・経済・文化を統一指揮するために1938（昭和13）年12月に設立された国家機関。総裁は内閣総理大臣が兼任した。

8　コーチシナ：フランス統治時代のベトナム南部の歴史的呼称。漢字表記は「交趾支那」。

す』」と振り返っている［日本経済新聞社 2004、34-35 頁］。

　三井物産全体としての南方における経済活動は、食料品類を除き、期待されたほどの大きな成果を挙げなかった［疋田 1995、419 頁］。海上交通の遮断によって、内地への輸送も域内流通もままならず、各商品は地域的な偏在を強めつつ、終戦を迎えることになった。南方では、結果的に諸資源の「不足」と「過剰」が同時に存在するという日本国内でみられた資源配分の不均衡がより顕著な形で展開したともいえる［沢井 2008、155 頁］。

山西事件の記事
『三井事業史』本篇第三巻下

　中国占領地および南方の経済運営にあたっては、開戦前から現地で商取引の実績を積み重ねてきた三井物産や三菱商事といった大手商社の力に軍や政府も頼らざるを得ず、現地商社員たちは、戦時下の混乱した時代の中で、目前の仕事に没頭した。しかし、軍政下の経済運営の一翼を担いつつも、財閥系商社への風当たりは強かった。1943 年 6 月の華北事件[9]や軽微な問題にもかかわらず、現地軍によって「経済攪乱」「軍律違反」などに問われた同年 9 月の山西事件[10]に代表されるように、昭和恐慌以来の財閥批判を底流として、三井物産が批判の矢面に立たせられることも少なくなかった［三井文庫 2001、229-233 頁］。

　9　華北事件：1943 年 6 月に三井物産をはじめとする商社が経済攪乱によって摘発された事件。三井物産の天津支店、北京支店、済南支店の職員が取り調べを受け、同年 12 月に過料金 60 万円の処分を受けた。

　10　山西事件：1943 年 9 月に中国山西省の三井物産現地社員に軍律違反（経済攪乱）があったとして国内でセンセーショナルに報道された事件。現地社員に禁固 10 年、三井物産に対しては、山西省からの退去命令が出された。

拡がりつつあった三井批判への一つの方策として、三井物産は重要物資管理営団や交易営団に多くの役職者・社員を送り込み、「国家的奉仕」を政府・軍・官僚にアピールした［春日 2010、148-149 頁］。無論、こうした貿易統制機関への積極的参加は、貿易統制が強化される中で、三井物産が受託引受、実務担当引受などを通じて営団から直接的利益を導こうとする意図も存在した。加えて公的業務への積極的協力が、三井物産だけでなく三井財閥全体のイメージアップをもたらし、財閥全体の利益に合致していた点も重要であろう。他方、交易営団との関係をみると、三井物産出身社員は、三井物産の利害を積極的に代弁しうる状況に無かったとの評価もあり［三井文庫 2001、563 頁］、戦時期における「国策」との距離の取り方は、大変難しかったといえる。

　日中戦争および太平洋戦争の歴史的評価は別にして、日本の「国策」を遂行するため、三井物産は、開戦前から培ってきた資材調達・商品販売・資金調達のノウハウ、さらにはそれらを担ってきた人材などの経営資源をフル稼働させて、中国および南方の占領地の交易・経済活動に取り組んだ。1945 年 3 月時点の三井物産の在外拠点は 72 店におよび、台湾・朝鮮・中国・南方地域の駐在員数は 1,910 人、全従業員約 4,471 人の 43％に達していたのである［日本経営史研究所 1978、769-774 頁］。

3　三菱商事の事業拡大

(1)「立業貿易」と経営組織

　両大戦間期に三井物産を代表とする財閥系商社は事業規模を拡大したが、1930 年代に入って、金解禁問題や昭和恐慌の経済的な混乱の中で、ドル買い批判を代表とする財閥批判が高まっていった。財閥系商社の中でも三井物産は、国内取引の拡大を目指して積極的に地方進出を進め、その経営方針が中小商工業者を圧迫するとして大きな非難を浴びた。他方、三菱商事の国内取引は、委託取引の輸入商品とグループ内のいわゆる「社内

三菱商事の三綱領
『三菱商事社史』上巻より

品」が中心であり、米・小麦等の食料品や砂糖、油脂、繊維などの国内取引からは一定の距離を置いていた。当時の三菱商事の経営理念として掲げられたのが、①国家社会の公益を図ること（所期奉公）、②公明正大の態度を持すること（処事光明）、③対外輸出入の貿易を主とすること（立業貿易）からなる「三綱領」であった［三菱商事 1986、327-328 頁］。1934（昭和9）年2月に制定された三綱領は、三菱商事発足直後に岩崎小弥太が定めた経営方針を再確認するとともに、財閥批判が強まる中で、三井物産と異なる三菱商事の経営姿勢を社会に対して示す意味も持っていた。

1937（昭和12）年12月に三菱財閥の持株会社である三菱合資会社は、株式会社三菱社（1943年2月に株式会社三菱本社に改称）に改組され、三菱商事も翌38年7月に株式を公開した［三菱商事 1986、436-451頁］。三菱財閥の分系会社中で最後の株式公開となった三菱商事（資本金3,000万円）は、全60万株中36万株を分譲し、事業資金融資の拡大や生糸部の新設（36年4月）、綿業部の再開（39年4月）など、増大する資金需要を支える体制を構築した。その後も三菱商事は、国策会社への協力的出資や満州・中国における資源開発・商権確立に巨額の資金が必要となったため、39年7月に資本金5,000万円、40年12月に資本金1億円へ相次ぐ増資を実施した。

「立業貿易」の綱領を掲げた三菱商事の海外事業所（支店・出張所・駐在員）の状況を示したのが表5-5である。1918（大正7）年の発足時の海外拠点

表5-5 三菱商事の海外事業所数の推移

地域 年	朝鮮 台湾	中国					東南アジア 豪州 中近東	欧州	米国 カナダ	中南米	合計
^	^	満州	華北	華中	華南	計	^	^	^	^	^
1918	2	4	5	5	3	17	3	3	1	0	26
1931	9	3	3	2	1	9	6	4	4	0	32
1937	10	7	4	3	1	15	14	5	3	2	49
1939	10	9	9	4	2	24	18	6	3	2	63
1941	9	10	17	9	4	40	21	5	4	8	87
1943	10	9	20	14	5	48	47	3	0	0	108
1945	13	9	27	15	5	56	62	0	0	0	131

出所） 三菱商事（1986、455・576頁）。

は中国地域が中心であったが、その後20年代に日貨排斥や中国国内の混乱もあって、中国地域の事業所数は大きく減少し、代わって朝鮮・台湾が増加した［三菱商事 1986、454-465頁］。その後、30年代に入って、三菱商事は満州の営業網を拡大するとともに、日中戦争勃発後は、華北から華中および東南アジア地域を増強した。40年2月以降、アルゼンチンやウルグアイ、ベネズエラなどとバーター取引（通貨決済を伴わない物々交換取引）に基づく通商協定が締結され［通商産業省 1971、230頁］、三菱商事も中南米地域に営業地域を拡大した。

他方で日中戦争期以降の業容拡大に対して、内部統制の整備が追いつかず、1941年3月に取締役会長の田中完三は、各部各支店の責任者に対して、次のような通達を出している。「近時社業ノ発展ニ伴フ業務ノ繁忙ト複雑化トハ、動スレバ事務取扱ノ放漫ヲ来シ、一方社員ノ訓練不十分ナル為、我社伝統ノ精神タル質実剛健ノ美風ヲ忘レ、甚シキハ社規ヲ紊リ、不祥事件サヘ惹起セラルモノアルハ、遺憾トスル処ナリ……（中略）……先ズ内部組織ヲ整備シ、事務ノ権限ト責任トヲ明確ナラシメ、社規ヲ厳守シ、苟クモ之ヲ紊ルモノハ、寸毫モ仮借スルコトナク規律ノ維持ニ努ムル……」（「綱紀粛正ニ係ル件」1941年3月26日、米国国立公文書館所蔵資料）。その後もこの種の通達がしばしば作成され、本店-支店間の管理体

制、支店内の組織運営などに腐心した様子がうかがえる。

太平洋戦争開戦後は、枢軸国・中立国を除く北米・欧州地域の支店が閉鎖され、各駐在員も交換船によって日本に引き揚げ、各支店・出張所の在外資産も現地政府により敵性資産として接収された。1942年以降は、本来の貿易業務が困難となる中で、華北・華中および東南アジア地域の占領地に営業活動を拡げ、45年8月の終戦時の支店・出張所は、華北・華中で計42か所、東南アジアで62か所に及んだ。

(2) 戦時下の取扱高拡大

1930年代に入って三菱商事は、八幡製鉄所（34年以降の日本製鐵）や日本鋼管の満州向けの鋼材輸出、米国からの銅輸入、農産物（米・小麦）、油脂、肥料（硫安）、雑貨（人絹パルプ[11]、羊毛、セメント）などに取引を拡大し、日中戦争期においても好調を維持した。表5-6に示されるように、三菱商事の取扱高は、36（昭和11）年の9億9183万円から40年には22億7799万円に増大した。太平洋戦争期に入ると、経済統制の段階的強化によって、国内取引および輸出入業務に厳しい制約が科せられるようになった。戦時下における経営環境の激変は、取扱高全体に占める国内取扱高のシェア急落をもたらし、37年度に約70％を占めた国内取扱高は、43年度上期に約40％に下落した［三菱商事1987、79頁］。

戦局の悪化にともない、国内取引では統制機関の実務代行業務や軍需生産向けの資材配給業務が中心となり、本来の商社機能が発揮される場面は少なくなった。他方、貿易面では第三国貿易が途絶する中、円ブロックを含む大東亜共栄圏内の交易が中心となり、三菱商事の海外取扱高も、主に満州、華北・華中の各支店の業績に支えられて42年以降も拡大を続け、44年には42億円に達した。

この時期の商品別の取引状況をみると、1931年の三菱石油株式会社の設立以来、同社の一手販売権を梃子に一時代を築いた石油取引は、36年以降の統制強化によって停滞し、42（昭和17）年の石油配給統制株式会

11　人絹パルプ：化学繊維やフィルム、セロハンなどの製造に使うパルプ。

第 5 章　戦時期：戦時体制と総合商社　149

表 5－6　三菱商事の業績の推移（1936－1945 年）

(単位：万円)

年度	取扱高	総利益	純損益	商品別取扱高上位 5 品目									
				1 位		2 位		3 位		4 位		5 位	
1936	99,183	1,981	284	金属 (21.5%)	21,329	肥料・油脂 (15.3%)	15,135	繊維 (13.8%)	13,649	機械 (12.1%)	12,016	農産 (10.1%)	10,051
1937	130,561	2,774	702	金属 (30.9%)	40,390	肥料・油脂 (12.6%)	16,490	機械 (11.6%)	15,181	繊維 (10.6%)	13,810	農産 (9.0%)	11,755
1938	155,177	3,356	874	金属 (30.1%)	46,631	機械 (14.6%)	22,710	肥料・油脂 (12.2%)	18,933	繊維 (11.0%)	17,137	燃料 (9.7%)	14,981
1939	189,795	4,326	1,344	金属 (27.6%)	52,370	機械 (14.7%)	27,929	繊維 (11.8%)	22,298	肥料・油脂 (10.9%)	20,754	燃料 (10.0%)	18,889
1940	227,799	5,494	1,934	金属 (21.5%)	48,936	繊維 (14.3%)	32,476	肥料・油脂 (12.9%)	29,445	農産 (12.7%)	28,970	機械 (11.9%)	27,199
1941	212,833	5,511	1,864	農産 (18.8%)	40,038	金属 (16.5%)	35,077	繊維 (15.6%)	33,288	機械 (12.8%)	27,269	燃料 (9.6%)	20,421
1942	236,762	5,604	1,942	農産 (23.0%)	54,485	金属 (16.7%)	39,476	機械 (14.7%)	34,675	繊維 (11.0%)	26,018	燃料 (7.9%)	18,742
1943	278,360	8,272	1,938	農産 (26.8%)	74,721	金属 (17.1%)	47,528	機械 (12.8%)	35,732	繊維 (7.8%)	21,673	肥料・油脂 (6.4%)	17,726
1944	419,990	17,299	2,032	機械 (14.2%)	59,620	金属 (13.7%)	57,602	金属 (13.2%)	55,267	繊維 (11.7%)	49,270	燃料 (9.2%)	38,657
1945	60,539	509	▲ 3,273	機械 (57.9%)	35,052	金属 (33.8%)	20,473	農産 (1.9%)	1,132	資材 (1.3%)	769	繊維 (0.8%)	497

注）　商品別取扱高上位 5 品目の各（　）内は、取扱額全体に対する割合を示す。
出所）　三菱商事（1987, 74-77 頁）。

社の成立によって自社取引は消滅した。石炭に関しては、24（大正13）年に石炭元扱権を三菱鉱業に返還し、満州の撫順炭[12]を中心とする海外炭の取扱が増加した。36年に日満商事（同年に満鉄の商事部門が独立して設立）が撫順炭の一手取扱を開始し、海外炭の主要供給源の一つが失われたが、無煙炭[13]を中心に朝鮮や華北との石炭取引が拡大し、43年の統制強化まで自社取引を続けた。農産部門では、40年前後にタイ米・サイゴン米の輸入により米の取扱高が急伸し、小麦に関しても、政府の委託買付を基に米国小麦、カナダ小麦の輸入に取り組み、満州地域での小麦取引も活発化した。35年に再開された綿花取引は、38年からの輸出入リンク制で活況を呈し、米国綿花・インド綿花の輸入を進めたが、41年の対日資産凍結を経て取引も停止した［三菱商事 1986、472-483頁］。

　日中戦争期の外貨獲得を目指した輸出振興の政策の下、三菱商事は機械・油脂（鯨油[14]）・綿布・農水産缶詰などの輸出拡大を図ったが、綿布と農水産缶詰を除けば大きな成果を挙げえなかった。従来、海外からの輸入を基調としていた機械取引では、三菱電機の扇風機やミシン、寿製作所の紡織機、戸畑鋳物の鉄管継手、東洋機械の工作機械などの輸出努力を続けたが、豪州・南米への部分的な輸出にとどまった。油脂に関しては、日本捕鯨（1936年に共同漁業に吸収合併）、太洋捕鯨の鯨油の一手取引を行い、ドイツ向け輸出に力を注いだが、第二次大戦の勃発により輸出は困難となった。繊維部門では、綿糸布の中東向け輸出が39～40年頃に全盛期を迎え、39年4月には大阪に綿業部を設立した。また生糸取引では、36年4月に日本生糸株式会社（24年設立・三菱商事全額出資）の事業を継承して生糸部を新設したが、対米関係の悪化によって主力の米国輸出は伸び悩

　12　撫順炭：撫順炭鉱（満州）から産出する石炭の総称。撫順炭鉱は日露戦争後に日本の支配下に入り、南満州鉄道株式会社が経営にあたった。

　13　無煙炭：炭素の含有量が最も多い石炭。揮発性物質や不純物が少なく、燃焼すると発熱量が高く、煤煙を出さない。燃料や練炭・コークスの原料、電極・カーバイド原料などに使用された。

　14　鯨油：クジラから採取された油。燃料、潤滑油、マーガリンなど、多様な用途の原材料となった。

んだ［三菱商事 1958、631-634 頁］。鮭・蟹缶詰を主とする水産物缶詰は、30 年代後半に大きく輸出が伸び、三菱商事も日魯漁業や太平洋漁業製の鮭缶詰の欧州輸出に尽力した。他方、米国向けには蟹缶詰が輸出され、39年の第二次世界大戦勃発後、缶詰取引は食糧備蓄用として空前の活況を示した［三菱商事 1986、486-502 頁］。

(3) 満州・中国取引の増大と南方受命事業

　満州における三菱商事の陣容は、1931 (昭和 6) 年時点で 3 事業所 (78 人) であったが、41 年には 10 事業所 (246 人) に拡大した。また満州の経済統制の強化により、39 年 11 月に満州特産専管公社が発足し、各商社は特約集買人として産地集買に当たることになった。三菱商事は、哈爾浜(ハルビン)支店の集買下請業者・六合商会との共同出資で「康徳桟」を 40 年 10 月に設立した［三菱商事 1958、432 頁；三菱商事 1986、456 頁］。糧桟(りゃんざん)事業（問屋業務）にあたった康徳桟は、満州に 80 か所、従業員 1,000 人を超える営業網を展開した。太平洋戦争期に本来の業務である対外貿易が途絶した結果、三菱商事の在満支店の業務は大幅に縮小され、事実上、康徳桟を通じての営業が続けられたのである。康徳桟は、集買業務以外に 45 年時点で、竜興製油、康徳肥料工業、農牧場、天然ソーダ開発などの事業を展開した。

　日中戦争の拡大にあわせて、軍政下にある華北の民生安定を図るため、1938 年 4 月以降、三菱商事は現地製粉工場の再建と小麦・雑穀等の集買に乗り出した。華北において力を注いだのが、石油輸入と綿花集買事業であった。特に大正期から華北で綿花栽培事業を手がけていた三菱商事は、本支店の綿花担当者を各地に派遣し、集買事業を大規模に展開した。華中では、日貨排斥や第一次・第二次上海事変により営業活動が停滞していたが、39 年に入ると上海・漢口支店を中心として軍の受命事業をベースに業務の再構築を図り、食糧（米・麦・雑穀）や繊維（綿花・生糸）の集買や軍票交換物資配給組合との取引を中心に業容を拡大していった［三菱商

　15　**軍票**：軍用手票の略。戦時に占領地などで物資調達やその他支払のために発行される紙幣の一種。

事 1986、457-465 頁]。

　太平洋戦争期の華北では、綿花・農産物の集買事業に重点を置き、1942年末には北京・天津・青島などの5支店に500人を超える日本人社員が展開し、取扱高は飛躍的に増大した。華中では、上海支店を中心に米・大豆の集買事業を行い、華南では上海・広東支店において台湾炭の輸入、タイ米の買付け、広東生糸の取引を継続した [三菱商事 1986、519-587 頁]。

　太平洋戦争開戦に先立つ 1941 年 9 月、極秘に軍より南方地域の経済振興プラン作成の依頼があり、三菱商事は社内に南方調査会を設立し、南方に関する調査研究を進めた [三菱商事 1986、561 頁]。42 年 4 月に陸海軍より、南方集荷担当者の割当が行われ、三菱商事はフィリピン（砂糖・糖蜜・タンニン材他）、マレー（生ゴム）、東インド諸島（コプラ[16]・生ゴム・砂糖他）、ビルマ（米・皮革）の交易業務および占領地全体のタイ米の一手取扱を担当することになった。その他、南方受命事業として、綿花栽培（バリ島・ブートン地方）、麻栽培（フィリピン）をはじめ、畜産開発、皮革工業、植物油脂鉱業、木造船建造などに取り組んだ。また 44 年 10 月、マレーに三菱馬来（マレー）機械製作所を新設して、焼玉エンジンの生産を開始した [三菱商事 1958、906 頁]。こうした広範な南方受命事業を運営するため、戦前に 50 人程度であった現地の社員・嘱託は、43 年頃には約 700 人に増員された [三菱商事 1958、12 頁]。しかし、海上交通が遮断された状況下で、南方受命事業は現地のみの対応にとどまり、終戦に至るまで三菱商事の業績に寄与することは無かったのである。

　16　コプラ：ココ椰子の果実の胚乳を乾燥したもので、石けん・マーガリン・食用油などの原料となった。

4　専門商社の変容

(1) 綿業統制の強化と繊維商社——東洋綿花・日本綿花・江商

　日中戦争の勃発後、経済統制が次第に強化される中で、民需部門の代表ともいえる繊維産業、とりわけ綿業に関する統制は、輸出入から生産、流通、価格および、全面的統制が進展した。綿花輸入から最終加工製品の流通まで、綿業の各段階で表裏一体の関係にあった繊維商社の活動も大きく変化することになった。

　綿業統制に関しては、1937年10月の綿業調整計画大綱に沿って、統制が全面的に展開した［三井文庫 1994、561頁］。38年7月には、外貨獲得を目的に貿易統制の一環として、綿業に対する輸出入リンク制が実施された。同制度は、綿製品の輸出実績に応じて原綿を割り当て、輸入原材料の内地流用を防ぎ、輸出の増進を図るというもので、その実施後、従来の商社、紡績会社、織布業者の関係は大きく変化した。綿花輸入は各紡績会社に割り当てられ、織布業者は全て紡績会社の賃織業者となり、最終製品も紡績会社によって輸出業者に引き渡されることになった。紡績会社の担う役割が格段に高まり、商社機能は大きく後退した［伊藤忠 1969、132頁］。この繊維輸出入リンク制の全体的評価については、代表的な綿業リンク制に関しても評価が定まっていない［白木沢 2008、26-27頁］。しかし、第三国貿易収支に限ってみれば、繊維輸出入リンク制は、貿易収支の赤字をほぼ解消し、第三国向輸出額の増大に成功した［白木沢 2008、32頁］。

　当時、大阪に地盤を置き、三大綿花商と呼ばれた東洋綿花、日本綿花、江商は、米国・インド両国で綿花の直買を広範に展開していた。しかし綿業統制の深化により、その自主性は失われ、現地での活動も停滞せざるをえなかった。東洋綿花の綿花取扱額は、1935年度の1億8574万円（約89万俵）から38年度には9,473万円（約51万俵）に半減した［三井文庫 1994、563頁］。各繊維商社の綿糸・綿布・綿製品の取扱額も38年後

半から急減し、その後、人絹やスフ[17]取引の比重を高めて対応しようとしたが、民需品が抑制される中で、取扱量は徐々に減少した。さらに41年7月の対日資産凍結以降、米国・インドとの綿花取引は事実上不可能となり、各商社はその軸足を中国および南方占領地へと移していった。

国内での繊維関係取引の制約を受けた東洋棉花は、太平洋戦争期には外地での農産物収買業務に力を注ぎ、朝鮮・華北・華中での綿花・小麦・雑穀などの収買を中心に商品取扱高は大きく伸びた〔三井文庫 2001、607-608頁〕。重点的に人員が配置された南方では、綿花栽培（フィリピン・ビルマ・タイ・スマトラ）、麻類栽培・麻袋製造（仏印・タイ・ジャワ）、紡織（ビルマ・タイ）などの受命事業に従事した〔東棉 1960、155-161頁〕。

日本綿花においても、日中戦争期以降、中国・満州地域の支店が好調を続け、1942（昭和17）年にビルマに進出し、米・綿花の収買活動や精米・製材・マッチ・澱粉等の工場経営にあたった〔日綿 1962、75・80頁〕。43年5月には、綿花以外の取引増加と工場経営などの事業活動の多様化を理由として、日綿實業に社名を変更した〔日綿 1962、93-94頁〕。

江商も東洋棉花・日本綿花同様に、中国での営業活動の強化を進め、1938年に青島・天津の両出張所を支店に昇格させるとともに、中国山東省に済南出張所（39年11月に支店昇格）を開設し、綿花プレス工場・倉庫を新設した〔江商 1967、262-264・301頁〕。太平洋戦争開戦後は、41年にスマラン支店（ジャワ島）を設置し、各種の受命事業に取り組むため、翌42年には社員50人余を出張員として派遣した〔江商 1967、236頁〕。その後もサイゴン、バンコク、ラングーン、ジャカルタ、広東、香港などに支店を設置した。

日本綿花の日綿實業への社名変更に示されるように、各商社は積極的な投資活動によって、生産事業への進出や商品取引の拡大を図った。東洋棉花は、機械（高田機工・山内航空機等）、ゴム（興亜護謨産業等）、外地の繊維（東棉紡織〔満州〕・上海紡織〔華中〕・南北棉業〔朝鮮〕等）など、

17　スフ：ステープル・ファイバーの略。木材パルプから合成して作られる化学繊維の一種。

加工・製造業種へと投資対象を拡大させた［三井文庫 2001、609-612頁］。日綿も中国・満州の関係会社の増資に対応するため、1944年に資本金2,000万円を3,000万円に増資した［日綿 1962、95頁］。江商は織物や化学、鉄工業などへの投資に加えて、43～44年に昭和綿花、太平洋貿易の合併、佐々木実業の買収を行い、商品取引が窮屈になる中で、合併・買収による経営規模の拡大を目指した［江商 1967、313-318頁］。

東洋棉花　青島支店
『三井事業史』本篇第三巻下

(2) 東洋棉花と三井物産

　東洋棉花は三井物産棉花部の独立によって設立された商社であり（第4章参照）、三井物産が約90％の株式を保有する子会社であった。東洋棉花は設立時から三井物産と商品取扱分野の協定を結び、日中戦争期には原則として綿花・綿糸と生地物などの綿布を東洋棉花が独占的に取り扱い、捺染繊維・綿製完成品は両者自由扱いとなっていた。しかし三井物産側では、戦時期における商社活動縮小への危機感から、東洋棉花との協定が綿関係品の取引を制約しているとの不満が高まり、1941（昭和16）年に東洋棉花に対して協定撤廃が要請された。東洋棉花側の反対があったものの、三井物産側の強い要望により、42年に協定撤廃となった［三井文庫 2001、602-604頁］。

　協定撤廃と米国・インドでの綿花取扱の停止により、東洋棉花の商品取扱高は、1941年度の7億円から42年度には5億5000万円に急落した。しかし、協定撤廃の見返りとして、東洋棉花は、綿・レーヨン・スフなどの繊維類取引に制限されていた状態から脱却し、取扱品目・事業を大幅に

拡大した。この商圏の拡大は、必然的に三井物産との競合状態を作り出すことになったが、第二次大戦後に本格化する東洋棉花の総合商社化の端緒ともなったのである［三井文庫 2001、606 頁］。

(3) 豪州貿易の途絶——兼松商店

　1935（昭和 10）年に豪州からの羊毛輸入は戦前の最高値を記録したが、36 年 5 月の日豪貿易紛争、日中戦争期以降の貿易統制（38 年 3 月の羊毛輸出入リンク制の実施等）によって、38 年以降の輸入量は大きく減少した［高村 1988、266-271 頁］。豪州における羊毛取引では、第一次大戦後に三井物産や三菱商事、高島屋飯田などの買付量が増加したが、明治期から豪州貿易のパイオニアとして活躍してきた兼松商店の羊毛買付量は、最盛期の 35～36 年に日系商社全体の約 25％を占め、豪州専門商社としての存在感を示していた［天野 2010、116 頁］。

　日中戦争期の兼松は、豪州貿易が低調となる中で、満州・中国（華北・華中）・南米との貿易に力を注いだ。1941（昭和 16）年 8 月には、豪州羊毛の日本向最終船が出航し、1890 年のシドニー支店開設以来、半世紀におよぶ兼松の豪州羊毛取引は、休止符を打つことになった［兼松 1950、116 頁］。同年 12 月の太平洋戦争開戦と同時に各商社の在豪州支店は、オーストラリア政府によって接収され、営業は停止した［市川 2010、221 頁］。しかし、1922（大正 11）年に現地法人 F. Kanematsu (Australia) Ltd. を設立して以来、豪州経済界に深く根付いていた兼松は、財産その他の接収を免れ、代表者を現地社員に変更し、社名も J. Gunton (Australia) Pty., Ltd. にすることで、業務の継続が許可された［兼松 1950、131 頁］。

　その後の兼松は、シンガポール、バンコク、ラングーン等に支店を新設して南方の受命事業にあたるとともに、紡績工場や羊毛工場、機械工場の経営に乗り出し、製造業への進出を図った。事業内容の拡大にともない、兼松商店の社名も、43 年 2 月に兼松株式会社に改称した［兼松 1950、113-115 頁］。

豪州兼松商店の 50 周年記念パーティー（1940 年）
壇上はシドニー商業会議所会頭、壇上写真左が創業者・兼松房治郎

(4) 大建産業の設立——伊藤忠商事・丸紅商店

　関西系の繊維商社の中で伊藤忠商事と丸紅は、東洋棉花、日本綿花、江商と並んで「関西五綿」と称された［作道 1997、169 頁］。呉服や太物（綿織物・麻織物）などを扱う初代伊藤忠兵衛（第 3 章参照）の個人商店を源流とする両社は、伊藤忠合名会社（1914 年設立）を経て、第一次大戦期の 18 年に伊藤忠商店（21 年に丸紅商店と改称）と伊藤忠商事に分かれた姉妹会社であった［丸紅 1977、58-68 頁］。分離から二十余年、戦時経済統制によって経営環境が大きく変化する中で、鉄鋼商社の岸本商店も絡んで両社の再合併の動きが本格化した。

　伊藤忠商事としては、軍需や重工業部門へ営業を拡大するにあたって、日本製鐵や日本鋼管と関係が深く、鉄鋼取引に地盤を持つ岸本商店との合併はメリットが大きかった［伊藤忠 1969、149-151 頁］。他方、呉服や羅紗（毛織物の一種）などの国内取引が中心であった丸紅商店も、日中戦争期に中国・インド市場に進出し、建築材料・機械・工具・食品などの非繊維商品の市場を積極的に開拓したため、伊藤忠との競合が問題になりつつあった［丸紅 1977、101-103 頁］。そこで、取扱商品や販路の重複を避

け、経営の合理化と規模拡大による業界内での発言力確保を目指すべく大型合併が決定した。

1941（昭和16）年9月に伊藤忠商事を存続会社とする新会社が設立され、社名は三興株式会社と決定した。本社は大阪・北浜に置かれ、従業員総数3,900人、年商10億円を超える一大商社が誕生したのである。設立後、中国・満州市場に基盤を置いた三興は、綿糸布を中心商品として食料品・雑貨などの取引に従事した。その他、綿花・小麦等の収買事業、綿花栽培・木造船製造などの工場経営に当たるとともに、他社と同様に南方地域の収買・配給などの占領地経営の実務を担った［丸紅 1977、149-151頁］。

次第に戦局が悪化する中で、1944年9月に三興と呉羽紡績・大同貿易（20年に伊藤忠商事の神戸支店、機械部、在米支店を継承して設立）が合併し、大建産業株式会社が設立された。大建産業の設立目的は、第一に伊藤系企業の統合による経営の一元化にあったが、他方で受命事業に関する資金面の要因も大きかった。44～45年にかけて三興や呉羽が受命した事業を実施するためには、少なくとも8,000万円程度の資金が必要であった。そこで、三社の合併によって信用基盤を強め、増資によって必要資金を調達しようとしたのである［伊藤忠 1969、162頁］。社名の「大建」は、「大東亜共栄圏」の建設という意味を込めて二代伊藤忠兵衛が命名した。

大建産業は、商事・貿易部門と生産部門の兼営に加えて、各種の事業会社に対して投融資を行うコンツェルン的な総合経営体として発足し、関係会社は国内76社、海外27社に達した［伊藤忠 1969、168頁］。「戦争は、いろんなできぬことができるもの」と戦後に二代伊藤忠兵衛が振り返っているが［日本経済新聞社 1980、374頁］、伊藤忠商事を核として、わずか数年で三興から大建産業へと急膨張した過程は、平時には到底辿れなかった経路であり、まさに戦時特有の条件・環境が作り出したものであった。

(5) 鉄鋼商社の動向——岩井商店・日商・安宅商会

岩井商店・安宅商会は、大正期に三井物産・三菱商事・鈴木商店（1927年倒産）と共に八幡製鉄所の指定商となり、鋼材取引に強みを発揮した。鈴木商店を源流とする日商は、34（昭和9）年に指定問屋となり、鈴木商

店の破綻以来、途絶していた日本製鐵（八幡製鉄所の後身）との取引を再開した。同じく関西を地盤とする繊維商社と対比する形で、創業以来の歴史的経緯から岩井・日商・安宅の三社は鉄鋼商社と呼ばれた。

　日中戦争期以降、軍需と密接に関係する鉄鋼については、統制機構の整備が進んだが、第三国からの原材料輸入が困難となる中で、太平洋戦争の開戦を前後して鉄鋼統制は一段と強化された［三菱商事 1958、83 頁］。鉄鋼の生産・価格・配給全般を担当する鉄鋼統制会が 1941（昭和 16）年に発足し、その下部機構として鉄鋼販売統制株式会社が設立された。同社の設立とともに、岩井・日商・安宅は、三井・三菱と並んで配給業者の最上位となる「委託店」に指定され、軍および特定大口需要（国鉄・造船など）を担当した［三井文庫 2001、572 頁］。

　鉄鋼取引における商社機能が制限される中で、三商社も三井・三菱同様に中国・満州・南方の円ブロックとの交易および占領地経営に深く携わっていった。岩井商店は、1938（昭和 13）年の天津出張所の設置以降、華北方面の営業網の強化に努め、39 年末からは南米市場の開拓に乗り出し、短期間に終わったものの、毛織物やセルロイドの輸出に尽力した。南方に関しては、タイおよび仏印を中心に営業網を拡充し、各種の受命事業に従事した［岩井 1964、373-399・422-425 頁］。国内取引では、40 年以降、配給業務などの政府統制機関の代行業務の比重が著しく高まり、45 年上期には全取扱額の 87.4％に及んだ。軍関係では、岩井産業が陸軍航空本部の鉄鋼配給を独占しており、他にも 44 年には陸軍燃料本部より松根油を原料とする航空燃料生産を行った［岩井 1964、408-409 頁］。

　日商は 1938 年 5 月の上海支店設置後、同支店を足がかりに中国各地に支店網を展開した。満州においても、日満商事が取り扱う昭和製鋼所の鋼材取引に関連して、39 年 2 月に新京支店を設立し、その後、繊維・雑貨・機械など、商品取引の多様化を進めた［日商 1968、299-308 頁］。太平洋戦争開戦によって、インドからの銑鉄輸入で活躍したボンベイ、カルカッタの両出張所が閉鎖されたが、その後、南方の占領地経営に軸足を移し、交易・配給業務の他、伸鉄・製麻（ジャワ）、製薬（シンガポール）などの受命事業に取り組んだ［日商 1968、315-345 頁］。

日商では戦時期の取引量・取引範囲の拡大に対して、人材不足が深刻化していたが、1943年時点には、円ブロック圏内に10支店、15出張所を展開した［日商 1968、297-298頁］。商品別では、この時期に神戸製鋼所製の工具販売や陸海軍工廠との取引を梃子に機械部（35年設立）が取扱高を大きく伸ばし、鉄鋼部門とともに日商の重点部門に成長した［日商 1968、345-349頁］。多くの商社が力を注いだ生産部門への進出については、日商稲沢工場（戦後の中央毛織の前身）、日本発条（自動車用バネの製造）の設立に関与したものの、鈴木商店の破綻を教訓とする日商は、堅実路線を貫き、多角化投資は最小限にとどめられた。

　戦時期における安宅商会の業容も、岩井・日商と同様の軌跡を描いたが、日中戦争期の特筆すべき取引として、三井・三菱と肩を並べて展開した米国製工作機械の輸入が挙げられる。安宅はブラウン・シャープ社、ノートン社、グリーソン社など米国一流メーカーの日本総代理店を務め、安宅の米国製工作機械の取扱高は、1935年の19万ドルから37年の251万ドル、40年の293万ドルに激増した［沢井 1995、6-7頁］。特に39年の日本陸海軍による工作機械買付使節団の渡米時には、大手商社と競合しつつも、米国一流メーカーの工作機械の大量受注に成功した［安宅 1968、227頁］。

　岩井商店・日商・安宅商会の三社は、1943年に社名をそれぞれ岩井産業、日商産業、安宅産業に変更した。日本綿花の日綿實業、兼松商店の兼松への改名と同様に、こうした社名の変更は、「時局」、あるいは「国策」に対応する形で進めた多角化（重工業部門への投資）や占領地経営、取引商品の多様化に起因していた。

　第三国貿易が途絶した太平洋戦争期において、貿易商社が取り得る活路は、中国・満州を軸とした円ブロック地域内の取引拡大と南方占領地における受命事業しかなかった。「戦争」という特殊な状況に対応したものであったとしても、戦時期における専門商社の業容の変化は、取扱商品・取扱地域・取扱量の拡大をもたらし、戦後復興期から高度成長期にかけて、繊維商社・鉄鋼商社といった専門商社から総合商社へと脱皮する上で、少なからざる遺産になったと考えられる。

【参考文献】

安宅産業株式会社社史編集室編（1968）『安宅産業六十年史』。
天野雅敏（2010）『戦前日豪貿易史の研究——兼松商店と三井物産を中心にして』勁草書房。
市川大祐（2010）「三菱商事在オーストラリア支店の活動について」『三菱史料館論集』第 11 号。
伊藤忠商事株式会社社史編集室編（1969）『伊藤忠商事 100 年』。
岩井産業株式会社（1964）『岩井百年史』。
上山和雄（2005）『北米における総合商社の活動—— 1896～1941 年の三井物産』日本経済評論社。
春日豊（2010）『帝国日本と財閥商社——恐慌・戦争下の三井物産』名古屋大学出版会。
金子文夫（1994）「植民地・占領地支配」大石嘉一郎編『日本帝国主義史 3 第二次大戦期』東京大学出版会。
兼松株式会社（1950）『兼松回顧六十年』。
鴨井一司（2006）「戦時貿易統制における交易営団の役割」原朗・山崎志郎編『戦時日本の経済再編成』日本経済評論社。
江商社史編纂委員会編（1967）『江商六十年史』。
作道洋太郎「関西系商社の成立と展開」（1997）『関西企業経営史の研究』御茶の水書房。
沢井実（1995）「アメリカ製工作機械の輸入と商社活動」『大阪大学経済学』第 45 巻第 2 号。
———（2008）「戦時統制経済と戦後改革」宮本又郎編『日本経済史』放送大学。
白木沢旭児（2008）「日中戦争期の輸出入リンク制について」『北海道大学文学研究科紀要』第 125 号。
高村直助「シドニー支店の羊毛貿易金融」（1988）山口和雄・加藤俊彦編『両大戦間の横浜正金銀行』日本経営史研究所。
通商産業省編（1971）『商工政策史』貿易（下）商工政策史刊行会。
東棉四十年史編纂委員会（1960）『東棉四十年史』東洋棉花株式会社。
東洋経済新報社編（1991）『完結昭和国勢総覧』第 2 巻。
中村隆英編（1989）『「計画化」と「民主化」』（日本経済史 7）岩波書店。
日綿實業株式会社社史編纂委員会編（1962）『日綿 70 年史』。
日商株式会社編（1968）『日商四十年の歩み』。
日本経営史研究所（1976）『挑戦と創造——三井物産 100 年のあゆみ』三井物産株式会社。
———（1978）『稿本三井物産株式会社 100 年史』上巻。
日本経済新聞社編（1980）『私の履歴書』経済人 1。

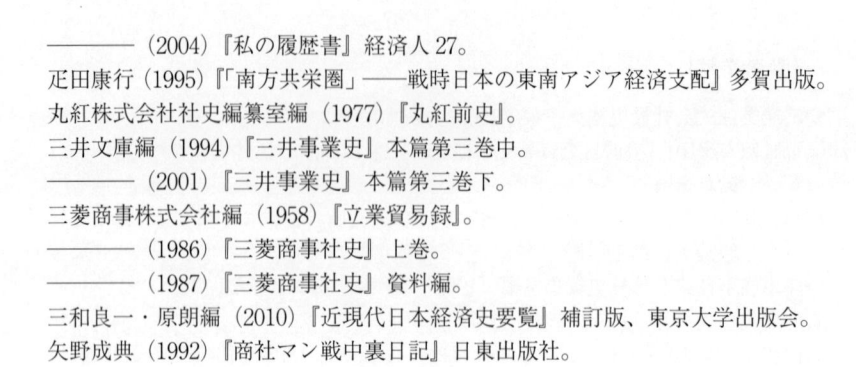

―――― (2004)『私の履歴書』経済人 27。
疋田康行 (1995)『「南方共栄圏」――戦時日本の東南アジア経済支配』多賀出版。
丸紅株式会社社史編纂室編 (1977)『丸紅前史』。
三井文庫編 (1994)『三井事業史』本篇第三巻中。
―――― (2001)『三井事業史』本篇第三巻下。
三菱商事株式会社編 (1958)『立業貿易録』。
―――― (1986)『三菱商事社史』上巻。
―――― (1987)『三菱商事社史』資料編。
三和良一・原朗編 (2010)『近現代日本経済史要覧』補訂版、東京大学出版会。
矢野成典 (1992)『商社マン戦中裏日記』日東出版社。

コラム 戦争と商社マン

　貿易立国・日本の商社マンには、「インスタントラーメンからミサイルまで」というフレーズに代表されるように、世界を股にかけて様々な商品を仕入れ、精力的に営業活動を行っているイメージがある。日中戦争以降、自由な経済活動が徐々に制限される中で、商品取引や貿易に精通し、海外事情にも明るい商社マンたちは、国内はもとより、占領地においても多くの活動に従事した。総力戦の中にあって、彼らは「戦争」とどのように向き合ったのであろうか。

　戦争を生き抜いた商社マンの回顧録などでよく語られるのが、第5章でも紹介したように南方占領地において食料や日用品などの物資が比較的潤沢に流通していた様子である。たとえば、陸軍軍属として1942年5月にビルマに派遣された三井物産社員は、その途上でマニラやジャカルタに一時滞在するが、冷えたビールにコカコーラ、立派なホテル、格安の衣類など、当時の日本に比べて別世界の豊かな生活に驚いている。

　戦前の駐在商社マンといえば、仕事の苦労は多いものの破格の待遇で、仮に多額の借金を抱えていても、数年海外で働けば、借金を一掃し、家が2軒建つ位のお金が貯まるといわれていた。1943年4月から終戦までジャカルタ支店に勤務した三井物産社員は、占領地における軍隊至上主義に辟易としながらも、豊富な物資に囲まれ、戦火の危険も遠く、国内にとどまる家族への給与に加えて、破格の現地給与も得られる天国のような所であったと振り返っている。丸刈に戦闘帽、色あせた国民服に雑嚢、ゲートルといった戦時特有の格好をした国内勤務と異なり、ここでの南方のイメージは、パナマ帽に綿生地の白いスーツ、糊の効いたシャツに身を包んだスタイリッシュな南国勤務といった風であろうか。

　他方、英米との開戦からわずか半年後の1942年5月8日には、南方占領地の産業開発に赴く商社員や技術者が乗船していた大洋丸が、アメリカ潜水艦の魚雷攻撃によって沈没するという悲劇も生じた。死亡者は817人にのぼり、三井物産、三菱商事、安宅商会、江商、岩井商店など、多くの商社マンが帰らぬ人となった。以降、戦局の悪化により制海権を失っていくなかで、南方赴任の途上で、米潜水艦に乗船を撃沈されて、南海に消えた商社マンも少なくなかった。

1942年に米潜水艦による雷撃で沈没した大洋丸（横浜桟橋に停泊中の写真）

　戦争も末期になると、南方の状況も次第に悪化していき、ビルマで米の収買に取り組んでいた三井物産社員が現地人に殺害されるなど、南方で活動している商社マンが巻き込まれる事件も目立ち始めた。そして、外地にいた商社マンたちにとっての最大の苦難が、戦争終結後の引揚であった。先のジャカルタ勤務の物産社員も、連合国軍の進駐やインドネシア独立運動、収容所での強制労働をくぐり抜け、1946年に何とか帰国した。またジャカルタ支店長から満州に転じた新関八洲太郎（戦後の三井物産社長・会長）は、終戦時に新京（現在の長春）に滞在していたが、ソ連軍による占領、国共内戦による混乱の渦中で、その後1年余りを「忍苦と辛酸のうちに、光をみることもなく」過ごし、命からがら帰国したのである。
　　　　　　　　　　　　　　　　　　　　　　　　　（岡部 桂史）

参考文献

小田桐誠（1993）『企業戦士たちの太平洋戦争』社会思想社。
桑野福次（1988）『ある商社員と大東亜戦』旺史社。
矢野成典（1982）『三井物産ジャカルタ支店』講談社。

第6章　戦後期

戦後総合商社の再編

はじめに

　戦後復興期は総合商社の歴史の中で、きわめて大きな再編期にあたる。戦前に形成された財閥系巨大商社が解体され姿を消す一方、関西系商社の躍進と総合化が進展した。また企業集団の形成と連動して総合商社が新設ないしは再結集を遂げた結果、戦前に圧倒的優位性をもつ三井物産を軸に展開された商社間競争は、戦後、新たな展開をみせることとなった。

厚木飛行場に降り立つダグラス・マッカーサー
1945年8月30日

1　商社の再編と関西系商社の躍進

　日本は敗戦後、アメリカによる占領政策の中で様々な改革が実施されることになるが、その政策は総合商社に対しても大きな変革をもたらす結果となった。

(1) 三井物産・三菱商事の解体とその影響

三井物産・三菱商事の解体

1947（昭和22）年には三井物産と三菱商事の2社はGHQ（連合国軍最高司令官総司令部）の覚書「商事会社の解散」指令によって解体されることとなった。指令に先立って三井物産と三菱商事では2ないし3社分割案を含む再編計画の立案を進めていた。しかし指令では解散後の事業の継承会社に対し、きわめて厳しい制限を課したため、三井物産と三菱商事は壊滅的な打撃を受けることとなった。

指令では①過去10年間に部長以上であったものが共同して新会社を設立すること、或いは現存または今後設立される会社に2名を超えて雇用されることを禁止し、②両社の社員が新会社を設立する場合の限度を100名とする一方、③両社の既存事業所や三井物産・三菱商事の称号の使用を禁止したのである。その結果、三井物産は223社以上、三菱商事は139社に分割されることとなった。戦後、巨大企業を解体する目的から過度経済力集中排除法によって企業分割が行われたが、分割の規模は、巨大企業であった日本製鉄で2社、三菱重工業で3社であったことを考えれば、三井物産・三菱商事への解体指令が如何に厳しいものであったかが分かる。

なお、両社がなぜこれほどまで徹底して解体されたのかという点については不明な部分が多く、財閥解体にかかわり自ら戦後改革の研究書をまとめたハードレーですら「この一見奇妙な行動をどのように解したらよいか著者にもわからない」としている［ハードレー 1973、177頁］。流通史をまとめた石井寛治はこの点について、三井物産が分割阻止の嘆願書をGHQのウェルシュ反トラストカルテル課長に提出した経緯に触れつつ、「両社に独自の評価があったはず」として、戦時経済下における担い手としての批判に加え、戦前期にアジア域内で日本の総合商社と競合関係にあったイギリス商社の存在の重要性を指摘している。すなわち、アメリカにとって商社の経済力そのものへの恐れは希薄だったと思われるのに対し、ジャーディン・マセソン商会などイギリス商社にとっては強敵となる両社の元の形での再開を阻止したいという考えを持っていたはずであり、

そうした考えが影響した可能性を論じている［石井 2003、205-206 頁］。

ところで、三井物産・三菱商事の解体は、それら商社に流通を依存していた三井、三菱系メーカーに大きな打撃を与え、その対応を迫ることとなった。その対応方法としては、肥料、石炭、石油など新たに自社の販売体制を構築するものもあったが、金属、機械メーカーに多く見られたように規模の小さくなった継承会社へ委託するケースも多く、窓口が多元化して流通コストを増大させる可能性を生み出すこととなったのである［宮島 1992、222-224 頁］。

持株会社の資産凍結
GHQ の指示により株券が運び出されている

関西系商社の再出発

このほか、財閥解体で企業分割された商事会社として大建産業があげられる。同社は1941年、伊藤忠商事を中心に丸紅商店と岸本商店を合併して創設された三興株式会社に、さらに1944年、呉羽紡績および大同貿易が加わって新たに創設されたものである。しかし、同社は戦後、商事部門と繊維部門との併有による独占を指摘され、伊藤忠商事、丸紅、呉羽紡績、尼崎製釘所の4社に分割された。しかし、徹底的な解体が行われた旧財閥系商社と異なり、関西系商社の場合、大建産業を除けば岩井産業や江商などは、いずれも当初過度経済力指定排除法で分割対象としての指定を受けたものの、後に指定を解除され、戦後の再出発をはかった［内田 a 1970、18-26 頁］。

(2) 管理貿易から民間貿易へ

敗戦後の占領期には、日本の貿易は GHQ による管理貿易の体制のもと

で政府間貿易としてスタートし、商社活動の自由は制限されていた。1945（昭和20）年には貿易庁が創設され、輸出入の政府責任機関となり、その実務を品目別の民間団体が代務機関として担当した。この結果、貿易は貿易庁－輸出入代行機関－貿易業者という国営貿易経路によって行われ、47年までに79の輸出入統制団体と貿易実務代行機関が設立された。その後、輸出入代行機関が私的独占団体になることが懸念されたため、貿易実務代行機関にかわって4種の貿易公団（繊維、鉄鋼品、食料、原材料）が全額政府出資で設立され、政府貿易の経路は貿易庁－貿易公団－貿易業者となった［川辺1991、145-150頁］。

その後、民間輸出貿易は1949年より、民間輸入貿易は50年より再開されることとなった。また、50年には商社などの海外支店設置が原則的に許可され、制度上、自由貿易へと近づくこととなった。ただし、1950年時点では、民間輸入はまだ比重が小さかった。しかし、1950年6月に勃発した朝鮮戦争によって、貿易商社の飛躍の転機が訪れることとなった。同年から翌年にかけて輸出は8億2000万ドルから13億5500万ドル、輸入は9億7400万ドルから19億9500万ドルへと急増したのである［前田1988、26頁］。

(3)「糸へん」商社の時代の到来

こうした管理貿易から民間貿易の開始と朝鮮特需による貿易の拡大という流れの中で、商社の中核を占めたのが関西系繊維商社を中心とする「糸へん」商社であった。前述のように戦前に大きな勢力を有していた三井物産、三菱商事が解体されていたことに加え、1950年代にかけての輸出では繊維、輸入では繊維原料、食糧、金属機械の比重が高かったことも関西系繊維商社の台頭をもたらす条件として作用した。また、これら商社では占領期の管理貿易のなかで、貿易庁、輸出入代行機関、貿易公団へ従業員を出向させ、あるいは下請として実務を担当したことが貿易商社としての発展に寄与することになった。その際重要なことは、戦前に専門商社や後発商社として位置づけられていた各社において、管理貿易下の経験が総合化にむけた発展の契機となったことであろう。たとえば、日綿の場合、戦

前にはアメリカからの食糧輸入の実績を持たなかったが、戦後アメリカから援助物資としての農産物輸入の代行業務を担当するなかで、1950年には日本政府の代行商社となり、民間ベースでの穀物輸入に際して同社の地位を押し上げる要因となったとされる。こうした繊維系商社の非繊維部門の拡充は共通した動きであったが、丸紅のように主体的に総合商社化の戦略を明確化する場合もあった。すなわち、同社では1949年にはすでに繊維の取扱比率を「第1目標として50％に低下させること」を目指していたのである［前田 1988、26・41-42頁；丸紅 1984、6頁］。

　ただしこうした「糸へん」商社の拡大は朝鮮戦争後の反動不況のなかで再び大きな転機を迎えることとなった。朝鮮戦争によるブームは、1951年3月におけるアメリカの戦略物資買付停止と7月の停戦協定成立を受けて終焉し、反動によって商品市況が暴落した。ブームのなかで思惑輸入を拡大していた商社は、とりわけゴム、皮革、油脂の「新産品」で損失額約60億円、綿糸・綿製品値下がり損失額約150億円ともいわれる大きな損失を発生させ危機に直面した。この危機は、一時、日銀の滞貨融資で回避されたが、1953年以後政府がとったデフレ政策と金融引き締めによって多数の企業が倒産の危機に瀕することとなった。その結果、経営規模や経営内容において商社間の格差が顕著となったのである［川辺 1991、151頁］。

　しかしこうした反動不況後の商社間の格差の拡大は、総合商社化という点ではむしろ加速する側面を有していた。たとえば、すでに三栄紙業の営業を譲り受けて紙・パルプ部門へ進出していた伊藤忠商事では、太洋貿易を合併して中国貿易の基盤を作り、同時に非繊維部門の人材を確保した［前田 1988、46頁］。また、丸紅では1955年に高島屋飯田を合併して総合商社への飛躍の基盤を獲得したのである。

　高島屋飯田は1829(文政2)年に飯田新七が開業した古着・木綿小売商「高島屋」に起源を持ち、1916（大正5）年に貿易部門が独立して設立された有力商社であった。[1]こうした長い伝統を有した高島屋飯田は、反動不況期

　1　ちなみに高島屋飯田の独立後、1919（大正8）年には呉服・小売部門も独立したものが、株式会社高島屋呉服店であり、百貨店の高島屋の起源である。

表 6-1　1953 年 9 月期商品別取扱高比

(単位：%)

		繊維	機械金属	食糧肥料	その他
繊維系	伊藤忠商事	76.1	7.5	10.4	6.0
	丸紅	80.0	7.0	10.0	3.0
	東洋棉花	75.0	8.0	10.0	7.0
	日綿実業	66.5	5.6	24.7	3.2
	江商	78.4	6.1	7.1	7.4
	兼松	51.5		34.0	14.5
	高島屋飯田	65.9	5.7	6.8	21.6
	又一	80.7	3.8	14.8	0.7
	白洋貿易	53.5	3.6	37.4	5.5
鉄鋼系	日商	23.9	58.7	9.6	7.8
	岩井産業	20.0	52.6	7.6	19.8
	安宅産業	18.0	36.5	10.2	35.3
	大倉商事	1.0	79.9	7.1	12.0
旧財閥系	第一物産	11.0	17.5	56.2	15.3
	第一通商	19.3	14.0	42.2	24.5
	不二商事	26.8	39.4	21.3	12.5
	東京貿易		31.7	46.7	21.6
	東西交易	15.3	26.5	36.6	21.6
	住友商事	5.4	70.3	21.7	2.6

出所）　齋藤憲（1992、152 頁）より再掲（原典は公正取引委員会事務局編『再編成課程にある貿易商社の基本動向』(86 頁)）。

に大豆の相場下落で損失を抱えていたことから、主力銀行の富士銀行の主導のもと、他商社との合併しかないと判断し、丸紅と合併することとなったのである。高島屋飯田の合併直前の 1955 年度の売上高は 318 億円で、商品別には繊維 44%、非繊維 56% となっており、特に、鉄鋼では八幡製鉄・富士製鉄の指定問屋グループ「十日会」のメンバーとして国内取引に強固な地盤を持っていた。また羊毛、原皮、機械、燃料などについても有力な商権を持っていたことから、合併によって丸紅がこれらの商権を引き継ぎ、繊維商社から総合商社へ発展する大きな転機となったのである［斎藤 1992、148-149 頁］。

　このように敗戦後の財閥系商社の解体や戦後の管理貿易、朝鮮戦争前後

を挟んだ商社間格差の拡大といった諸条件は、三井物産を中心とする少数の総合商社と多数の専門商社が並立する戦前の状況を大きく変化させ、関西系も含めた戦後総合商社体制へと移行する機会となっていたのである。

この点を1953（昭和28）年9月期における主要商社の商品別取扱高（表6-1）によって検証してみよう。戦前繊維専門商社として発展した各社では繊維の比重が大きく、同じく鉄鋼専門商社であった各社では機械金属の比重が大きいという程度の差こそみられるものの、特定品目だけに特化している商社は見られないことが分かる。この時点では後に再結集を遂げる旧財閥系商社の総合化が目立つものの、各社で総合商社化に向けた動きが活発化していた状況がみてとれよう［斎藤1992、151頁］。

2　企業集団の形成と商社

(1) 三菱商事・三井物産の再結集

講和発効後の復興期には三菱商事と三井物産の再統合に対する法的制約が取り除かれたこともあって、企業集団の形成と結びついた商社の動きが見られた。その際、三井物産と三菱商事の再統合への動きは対照的な展開を見せた。三菱商事は1954（昭和29）年7月に旧三菱商事系各社が足並みを揃えて早期に再統合を果たす一方、三井物産の再統合はなかなか進展せず、ようやく1959年に再統合をはたしたものの、戦後の総合商社にとって重要となる石油商権を引き継いだゼネラル物産が合同に参加しないなど、戦前に有していた同社の圧倒的地位を回復することはできなかったのである。

まず両社の合同の経緯を簡単に確認すると、三菱商事の場合、解散時に課せられた条件の緩和にともなって、数次の合併・併合を重ね、52年春には主要12社が不二商事、東京貿易、東西交易の3社に統合された。これらの動きは旧三菱商事の第二会社である光和実業が財閥称号使用禁止解除をうけて52年に三菱商事と改称したことと軌を一にしており、大合

同を前提とした展開がみられた。そして1953年12月には4社合併について合意に達し、翌54年7月には三菱商事は再統合を果たしたのである。他方、三井物産では合同が実現したのは1959年2月と三菱商事に比して大幅に遅れた［斎藤1992、149-150頁］。合同の鍵を握ったのは旧三井物産第二会社で三井物産に商号変更した日東倉庫を合併し三井物産の称号を継承した旧室町物産と、53年に互洋貿易の営業権を獲得し、54年に三井木材工業、55年に第一通商、日本機械貿易を合併することで事実上旧三井物産の多くの事業を継承した第一物産であった［斎藤1992、150頁］。1955年には再統合への危機感が三井系メーカーにも広がり、三井物産の再統合を支援する「三井系会社社長有志会」が組織された。有志会は55年から58年にかけて第一物産と旧室町物産（三井物産）との合併を成立させるために活動を続けたが斡旋は難航し、59年に両社の合併によってようやく再統合が果たされたのである。

　三菱商事の再統合がスムーズであった理由としては、分割された旧三菱商事の流れをくむ各商社が、再統合へ向けて足並みをそろえたことや、三菱グループ各社が三菱商事の再統合を積極的に支援したことが大きかった。他方、三井物産の場合、その理由として三井銀行の資金力不足、旧三井物産系各社間の足並みの乱れ、三井系諸メーカーの協力の不十分さが指摘されている。しかし、そうした条件の差とあわせて重要であったのが、戦前における三井物産と三菱商事の特性の相違であった。商社がメーカーの販売部門からスタートした三菱の場合、産業部門のリーダーシップが強く、重化学工業の発展にともなって産業部門の要請で統合がまとまりやすい一方、三井においては1954年以前の時期に三井物産の再統合を支援しようとするメーカーの動きはほとんどみられなかった［橘川1992、273-274頁］。また、三井物産が有する支店や部の強い自営性という分権化志向の組織文化が結集に向けた差異に影響することとなったともいわれる[2]。たとえば、旧三井物産の石油商権を引き継いだゼネラル物産の場合、戦前に組織内で石油部門が石炭部門に比べて低い位置づけにあったことからゼ

2　ただし、三菱商事でも合同に参加しない企業も存在した。

ネラル物産の経営者に独立志向が強かったとされる。その結果、高度成長期にかけて重要な意義を持った石油ビジネスに三井物産は出遅れることになったのである［平井 1995、39-68 頁］。

(2) 住友商事の創設

またこの時期には企業集団の形成とリンクして住友商事が創設された。1945（昭和 20）年には住友本社の住友商事会社新設方針に基づき日本建設産業が設立された。住友の各メーカーは新会社に対して、原料調達と製品販売の両面で、取引コストを削減と取引範囲の拡張を期待したのである。その後、財閥商号の使用が可能となると、日本建設産業は 1952 年に住友商事と改称した。社名変更を機に名実ともに住友の貿易商社となった住友商事は、住友系諸企業との関係を一層緊密化させた。1951 年下期では、住友金属工業、住友化学、住友金属鉱山で総仕入れの 6 割を占め、販売面でも住友金属、住友電工、東洋アルミで 4 割を占めた。同社では 1950 年代前半を通じて、住友系諸企業に関連する原材料購入と製品販売を通じて事業の拡張をはかっていったのである。また、住友グループ内企業も住友商事の発展によって企業の成長に促進的役割を果たしたのである［橘川 1992、270-272 頁］。

関西系繊維商社でも前述した高島屋飯田のケースのように合併が銀行主導で行われるケースも見られたという点でその再編過程は企業集団への組み込み過程でもあった。高島屋飯田以外でも関西五綿に次ぐいわゆる船場八社の一つであった丸永は、反動不況下において主力銀行であった三和銀行の指導で合併が行われ、1954 年に日綿実業がその優良資産および国内地盤を引き継いだ。また戦前、鉄鋼専門商社であった日商は第一銀行の主導で 1956 年に旧三井物産系で食糧および繊維の輸出入専門商社である白洋貿易を合併し、総合化へ動きを強めるとともに、第一銀行との関係をより密接なものとしたのである［前田 1988、46-48 頁］。ただし、伊藤忠商事に典型的に見られるようにこの時期には企業集団とのかかわりではなお、流動的側面が残っていた。

以上のように、1950 年代末にかけて三菱商事、三井物産、丸紅を中心

とする総合商社体制が定着し、それを伊藤忠商事、日綿が追随するかたちで新たな商社間競争が展開されていったのである。

3　戦後の日中貿易

　後の章とも関連して、敗戦後の日中貿易についても簡単に触れておこう。日本は第二次世界大戦での敗戦後、アメリカの外交政策に追従して中国大陸の共産党政権とは国交を持たず、台湾の国民党政権と国交を有してきた。だが1972年にアメリカのニクソン大統領が電撃的に中国を訪問したことで、同年、日本の田中角栄首相も訪中し、日中国交回復が実現し、同時に台湾とは断交した。これが一般的な歴史教科書が教える戦後日中関係史の大枠であるが、1950年に戦後初めて日本と中国との貿易契約が成立したことに示されるように、日中間では国交回復以前でもすでに貿易は再開されていた。その後、国交回復までの間も日中貿易は着実に拡大したが、その際日本側の中国貿易の主要な担い手の立場にいたのは総合商社であった。だが日本は表向き中国の共産党政府とはいまだ国交を持たない関係であったから、台湾の意向を考慮して、総合商社各社はダミー商社を設けるというかたちをとった。例えば三菱商事が明和産業、第一物産（再統合して三井物産となる）が第一通商、住友商事は大華貿易、丸紅が和光貿易などの名称のダミー商社を設け、そこに各社本社から中国貿易担当者が出向するかたちで、1972年の日中国交回復時まで中国貿易に従事したのである。それらダミー商社で中国貿易に従事したのは、戦前および戦中から中国と何らかの関係を持っていたり、戦後中国に残留するかたちで中国共産党に協力した経歴をもつような人々が主流であったという［関2003、38-48頁］。総合商社をはじめとする日本の商社は、戦前期非常に盛んであった日中貿易の伝統を戦後の国交断絶期においても絶やさず、着実に中国とのビジネスでのノウハウを蓄積してきたといってよいだろう。

【参考文献】

石井寛治(2003)『日本流通史』有斐閣。
エレノア・M・ハードレー(1973)『日本財閥の解体と再編成』(小原敬士・有賀美智子監訳) 東洋経済新報社。
内田勝敏(1970a)「戦後の日本貿易と貿易商社(1)──管理体制下の貿易と商社」『同志社商学』第22巻第2号、1－27頁。
────(1970b)「戦後の日本貿易と貿易商社(2)──単一為替レートの設定と朝鮮動乱期の日本貿易と貿易商社」『同志社商学』第22巻第3号。
川辺信雄(1991)「商社」米川伸一・下川浩一・山崎広明『戦後日本経営史』第Ⅲ巻、東洋経済新報社。
関志雄編(2003)『中国ビジネスと商社』東洋経済新報社。
橘川武郎(1992)「戦後型企業集団の形成」法政大学産業情報センター・橋本寿朗・武田晴人『日本経済の発展と企業集団』東京大学出版会。
斎藤憲(1992)「総合商社の登場」森川英正『ビジネスマンのための戦後経営史入門』日本経済新聞社。
日本経営史研究所(1978)『稿本三井物産株式会社100年史』下巻。
日綿實業株式会社社史編纂委員会編(1962)『日綿70年史』。
平井岳哉(1995)「三井物産と三菱商事──戦後の石油ビジネスにおける事業変遷」『経営史学』第30巻第3号。
前田和利(1988)「戦後総合商社史ノート──総合化の初期定着について」石井彰次郎『経営・会計の現代的課題』。
丸紅株式会社社史編纂室(1984)『丸紅本史』。
三菱商事(1986)『三菱商事社史』。
宮島英昭(1992)「財閥解体」法政大学産業情報センター・橋本寿朗・武田晴人『日本経済の発展と企業集団』東京大学出版会。

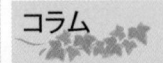

コラム　商社マンと英会話

　商社マンといえば、ニューヨークやロンドンなど海外の大都市を股にかけ、英語などの外国語を巧みに操る姿がイメージされるであろう。日本では明治時代の早い段階から"学校出"と呼ばれる人材が商社に採用され、彼らは外国人との交渉が多くなる国内港湾都市の支店やあるいは海外支店に配属されることが多かった。それらの店舗では英文での通信文の読み書き、実際の商談での英会話力が求められたから、学校で英語を学んだ人材が珍重されたのである。だが彼ら学校出の人々は、英文の翻訳はまだしも、実際の英会話ではいろいろと苦労したようである。

　たとえば慶應義塾創設者の福沢諭吉や三菱の岩崎弥太郎らの支援で1880（明治13）年に設けられた貿易商会は、さっそくニューヨーク支店を設置するが、その支配人として慶應義塾出身で兵庫県商業学校の主任教員であった甲斐織衛に白羽の矢を立て、彼をニューヨークに派遣した。現地に赴任したばかりの甲斐は、現地の人が話している英語が聞き取れず、自分が話した英語も通じない。そこで領事に相談したところ、現地の学校で医学を勉強して卒業し、これから帰国しようとしている日本人がいることを知らされ、彼を通訳として雇い入れ、とりあえずの急場をしのいでいる。

　1918（大正7）年に東京高等商業高校（現在の一橋大学）を卒業して三井物産入りした野田岩次郎は、英語に自信をもっていたこともあって入社早々サンフランシスコ支店に配属され、さらにシアトル出張所に転勤となった。しかし早口の英語と現地なまりに悩まされ、最初は電話に出なかったという。そこで個人レッスンを雇って発音もいちからやり直したところ、6か月ほどするとアメリカ人同士の立ち話がわかるようになったという。

　この野田岩次郎と東京高商で同期生であった新関八洲太郎は、三井物産でフランス、ドイツ

新関八洲太郎
『挑戦と創造』三井物産株式会社（1976、139頁）

などの海外店舗を渡り歩き、1940（昭和15）年、彼が43歳の時に豪州メルボルン出張所長として現地に赴任したが、海外勤務経験の長い新関でさえ、英語圏勤務はこの時がはじめてで英語に苦労したという。彼は2人の先生について1週間に8時間のレッスンを受け、ともかく英語の勉強をしたという。「昼間は仕事で苦労し、夜はレッスンというわけで、毎日随分疲れ、ウイスキーをよく飲んだ」との談を残している。　　　　　　　　　（木山　実）

参考文献
甲斐織衛（1902）「外国貿易雑話」商業学会編『実業名家講話集』復刻版：1978年。
野田岩次郎（1983）『財閥解体私記』日本経済新聞社。
日本経営史研究所（1976）『回顧録　三井物産株式会社』三井物産株式会社。

人物コラム　岩崎 小弥太
（いわさき こやた・1879-1945年）

　第二次大戦後、いわゆる財閥解体の過程で、三菱財閥の自主的な解散を断固拒否したことで知られている岩崎小弥太とは、どのような人物であろうか。

　1879年、すなわち日本が明治となっておおよそ10年たったころ、三菱の創始者である岩崎弥太郎の甥として、あるいは三菱を総合財閥へと導いた弥之助の長男として生まれたのが小弥太である。イギリスのケンブリッジ大学を卒業の後、1906年に三菱合資会社の副社長、1916年に弥太郎の長男、久弥の後を受けて社長に就任するが、久弥社長時代も、その後半における事実上の最高経営者は、すでに小弥太であったといわれている。

　三菱財閥総帥としての小弥太は、三菱系事業の拡大戦略を積極的に展開し、重工業化ラインの基礎を築くとともに、三菱合資の各事業部を独立の株式会社として発足させ、三菱合資を持株会社として純化させるなど、三菱の財閥としての組織化を整備するが、こうした活動から三菱財閥の「中興の祖」と呼ばれることとなる。

　その一方で小弥太は、東京フィルハーモニーと成蹊学園を創立するなど、文化人としても有名であった。

　また、本書のテーマである総合商社に関しては、貿易業の拡大と技術導入による三菱財閥の発展のため、1918年、三菱合資の営業部を継承させ三菱商事を設立したのも小弥太であり、自ら同社取締役会長に就任、外国企業との提携などを実現させている。

　そして小弥太は、国家社会に対する奉仕、商行為の公明正大、政治に対して関与しないの3点を信念として活動したが、敗戦後の財閥解体の過程においては、冒頭に触れたように財閥の自主的解散を拒否するのであった。それは、三菱は国家社会に対する不信行為も、軍部官僚と組んで戦争を挑発したこともなく、国策に従い国民として為すべきことに全力を尽くしたのであって、恥ずべきことは何もしていないという主張にもとづくものであった。しかしその後、安田財閥を皮切りに、三井、住友が自主解体に応じる中にあって、最後まで抵抗し続けたが、最終的には、自主解体を拒否すればGHQによる解体命令

の出されることが必至となるにおよび、やむなく自主解体を決定する。そして小弥太は、そうしたさなかで病状を悪化させ、1945年12月、67歳で死去した。 　　　　　　　　　　　　　　　　　　　　　　　　　　　（藤田　幸敏）

参考文献
岩崎小弥太伝編纂委員会（1957）『岩崎小弥太伝』。
宮本又郎（1999）『日本の近代11　企業家たちの挑戦』中央公論新社。
三菱商事株式会社（1986）『三菱商事社史』上巻。

第7章 高度経済成長期

9 大商社の形成と活動

はじめに

　本章では、高度経済成長期からバブル期までの総合商社の活動を解説する。以下では、①この時期の激変する経営環境に、総合商社はどのように対応していたのか、あるいは対応できなかったのか、②総合商社は「総合化」を通じて、どのようなメリットを得ていたのか、③総合商社の経営を支えていた日本の経済・経営システムとは、いかなるものであったのか、④総合商社の活動は、人々の暮らしにどのような影響を与えていたのか、といった問題について考えていくための材料を提供したい。もちろん、こうした問題を考えるにあたっては、前後の時期を扱った他の章における総合商社の活動内容との比較も念頭におく必要がある。なお、本章はこの期間について、高度経済成長前半期（1955-64年）、高度経済成長後半期（1965-73年）、安定成長期（1974-84年）、バブル期（1985-89年）の四つの時期に区分して、検討を行っている。

1　経済成長への貢献（1955-64年）

(1) 貿易と資本の自由化

　1950年代の半ばから、日本経済は高度経済成長期と呼ばれる歴史的な社会・経済の変革期を迎えた。鉄鋼業、石油精製業、石油化学工業、造船

業などの重化学工業分野を中心とする設備投資の急増と輸出の増加に牽引されて、高い経済成長が実現したのである。鉄鉱石や原油をはじめとする大量の原料を海外から輸入し、それを加工して国内外で販売する。高度経済成長の始まりとその定着の過程において、総合商社は重要な役割を果たした。

さて、日本経済は、1950年代を通じて外貨割当制度のもとで輸入制限が行われ、それを利用した国内の産業保護政策がとられていた。しかし、1960（昭和35）年には「貿易・為替自由化計画大綱」が決定され、以後自由化は急速に進展することになった。たとえば、為替面の自由化は、外貨支払の手続きの簡素化を可能にして、商社の自由な活動を促進する意義をもった［三菱商事 2008、61-62頁］。さらに日本は、1963年にGATT11条国へ移行し、1964年にはIMF8条国への移行が実現した。これらにより、日本は国際収支を理由とする貿易制限や、経常取引の赤字を理由とする為替制限などをとることができなくなった。

もっとも、この時期の自由化はそれほど徹底したものではなかった。たとえば、コンピューターなどの戦略産業には輸入制限措置がとり続けられたし、外国企業の活動にも、改正された外資法に基づき、かなりきびしい制限が加えられていた［中村 1993、532頁］。とはいえ、当時の通産省や財界においては、こうした自由化の進展に対する警戒感が支配的であり、日本の産業が欧米の巨大資本によって駆逐され、あるいは吸収されることを恐れていた。

その中にあって総合商社は、むしろ自由化の進展を歓迎する立場をとっていたようである。高度経済成長期に社長として三井物産の経営指揮にあたった水上達三は、自由化の進行や開放経済体制への移行という状況変化にどのような方針でのぞんだのかという質問に対して、「貿易自由化が本

水上達三
日本経営史研究所（1976b、141頁）

格化したのは昭和35年からですが、私は、ずいぶん早くから自由化を唱えてきたのです。ガットに加盟する（昭和30年）より前からで、初めは四面楚歌で商社だけが賛成してくれました」［日本経営史研究所 1976a、332頁］と答えている。貿易を生業とする商社にとって、いつの時代でも自由化や規制緩和の進展は、自らのビジネスチャンスを拡げる絶好の機会と映るのかもしれない。政府やメーカーが強い危機意識をもってのぞんだこの時の貿易と資本の自由化も、商社にとっては自らの活動舞台を拡げるビジネスチャンスと考えられたのである。

(2) 企業集団と金融機能

　高度経済成長期の設備投資の拡大をさらに刺激したのは、1960（昭和35）年に発足した池田勇人内閣により策定された所得倍増計画であった。10年間でGNPを2倍にするというこの計画の発表が一つのきっかけとなって、大型の設備投資が拡大した。具体的には製鉄所の設立や石油化学コンビナートの形成が太平洋岸の各地で大規模に展開されて、産業構造の重化学工業化が進行した。

　こうした重化学工業化にともないメーカーの巨大化が進行すると、やがて商社の役割は後退するという考え方があらわれた。「商社斜陽論」である。上智大学の講師であった御園生等は雑誌『エコノミスト』において、「近代的産業が確立し、あまつさえカルテル、トラスト、コンツェルンなどの独占が成立した場合においては、商社独自の活動の余地などはほとんどなくなるということである。これは資本主義の発展にともなう必然的な法則とされているところである」［御園生 1961、17頁］という主張を展開した。

　しかし、実際にはそれに反して、これ以降総合商社の大きな発展がみられた。これは、たとえば石油化学や原子力産業のような産業は各企業グループでの進出が行われたために、いくつもの企業を結びつける組織者が必要となり、総合商社がそうしたオルガナイザーとしての機能を果たさなければならなかったこと、また巨大メーカーの販売先には中小企業も多かったために、商社が介在する余地も大きかったことなどによる［川辺

1991、160-166頁；斎藤 1992、154-155頁］。

　ところで、高度成長期の日本には三井系、三菱系、住友系、芙蓉系、三和系、一勧系という6大企業集団（グループ）が形成・発展していた。各集団内の企業は、株式の相互持合いを通じてお互いの経営基盤を強化するとともに、新しい産業への進出にともなうリスクの分散などをはかっていた。総合商社は、企業集団内にあって銀行と並ぶ株式相互持合いの要となり、集団単位での新産業への進出を促進するなど大きな役割を果たしていた。こうした集団内企業との取引を通じて、総合商社は同一商品の取扱量の増大による規模の経済性や、取扱商品の多様化によるリスク分散というメリットを得ていた。また、集団内の各企業も、総合商社を通じて原材料の購入コストを削減するなど大きなメリットを得た。くわえて、社長会などを通じて発信される総合商社の市場や技術に関する貴重な情報は、集団内各社の経営戦略を策定する上で重要な意味を持っていたのではないかと推測される［橘川 1995、284-286頁］。

　もちろん、総合商社が企業集団の中心的な存在として、多様な事業分野に進出しえたのは、それがもつ金融機能によるところも大きい。商社は、商品を仕入れる際に信用を受けつつ、その販売に際してはそれ以上に多くの信用を与えるという形で、金融機能を果たしていた［石井 2003、210頁；川辺 1991、163頁］。

　したがって、高度成長期においては、総合商社の資金需要は増加したが、それはおもに銀行その他の金融機関からの資金供給によってまかなわれていた。調達できる資金を豊富にもつ総合商社は、新しく発展した重化学工業分野との取引に比較的容易に参入できた。また、信用と担保力の不足から独力で金融機関からの借り入れが難しい中小企業に取引関係のある総合商社が与信または銀行借入保証を行うケースも少なくなかった。その意味で、三井、三菱、住友などの有力な企業集団の主力銀行との結びつきは、総合商社の営業活動の拡大のためには非常に重要な意味をもった。高度成長期の総合商社にとっては、企業集団内に取引先として多数の企業を有し、有力な銀行と強い結びつきをもつことが発展の条件となったのである［川辺 1991、166・171-172頁；教育社 1980、21頁］。

(3) 事業の展開

　資源の少ない日本が重化学工業分野をはじめとする近代的な産業化を進めるためには、各種原料資源を安定的に輸入してくることが必要になる。この時期の商社は、エネルギー源の確保や資源の安定供給に向けて、積極的な輸入ビジネスを展開した。たとえば、三菱商事は、1960（昭和35）年に新亜細亜石油（株）とフランス石油会社（CFP）との間で10年にわたるイラク原油の大口輸入などの契約の仲介を行うと、引き続きアメリカなどの石油メジャー[1]と日本の企業との間の原油契約の締結に成功した。さらに同社は、そうした原油を輸送するタンカーの手当てとその大型化も推進した［三菱商事2008、120-122頁］。

　また、日本の鉄鋼生産量の増加にともなって、総合商社を経由した鉄鉱石輸入も急増した。三菱商事は、1955（昭和30）年に米国のカイザー・スティール社とイーグルマウンテン鉱石の輸入契約を締結したのを皮切りに、翌年にはインドのゴア、ペルーのマルコナなどの鉄鉱石について成約した。さらにその後は、三菱鉱業と共同でチリのアタカマ鉱山の開発にも着手し、その引取りに関して八幡製鐵との正式契約にこぎつけている［三菱商事2008、76頁］。

　また丸紅飯田は、1959（昭和34）年にマラヤ連邦の現地資本との合弁により鉄鉱石の採掘・販売会社を設立して鉱石の採掘輸入を開始したほか、ペルー、チリ、ブラジルの鉄鉱石輸入もすすめた。また、西豪州のハマスレー鉱山の開発を進めたのもこのころである［丸紅1984、63-64頁］。なお、資源の安定供給のため開発輸入の必要性が増してきたのも高度成長期の特徴である。高度成長期の後半になると、それがより積極化していくが、その点については後述する。

　もちろん、輸入したエネルギー源・原料資源を用いて製造した商品の

　1　石油メジャー：エクソン、ガルフ、テキサコ、モービル、ブリティッシュ・ペトロリアムなど、主にアメリカ・イギリス系の巨大な石油会社の総称。もっとも、1984年にガルフがシェブロンに吸収されるなど、その会社の数や関係には変動がある。

販売にも、総合商社は積極的に関与した。たとえば、造船業は戦後の日本経済の中で、もっとも早く輸出産業となった重化学工業分野の一つであるが、この輸出には三井物産や三菱商事が深く関与していた。この時期、三井物産はイギリスのP&O社からの船舶の受注に次々と成功しているが、その際に物産は船主と造船所との間に立って、船荷の斡旋、為替リスク[2]の負担、自らの船荷による船荷保証など、総合商社ならではの機能を発揮して、船舶輸出の道を開拓した［日本経営史研究所 1976b、226-231頁］。

なお、こうした総合商社による船舶輸出の成長は、その海運活動と密接に結びついていたことに注目する必要がある。海運のように経済変動の影響を大きく受ける分野では、多様な商品の取引を行い、かつ数量、市況、運賃の変動にたくみに対応していく能力をもった総合商社の強みが発揮された。海運活動は総合商社の主要な仕事の一つであるとともに、その成長の重要な原動力でもあった［井上 1983、23-30頁］。

その他、重化学工業の分野では、鉄鋼輸出の増大や電力関連をはじめとする機械分野の大型取引の拡大に総合商社は大きな貢献を行った。また、総合商社が仲介する機械のプラント輸出、鉄道分野の大型輸出などもこの時期には見られるようになった。さらには、西欧企業との技術提携を促進するなどして、自らが属する企業グループ内の企業の技術導入に協力した。この時期の総合商社が技術の果たす役割に注目していたことは、たとえば三井物産が1960（昭和35）年に技術室をつくり、その支部をニューヨーク、ロンドン、デュッセルドルフなどに置いて、研究にあたらせていたことからも窺われる。こうして進められた技術導入は、グループ各社の技術水準の向上を通じて、総合商社の取引基盤を強化することになった［三菱商事 2008、78-80・115・127-130頁；日本経営史研究所 1976a、337-338頁］。

重化学工業以外の新分野にも、総合商社の営業活動は拡大した。たとえば、日清食品によってこの時期に開発され、以後国民食といえるほど売上高を伸ばすことになるインスタントラーメンの取り扱いにも、早い段階

---

2 **為替リスク**：為替の変動により発生する損失の危険性のこと。

から総合商社は関与している。具体的にいうと、三菱商事や伊藤忠商事は、日清食品の特約代理店となり、スーパーマーケットなどを介してインスタントラーメンの普及に寄与した。また、インスタントコーヒーでは、三菱商事など9商社が「ネッスル懇話会」を結成し、「ネスカフェ」の輸入と国内販売にあたった［河 2002、300-301頁；三菱商事 2008、114-135頁］。要するに、総合商社は、鉄鋼、機械、燃料などに代表されるような従来からの重要商品分野に加えて、高度成長期に登場したさまざまな新しい産業分野の活動にも進出することによって、自らの営業基盤を拡大し、日本の経済成長を促進させる役割を果たしたのである。

発売当初のチキンラーメン
『食足世平・日清食品社史』日清食品株式会社（1992、59頁）

2 「豊かさ」の実現（1965-73年）

(1) 10大商社体制

　高度経済成長を続けていた日本経済も、1964（昭和39）年から1965年にかけて企業倒産が増加するなど不況が深刻化した。金融引締めによる株価の下落から証券会社の経営内容が悪化し、山一證券の経営危機が表面化したのは1965（昭和40）年5月である。この時には、日本銀行の特別融資が決定されるとともに、公共事業の繰り上げ支出や赤字国債の発行などの景気刺激策が決定されて、「証券恐慌」と呼ばれる不況の克服がはかられた［中村 1993、541-543頁］。しかし、この不況は総合商社の再編を進めることにもなった。

　具体的には、日本最大の鉄鋼商であった木下産商が多角化に失敗して三

井物産に吸収されたのが1965（昭和40）年であった。木下産商の商権を譲り受けた三井物産は、輸入鉄鉱石や鋼材の取扱高を拡大し、年間の売上高を大きく伸ばすことに成功した［斎藤1992、156-157頁］。鉄鋼に関する商権は、銑鋼一貫メーカーが販売先を指定問屋に限定していたために、商社としては指定問屋を吸収・合併する以外には、この分野に参入のしようがなかったのである。なお、商権とは、取引先との間に発生する取引上の権利ないし地位を意味する商社の業界用語であり、具体的には商社と取引先との長期継続的取引関係を指している［田中2003、27頁］。

　また、丸紅飯田が日本鋼管の最大の指定問屋であった東通株式会社を合併したのは1966（昭和41）年のことである。同社は、日本鋼管による育成・強化のもとで急成長をとげた鉄鋼商社であったが、1965年の山陽特殊鋼の倒産のあおりを受けるなどして経営内容を悪化させ、日本鋼管、東京銀行、富士銀行の斡旋により合併に至ったのである。その結果、丸紅飯田は売上高に占める「金属鉱産」の比率が大幅に上昇するとともに、日本鋼管との取引関係を強固なものにするなど経営上のメリットを得ることができた［丸紅1984、72-73頁］。

　さらに、江商や岩井産業も1964（昭和39）年から1965年にかけての不況により直接・間接の打撃を被り、合併の道を選択することになった。すなわち、江商は1967（昭和42）年に兼松と、岩井産業は1968年に日商と合併して、それぞれ兼松江商と日商岩井になった［斎藤1992、161-162頁］。

　こうして1960年代の終わりには、三菱商事、三井物産、丸紅飯田、伊藤忠商事、日商岩井、住友商事、トーメン、日綿実業、兼松江商、安宅産業の「10大商社体制」が確立した。以後、生き残ったこれら商社による熾烈な企業間競争が展開されることになるが、各企業グループの中核としての地位を占める三菱商事から住友商事までの上位6社と、それ以外の下位の4社の格差は拡大していった。なお、最下位の安宅産業は経営が悪化し、1977（昭和52）年に伊藤忠商事と合併しているため、以後は「9大商社体制」の時代となった［斎藤1992、146・164-166頁］。

(2) 開発輸入とプラント輸出

1965（昭和40）年の不況を乗り切った後、日本の経済成長は急激に再開された。以後、1970（昭和45）年に至るいわゆるイザナギ景気が開始したのである。日本経済は強い国際競争力を背景に、重化学工業製品の輸出を伸ばし、貿易収支の黒字が維持できるようになった。また、成長の中心は鉄鋼のような素材の分野から、自動車、合成繊維製品のような完成品に移行し始めた［中村1993、549-550頁］。重化学工業化の進展のために、日本の資源消費量が急増したこの時期には、重要資源の長期安定的な供給確保が重要な課題となった。

高度成長期におけるLNGの資源開発
『三菱商事50年史』より

ところで、資源輸入の形態は鉱産物の場合、①スポット的な買付けである「単純買鉱」、②開発資金を相手先に融資するなどして安定供給を確保する「融資買鉱」、③自ら資源開発に参加するなどして資源を確保する「開発輸入」という段階を経て発展した。この中で、とりわけ②と③の方式は資金の調達とリスク分散の必要から複数企業の参加が通常の姿となったために、総合商社がもつオルガナイザー機能が重要な役割を果たすことになった。この場合、開発に必要な機器の輸出、開発された資源の輸入、そのための船の手配など総合商社が力を発揮する場面は多かった。この時期の総合商社は、ブルネイのLNG（液化天然ガス）開発事業、オーストラリアやブラジルの鉄鉱石の融資・開発事業などをはじめとするさまざまな資源開発に積極的に関与して、資源調達の安定化に寄与していた［日本経営史研究所 1976b、212-218頁；三菱商事 2008、172頁；伊藤忠商事 1992、85-86頁］。

さらにこの時期には、日本の技術力の高まりを背景として、前の時期にも増して大型の機械プラントの受注が相次いだ［川辺 1991、175-176

頁]。総合商社は、こうしたプラント輸出を通じて海外生産への関与を深めることになった。一般にプラント案件は世界各地に散らばっているため、その情報をキャッチするには総合商社の海外情報網が大きな役割を果たしたといわれている。また、総合商社のもつ国際金融の経験やリスクへの抵抗力も、プラント輸出の円滑な実行には欠かせない要素であった。さらに、この時期は機械設備の納入のみならず、現地における土木工事、据付組立工事、運転開始までの業務を行う、いわゆるターンキー方式が増加したことなどにより、プラント輸出における総合商社の存在価値は高まった。総合商社は、プラントを受注する相手国の機関や企業との折衝から、プラントに参加する日本側の企業の利害調整まで行って、事業の推進に寄与したのである［井上 1983、41-43 頁］。

具体的なプラント輸出の事例を見ると、たとえば丸紅飯田は 1963（昭和 38）年から 1968 年にかけて、フィリピンのマニラ電力向けに、火力発電プラントを計 7 基、5,500 万ドルを受注したのをはじめ、1966（昭和 41）年から 1968 年に、同じくフィリピン向けに大型砂糖プラント 5 件、8,100 万ドルを受注した。また、韓国向けには 1970（昭和 45）年に 3 万トンのポリプロピレン樹脂を製造する大韓油化工業株式会社を合弁で設立し、関連プラントを輸出した。その他、ソ連や南米からもさまざまなプラントの受注に成功している［丸紅 1984、83-86 頁］。また、三菱商事もこの時期、インド、ソ連、イラク、サウジアラビア、韓国などから大型プラントを受注し、契約にこぎつけている［三菱商事 2008、177 頁］。

こうしたプラント輸出にともなう海外事業の展開は、総合商社の海外における営業活動を拡大し、外国間取引の増加を牽引した［川辺 1991、177 頁］。プラント輸出の場合、日本の企業がすべての関連製品を供給できるとは限らず、第三国での機器や部品の調達が必要とされた。また、そこで作られた製品などの第三国向けの輸出にも、豊富な海外情報網を有する総合商社が関与する場合があった。たとえば三菱商事では、外国間取引が売上高に占める比率は、1966（昭和 41）年の 1.8% から 1973 年の 6.2% に大きく増加している［三菱商事 2008、149 頁］。

（3）新規分野への進出

　経済成長が続いた結果、人々の生活様式に変化があらわれたのも高度成長期の特色である。団地の出現、食生活の欧米化、余暇時間の増大と新しいレジャーの登場など、この時期は、目まぐるしいほどのスピードで人々の生活は変化した。それは、総合商社にとっていくつもの新しいビジネスチャンスが到来したことを意味していた。実際、この時期の総合商社は、新しい分野に次々と進出して取引の拡大に努めている。

　まず、レジャーの分野ではボウリングの設備・機械の販売の事例が有名である。三井物産は、1961（昭和36）年に米国ブランズウィック社と50％ずつ出資の「日本ブランズウィック」社を発足してこの事業に進出すると、以後各地のボウリングセンターのレーンの受注に成功し、順調に業績を伸ばした。その後、伊藤忠商事や兼松もこの業界に参入してきたので、競争は激化したが、1971（昭和46）年の爆発的ボウリングブームの中で、高い利益をあげることに成功している。なお、三井物産にとってこの事業で得た収穫は、高い利益や売上高にとどまるものではなく「これまでまったく無縁だった新しい分野で成功したこと、そして大衆の生活意識の流れに直接触れ、感じとったこと」であったとされている［日本経営史研究所 1976b、218-221頁］。

　次に食生活の変化との関連では、ブロイラー事業への進出が注目すべき事例である。総合商社は、海外の畜産会社と提携して優良品種を輸入して、その生産から孵化、肥育、処理、加工、流通までの過程の統合・システム化を実現した。その結果この分野は、ひとつの生産工場のように原料から製品までのラインが統御され、かつての養鶏のイメージは一変することになった。また、ブロイラー用の飼料や品種の改良研究も進んだ。これ以降、ブロイラーと卵は「物価の優等生」といわれるほど安定した価格の動きを示すが、その背景には業界が総合商社各社を巻き込んで展開したきびしい価格競争があった［日本経営史研究所 1976b、276-278頁；丸紅 1984、92頁］。

　なお、ブロイラー生産の成功は、新たな外食産業の導入にもつながっ

た。三菱商事が1970（昭和45）年に米国企業との合弁で日本ケンタッキー・フライド・チキン社を設立したのは、急速に拡大するブロイラー生産の販路を求めてのことであった［三菱商事2008、183頁］。

さらに高度経済成長期は、活発な人口移動に対応した宅地開発や、全国総合開発計画を背景とした工業地区の開発も盛んに行われた。その場合、大規模開発に必要な資本・機材の調達や参加各社の調整機能に優れた総合商社は、開発プロジェクトの推進にも大きな役割をはたした。たとえば、この時期の三菱商事は全国各地で宅地、別荘地、マンション、ゴルフ場の開発などを行っていた。もっとも、この中の大型案件については公害問題などで撤退を余儀なくされる事例も少なくなかったという［三菱商事2008、165-167頁］。経済成長が続き、生活は豊かになったものの、成長がもたらすひずみにも多くの国民は気がつきはじめた。総合商社の経営活動は、そうした一般の国民の意識の変化にも制約を受ける時代となったのである。

設立当時の日本ケンタッキー・フライド・チキンの店舗
『三菱商事50年史』より

（4）経営指標

高度経済成長の最後の時期について、9大商社の経営指標について確認しておこう。まず、各社の資本金、総資産、売上、従業員数を示した表7-1によると、いずれも三菱商事と三井物産が大きく、これに伊藤忠商事、丸紅[3]、住友商事が続いている。また、この中ではトーメン、兼松江商、日綿実業の各指標の値がいずれも小さかったことがわかる。総合商社間の経営規模には、かなりの格差が見られたのである。

次に、同じ時期の各社の分野別の売上高を見てみよう。なお、売上高

3 　丸紅飯田は、1972年1月より社名を丸紅株式会社に変更している。

表7-1 9大商社の規模（1973年）

(単位：百万円、人)

	資本金	総資産	売上	従業員
三菱商事	33,477	3,201,250	7,484,192	9,682
三井物産	33,042	3,426,008	6,950,944	10,661
伊藤忠商事	26,856	1,883,393	4,237,204	7,280
丸紅	30,464	2,046,008	4,444,310	7,848
住友商事	15,686	1,458,597	4,019,474	5,934
日商岩井	18,136	1,292,824	3,496,166	6,882
トーメン	10,000	1,005,427	1,834,198	4,153
兼松江商	7,260	729,809	1,911,548	3,920
日綿実業	10,010	661,550	1,586,800	3,940

出典) 教育社（1980、74-79頁）。

は総合商社にとって信用度と密接に結びついており、その規模が大きいことがさらに取引を拡大する機会を提供する場合も多かった。したがって各社は、売上高について強い関心をもち、それを大きく見せるために「虚業」ともいえるさまざまな形態の取引をも計上してきたといわれている［逸見・齊藤 1991、132-133頁］。それだけに、売上高に関する検討は重要であるが、その数値の解釈は慎重に行う必要がある。売上高の数値は各社のおおよその傾向を見るなど、かなり限定した目的に沿って利用するべきであろう。

さて、表7-2を見ると、まず金属・鉱産と機械では三菱商事と三井物産の売上高が大きい。安定した鉄鋼の商権を有するとともに、企業集団の中核として有力機械メーカーと密接な関係をもっている両社の強みが、そこには反映しているといえよう。次に燃料・化学品では、三菱商事の金額が他社と比べて飛びぬけて大きい。同社は戦後、原油輸入について外貨割当を得ていた最初の商社であり、三菱グループの造船会社を活用して、タンカーの建造・販売を見返りに、石油メジャーから石油を買いつけるなどこの分野の取引において華々しいビジネスを展開した。また、メジャーを介さずに産油国から直接買付ける原油（DD原油）の取引を最初に行った

表 7-2 9大商社の分野別売上高（1973年）

(単位：百万円)

	金属・鉱産	機械	燃料・化学品	食料	繊維	物資・資材
三菱商事	2,323,093	1,265,293	1,432,644	978,857	700,761	785,514
三井物産	2,345,931	1,179,604	796,996	1,007,444	650,536	987,209
伊藤忠商事	644,014	714,597	648,040	515,948	1,358,852	347,346
丸紅	1,196,970	925,781	387,694	566,768	895,652	468,240
住友商事	1,415,842	718,252	592,156	451,764	316,383	356,058
日商岩井	1,360,258	652,898	-	388,449	351,144	-
トーメン	439,184	302,542	135,138	260,318	470,933	-
兼松江商	405,208	213,100	169,417	330,842	506,229	196,432
日綿実業	381,766	195,591	166,156	322,294	336,100	184,893

注）　日綿実業の金属・鉱産には、燃料が含まれている。
出典）　教育社（1980、84-94頁）。

のも三菱商事であった［田中 2003、131-133頁；平井 2005、165-166頁］。

　また、同表から各社の食料の売上高が他の分野に比べて、必ずしも小さくなかったことがわかる。食料の中心は、穀物・油脂と飼料・畜産であったが、これらは輸入や国内取引が多く、輸出はほとんどなかった［教育社 1980、90-91頁］。先に見たブロイラービジネスは、総合商社による飼料ビジネスの大きさが前提にあってはじめて可能になったと考えられる。さらに繊維は、伊藤忠商事が大きく、これに丸紅が続いている。両社は、東洋棉花、日綿実業、江商とともに関西五綿といわれる繊維商から躍進した総合商社であるが、そうした発展の歴史的経緯が売上高にも反映している。最後に、物資・資材は、木材、紙パルプ、ゴム、窯業、皮革などで構成されているが、その売上高のトップにあるのは三井物産であった。同社は、戦前から木材をはじめとする多様な製品の取り扱いに関する豊富な経験を持っており、ここではその強みを活かしていたと思われる。

3 「冬の時代」の商社（1974-84年）

(1) 総合商社への批判

アメリカ大統領ニクソンが1971（昭和46）年8月に新経済政策を発表すると、国際通貨体制の再編が進んだ。日本でも、1ドル＝360円という固定為替レートは崩壊し、円高が進行する中、同年末のスミソニアン会議[4]で308円レートが決定した。このレートの切り上げ幅は、予想を上回るものであったために、円高不況を恐れた政府は、景気刺激策を採用し、この間のマネーサプライ[5]の伸び率は大きなものとなった。また、資金供給の増加のために、株価や地価が高騰し、各種商品の投機も進行した。1972（昭和47）年に総理大臣に就任した田中角栄の「日本列島改造論」[6]も投機的な土地取引を助長することになった［中村1993、579-589頁］。

物価の高騰は、総合商社への社会的批判を高めることになった。商社の「買い占め」や「売り惜しみ」が、生活関連物資を含む物価の高騰の原因ではないかというのである。そうした中で、1973（昭和48）年4月通産省は各商社の行き過ぎた活動の自粛を要請するとともに、6大商社（三菱商事、三井物産、伊藤忠商事、丸紅、住友商事、日商岩井）について調査を行い「大手商社の営業活動の実態調査について」を発表したが、それは総合商社を物価高騰の元凶とする世論の批判を一面では助長した。

同月には、衆議院物価問題特別委員会に大手6商社の首脳が参考人として召喚され、土地や商品に対する買い占めや売り惜しみの問題について質疑が行われた。これを受けて商社の業界団体である日本貿易会は同年5月

4　**スミソニアン会議**：1971年12月にワシントンのスミソニアン博物館で開催された10か国の蔵相会議のこと。

5　**マネーサプライ**：通貨供給量のこと。現金通貨・要求払い預金・定期性預金・譲渡性預金の合計を指標とすることが多い。

6　**日本列島改造論**：太平洋岸にある工業地帯を全国に分散して、地域ごとに工業都市を作り、その間を新幹線と高速道路で結ぶという計画である。

に「総合商社行動基準」を発表して、「土地・株式・生活関連物資などの取り扱いに当たっては、経営の理念と機能に照らしてとくに慎重に配慮する」との方針を示した。また、各総合商社もこの行動基準にならって行動指針を策定し、企業の社会的貢献などを重視する経営理念を強調した。

しかし、1973（昭和48）年10月に勃発した第四次中東戦争に起因する石油危機の結果、日本経済が「狂乱物価」と呼ばれるさらに激しいインフレーションに見舞われると、総合商社に対する社会的批判はいっそうきびしいものになった。公正取引委員会は、総合商社に関する調査を実施し、独占禁止法の改正を示唆した。日本貿易会は、1974（昭和49）年7月に「総合商社の機能と特質」という冊子を発行して、商社活動に関する理解を求めたが、結局独占禁止法は改正され、1977（昭和52）年から事業会社の株式保有総額が制限された。また、1974年12月には「銀行の大口融資規制について」という銀行局長通達が出され、総合商社への銀行融資の枠がはめられた。これらの政策的措置により、資金面における総合商社の活動は制約を受けることになった。こうしたきびしい経営環境のもとで、総合商社には、その社会的責任を果たす活動が強く求められることになり、各社はそれぞれに社会貢献活動のあり方を模索することになった［丸紅1984、103-120頁；丸紅2008、97-105頁；伊藤忠商事1992、87-88頁］。

(2) 業績の低迷

石油ショック以後の総合商社の業績は、順調に回復するわけにはいかなかった。9大総合商社の売上高に対する営業利益の比率は、1973（昭和48）年の1.0%から1982年の0.4%に低下した［石井2003、236頁］。また、1983（昭和58）年には、『商社・冬の時代』（日本経済新聞社）が出版され、総合商社の業績の低迷ぶりを象徴する言葉になった。このように総合商社の業績が改善しなかったのは、いくつかの理由が考えられる。

まず、商社を経由しないメーカーの直接輸出が増加したということである。これは、主要な輸出商品が繊維、鉄鋼、化学製品などから加工度の高い電機機械、精密機械、自動車などに変わってきたという事情による。技術水準が高く、製品差別化の程度も高い最終消費財の場合、メーカーは自

社のブランドや流通チャネルの政策を展開するケースが多い。くわえて、このころになるとメーカーの側も輸出にともなうさまざまなマーケティングを自社で行うだけの経営資源を備えてきた。要するに、日本の主要な輸出品の構成が変化した結果、メーカーの成長とあいまって、総合商社が活動する余地が狭まってきたというわけである［吉原 1995、208-210 頁］。

次に、為替リスクやカントリーリスク[7]の増大を挙げることができる。日本は、1973 年に入ると変動相場制へ移行するが、以後今日に至るまで為替相場の急激な上昇や下降を幾度となく経験している。為替の変動により損失が発生する危険性は、単一為替レートの時代と比べて大きくなったと思われる。

また、カントリーリスクについては、たとえば、中東最大の石油化学コンビナート建設を目指した日本とイランの合弁事業であるイラン・ジャパン石油化学（IJPC）の問題が、その典型的な事例を示している。同事業は、1976（昭和 51）年に着工したが、プラントの完成が近づいていた 1979 年にイラン革命が起こり、それに続くイラン・イラク戦争の勃発で操業不能に陥った。その結果、同事業に多額の資金を投入していた三井物産をはじめとする三井グループ各社は、大きな損失を被った。三井物産などは IJPC 問題を抱えていた間は、債券の格付けがもらえず、市場からの資金調達もままならなかったという［伊藤忠商事 1992、123-124 頁］。

さらに、総合商社は、中小企業との取引についても、関与する必要性が低下した。これは、従来商社金融に依存する度合いの大きかった中小企業への貸出に都市銀行が本格的に進出してきたことによる［田中 2004、46-47 頁］。

最後にこれは業績の低迷の結果でもあるが、組織内に余剰人員が発生するとともに、社員の高齢化が進み、ポストの不足など組織の活性化に関わる問題が生じていた。社員の高齢化とポスト不足は、この時期の総合商社の人事管理に共通した悩みの種であったといわれている。組織の再編は、

7　カントリーリスク：海外投融資や貿易を行う際、対象国の政治・経済・社会環境の変化のために収益を損なう危険性のこと。

総合商社の重要な経営課題の一つとなっていた［梅津 1985、17-21・110頁］。

(3) 回復への努力

　総合商社の側も、業績の低迷に手をこまねいていたわけではない。各社とも、この時期の経営環境の変化に対応した積極的な経営活動を展開していた。この時代の日本経済を牽引した重要な柱の一つが輸出であったが、もちろん総合商社は、その発展に深く関与していた。輸出の中心となる機械については、船舶のように落ち込むものもあったが、プラント輸出などはさらに成長の度を加えており、それにともなう機器の取り扱いなどで、総合商社は依然として大きな役割を果たしていた。

　もっとも、新たに日本の輸出のトップに躍り出た自動車などは、従来総合商社が得意としてきた1件当りの取扱高の大きなバルキーな商品とは異なる特性を持っていて、簡単には参入できない面があった。しかし、それでも三菱商事による三菱自動車の輸出販売網の開拓や、丸紅による日産自動車の対米輸出代行などの活動が知られている［逸見・齊藤 1991、80-81頁；田中 2003、241頁］。総合商社は、新しい分野の有力な商品の取り扱いには、常に強い関心をもって取り組んでいたように思われる。

　また、この時期に進んだ先端技術を中心とした産業構造の転換に対しても、総合商社は競ってハイテク分野に進出し、時代の流れを先取りしようと努めていた。具体的には、石油に変わる新エネルギーの開発、バイオテクノロジー分野への進出、ニューメディアやコンピューター分野への参入、新素材の開発などへの取組みなどが注目される。要するに総合商社は、高度経済成長をリードしてきた素材供給型重化学工業に取って代わる分野としてハイテク産業に大きな期待をよせていたのである［梅津 1985、37-63頁］。

　さらに、海外投資の積極化も「冬の時代」を克服するために総合商社が行った経営努力の一環として理解できる。日本企業による海外進出は、高度経済成長期からそうとう見られたが、それが急速に増加したのは石油ショック以後のことである。日本の上場企業の海外進出社数は、1965-69

年が 737、70-74 年は 2,402、75-79 年では 1,945、80-85 年は 2,196 となっている［中村 1995、73 頁］。

　こうした企業の国際化を支えた要因の一つは、総合商社による活発な海外投資活動にあったと見てよい。実際、日本企業の海外投融資ランキングを 1982（昭和 57）年当時についてみると、上位 10 位以内に丸紅（1 位）、三菱商事（2 位）、三井物産（4 位）、伊藤忠商事（6 位）、住友商事（7 位）、日商岩井（9 位）と 6 社も入っている。また、投融資を行った海外関係会社数も、丸紅が 207 社、三菱商事は 230 社、三井物産では 276 社などとかなり多い［石井 2003、237-238 頁］。総合商社は多数の海外関係会社に投融資を行い、商品取引の機会を世界的規模で拡大することに努めていたのである。

　最後に、総合商社は金融の国際化と自由化にもすばやい対応を示したことを指摘しておきたい。すなわち、1980 年代に入ると日本の外国為替取引は自由化が進み、外国で社債を発行したり、あるいは外国でお金を借りることも可能になった。そうした自由化の動きに応える形で総合商社は、資金調達手段を多様化して金利負担の軽減に努めた。

　たとえば三菱商事は、1982（昭和 57）年 11 月には一般事業投資資金への充当を目的に、スイスフラン市場で 5,000 万スイスフラン（約 60 億円、1987 年満期、金利 5.5％）の普通社債を銀行保証なしで発行すると、翌年 5 月にはユーロ市場[8]で 1 億米ドルの普通社債（1990 年満期、金利 10.5％）を発行した。さらに同年 11 月には、同じく 1 億米ドルの新株引受権（ワラント）付社債[9]を無担保・無保証で発行した。同社は、こうして調達した低コストの資金によって、新規分野への展開を加速させるとともに、財務部門での金融業務を積極的に展開することになった［三菱商事 2008、261 頁］。

　8　ユーロ市場：発行国以外の地域で行われる発行国の通貨建てによる金融証券市場の総称である。

　9　新株引受権（ワラント）付社債：一定期間がたつと、会社が新株を発行する場合にそれを引き受ける権利が認められる社債のこと。

4　バブルの時代（1985-89年）

(1) 財テク活動

　1985（昭和60）年のプラザ合意[10]以降急速に円高が進んだ日本では、1980年代後半に株や不動産への投機に起因するバブルが発生した。この間、株価と地価が高騰し、所得格差と資産格差が拡大した。こうした経営環境は、当然総合商社の経営活動にも影響をもたらした。この時期の多くの日本企業は、エクイティファイナンス、つまり国の内外で転換社債[11]、ワラント債、CP[12]などを発行して大量の資金を集めると、その資金を運用していわゆる「財テク」を行った。
　すなわち、企業は大口定期預金[13]や外国債券への投資、あるいは特定金銭信託[14]、ファンドトラスト[15]を用いるなどして資金を運用し、高い運用収益を得ようとしたのである［中村1995、173-191頁］。
　こうした経営環境の中で、総合商社も不動産への投資を進めるとともに、特定金銭信託、ファンドトラストなどを利用した資金の運用に走り、一定の利益をあげていた［田中2003、32頁］。具体的に、1989（平成元）

　10　プラザ合意：ニューヨークのプラザホテルで開かれた5か国蔵相会議におけるドル高是正のための合意を指す。
　11　転換社債：一定期間たつと希望すれば既定の価格で株式に切り換えることのできる条件付の社債である。
　12　CP：コマーシャルペーパー、すなわち企業が短期の資金調達のために発行している単名・自己宛の無担保約束手形のこと。
　13　大口定期預金：金利が銀行と顧客との間の話し合いで決まる定期預金。企業など大口の預金をする顧客には、サービスとして高い金利がつけられた。
　14　特定金銭信託：投資家から資金を預かり、信託銀行がその資金を運用する金銭信託の一種である。
　15　ファンドトラスト：信託銀行が投資家から資金を預かり、自由裁量で公社債や株式などで運用し、信託期間が終わると債権や株式など現状財産のままか現金で投資家に返済する指定金外信託のこと。

年3月期における6大商社の「財テク」状況を確認すると、三菱商事は運用額が2兆5500億円、運用益は250億円、同じく住友商事が1兆9000億円と200億円、伊藤忠商事では8,500億円と45億円、三井物産の場合は8,000億円と50億円、丸紅が7,000億円と130億円、そして日商岩井は7,000億円と70億円となっている［逸見・齊藤1991、148頁］。

なお、「財テク」を可能にした資金調達の国際化・多様化は、前述のように1980年代前半には始まっていたのであるが、当該の時期にはワラント債や転換社債の発行条件が緩和されたり、CPの発行が可能になるなど、自由化の動きが加速化していたことが重要である。要するに総合商社が国内外でエクイティファイナンスを実施して、余剰資金を積極的に運用する環境が整備されたのである。

実際、三菱商事は、この時期毎年各種の社債をユーロ市場で発行し、そこで調達した資金を運用して大きな収益をあげていた。また、その際には国内外での金融子会社の設立を積極的に進め、ユーロCPの発行枠を拡大するなどして、三菱のグループ企業に融資を行う事業を進めていた［三菱商事2008、309・311・329-330頁］。総合商社は世界的なネットワークを活かしつつ、高度な金融機能を身につけたのであるが、他方でそれがバブル崩壊後の損失を生む原因の一つになったことも事実であろう。なお、バブルの崩壊が総合商社の経営に与えた影響については、次章に譲りたい。

(2) 海外への進出

円高を背景に、日本企業の海外進出や海外企業の買収が相ついだのも、この時期の経済的特徴の一つである。日本の海外における大型投資の拡大は、アメリカでも注目を集め、そこでの企業や不動産の買収が対日批判の原因の一つにすらなった。総合商社も、強い情報収集力を活かして、海外での事業の拡大を積極的に進めた。

たとえば、丸紅は1986（昭和61）年に「海外進出コンサルティングチーム」を設置すると、翌年にはM&Aチームを設け、海外進出の準備を進めた。同社は、1987年から91年の5年間に主なものだけで97件の海外事業会社の設立・出資・買収を行った。なお、これら事業会社の地域別の

内わけを見ると、アジアが34件、北米は29件、欧州では22件となっていた［丸紅 2008、154-155 頁］。

また、三菱商事でもこの時期、欧米における投資ビジネスが大きく増加した。すなわち、1987（昭和62）年に三菱樹脂などと合弁で、イギリスのウェールズにテレビ・OA機器用プラスチック部品の製造・販売会社のダイヤプラスチックを設立すると、翌年にはアメリカにおいてダイヤモンド・エナジー社を100％出資で設立し、カリフォルニア州などで発電事業に乗り出した。また、アメリカ合衆国で同社が深く設立・運営に関与していた三菱自動車工業の事業も、この時期には順調に拡大した。さらに、欧米以外の地域では、アジアや中東向けの発電所などのプラント輸出の成約が活発であった［三菱商事 2008、343-350頁］。

なお、1989（平成元）年時の日本の主要企業の海外投融資ランキングを見ると、総合商社は三菱商事が5位、三井物産では14位、日商岩井は18位、伊藤忠商事20位、丸紅21位、住友商事22位となっている。つまり、先に見た1982年時と比べて、総合商社の順位はやや下がっているが、それでも上位にランクされていることには変わりがない。総合商社は商権の拡大を世界的規模で追求し続けていたわけであるが、同時にこのころから事業投資による受取配当金の獲得にも積極的になり始めたといわれている［逸見・齊藤 1991、63-64頁］。9大商社の受け取り配当金は、1987（昭和62）年以降21世紀にかけて上昇基調を示すのである［田中 2003、41頁］。

ところで、こうした海外進出の活発化は、総合商社による外国間取引のいっそうの増加をもたらした。表7-3により6大商社の取引種類別売上高を見ると、石油ショック以降バブル期までの期間に外国間取引の金額が大きく増加し、全体の売上高の中に占める比率も上昇させていることがわかる。たしかに、バブル期の総合商社には、「金貯蓄口座」[16]向けの金取引が急増した結果、輸入や外国間取引の構成比がアップしたという面はあった［朝日新聞 1989c］が、そうした特殊要因を差し引いても、外国間取引

16　金貯蓄口座：確定利回りの金融商品のこと。銀行の小口市場金利連動型定期預金（スーパーMMC）に対抗するため証券会社が力を入れて売り込んでいた。

表7-3 6大商社の取引種類別売上高

(単位：百万円)

	1973年	1984年	1989年
輸出取引	4,252,575 16.5%	15,765,780 19.5%	18,591,910 16.6%
輸入取引	4,883,813 18.9%	19,764,462 24.5%	24,348,998 21.7%
外国間取引	1,767,800 6.9%	13,739,705 17.0%	25,707,558 22.9%
国内取引	14,884,257 57.7%	31,415,196 38.9%	43,677,740 38.9%
合計	25,788,445 100.0%	80,685,148 100.0%	112,326,206 100.0%

出典）　各社『有価証券報告書総覧』各年次。

の地位の相対的上昇という長期的傾向は変わらないように思われる。バブル期の日本では、対外直接投資が急増し、海外事業の拡大が進んだが、そこで生産される製品の需要は現地に限るものではなく、世界各地に広がっていた。総合商社は国際的な情報網を活かして、海外直接投資の増加と国際的な取引の拡大を促進し、日本経済の国際化を先導したのである。

(3) 内需志向

バブル期の日本経済は、黒字の拡大による貿易摩擦という制約もあり、輸出の拡大に大きな期待をかけることはできなかった。1986（昭和61）年には前日銀総裁の前川春雄を中心として前川リポートが作成され、規制緩和と内需拡大により、国際収支の黒字を削減することが公約された。実際、この時期の好景気は内需向けの産業からあらわれはじめ、好調な企業経営が所得の増加、さらには消費の増加をもたらした［中村 1995、115・169-173頁］。

こうした経営環境の中で総合商社は、当然国内市場にも注目して事業の拡大をはかることになった。この時期、国内における総合商社の目立った活動としては、まず情報・通信分野への参入が挙げられる。その場合、とりわけ国際電信電話（KDD）が独占していた国際電話市場への進出が

注目された。すなわち、三菱商事、三井物産、住友商事、丸紅、日商岩井が、松下電器産業、東京銀行などとともに日本国際通信（IJT）、また伊藤忠商事はトヨタ自動車などとともに国際デジタル通信（IDC）にそれぞれ出資して、国際通信事業を立ち上げると、KDDに価格競争を挑んだのである。これは、1985（昭和60）年の新電気通信事業法による国際通信分野の自由化という規制緩和の動きを、総合商社がビジネス機会の拡大に結びつけた事例であろう［毎日新聞 1989；朝日新聞 1989b］。また、住友商事によるCATV[17]とその関連事業への進出、三菱商事の衛星通信ビジネスや移動体通信事業への参画、三井物産による国際VAN[18]事業の展開など、総合商社によるこの分野の活動は多様で活発であったことが確認できる［曽我 1992、261-293頁；三菱商事 2008、334-336頁］。

次に、国内市場との関連でいえば、各社がこの時期海外の高級品や有名ブランドの日本への導入に力を注いだことが目を引く。ロベルタ、ロイヤルウースター、リーボックなど各社は競って欧米の高級アパレルブランドやブランド雑貨の導入を図り、専門店などで販売した。さらに、総合商社は高級外車の輸入にも手を広げたが、この場合メルセデス・ベンツ、BMWなどヨーロッパの高級車に加えて、手作りのクラッシックカーの輸入事業にまで参入している。

またバブル期には、海外からの美術品の輸入額が激増しているが、総合商社はそれら美術品の取引にも関与する場合があった。これらは、バブル景気がもたらした国内消費者の高級志向に対応した戦略であったと思われる。総合商社は多様化した消費者の嗜好に応えるために、従来どちらかといえば苦手であった高級な最終消費財にもビジネス分野を広げたのである［曽我 1992、104-105・118-121頁；三菱商事 2008、354・357-359頁；読売新聞 1988］。

　　17　CATV：同軸ケーブルや光ファイバーなどの有線で各家庭に映像、音声を配信するシステム。

　　18　VAN：付加価値通信網、すなわち情報の提供、高速通信、情報交換など多くのサービスを付加したネットワークのことである。

その他、この時期には首都圏のウォーターフロント開発のような、規制緩和による民間の力を利用した都市の開発が進んだが、総合商社の中にはそうした動きに呼応して不動産・建設市場へのアプローチを強めるところも出てきた。たとえば、三菱商事は東京の品川区の天王洲地区に土地を取得すると、1987（昭和62）年に社内に天王洲総合開発タスクフォースを設置し、「国際化・情報化に対応した24時間活動する街作り」などを基本方針に開発を進めている［三菱商事2008、351頁］。

　こうした多様な活動が功を奏して、バブル期の後半になると、各総合商社はのきなみ売上高の増収と経常利益の増益を実現した。この時期、多くの総合商社は過去最高の売上高や経常利益を獲得したという。バブル景気の日本経済の中で、総合商社は「わが世の春」を謳歌し、「冬の時代」からは完全に脱却したかに見えたのである［毎日新聞1988；朝日新聞1989a］。

　※本章の作成にあたっては、髙橋弘幸氏（早稲田大学商学学術院産業経営研究所特別研究員）より貴重なご教示を得ることができた。記して感謝の意を表したい。もちろん本章の記述内容などに誤りがあるとすれば、その責任はすべて著者にある。

【参考文献】

石井寛治（2003）『日本流通史』有斐閣。
伊藤忠商事（株）調査部（1992）『ゼミナール　日本の総合商社』東洋経済新報社。
―――（株）調査部（1997）『ゼミナール　日本の総合商社（第二版）』東洋経済新報社。
井上宗迪（1983）『総合商社──情報戦略と全体像』TBSブリタニカ。
梅津和郎（1985）『住友商事の研究──ベスト・ワンの秘密』晃洋書房。
河明生（2002）「マイノリティの企業家活動　重光武雄／安藤百福」法政大学産業情報センター・宇田川勝編『ケーススタディ　日本の企業家史』文眞堂。
川辺信雄（1991）「商社」米川伸一・下川浩一・山崎広明編『戦後日本経営史第Ⅲ巻』東洋経済新報社。

橘川武郎（1995）「戦後の経済成長と日本型企業経営」宮本又郎・阿部武司・宇田川勝・沢井実・橘川武郎『日本経営史――日本型企業経営の発展・江戸から平成へ』有斐閣.
教育社編（1980）『資料産業界シリーズ　会社全資料⑮　総合商社上位9社の経営と比較』教育社.
斎藤憲（1992）「総合商社の登場」森川英正編『ビジネスマンのための戦後経営史入門』日本経済新聞社.
曽我信孝(1992)『総合商社とマーケティング'80年代後半の戦略転換』白桃書房.
田中彰（2003）「総合商社論の回顧と展望」「機械・情報産業」島田克美・黄孝春・田中彰『総合商社――商権の構造変化と21世紀戦略』ミネルヴァ書房.
―――（2004）「総合商社の多角化と総合経営――商権論アプローチからみた形成と変革」『組織化学』第37巻第3号.
中村隆英（1993）『昭和史Ⅱ』東洋経済新報社.
―――（1995）『現代経済史』岩波書店.
日本経営史研究所（1976a）『回顧録　三井物産株式会社』三井物産株式会社.
―――（1976b）『挑戦と創造――三井物産100年のあゆみ』三井物産株式会社.
平井岳哉（2005）「三井物産の燃料ビジネスでの失敗」宇田川勝・佐々木聡・四宮正親『失敗と再生の経営史』有斐閣.
逸見啓・齊藤雅通（1991）『三菱商事・三井物産　日本のビックビジネス⑫』大月書店.
丸紅株式会社社史編纂委員会（2008）『丸紅通史――百五十年の歩み』.
丸紅株式会社社史編纂室（1984）『丸紅本史』.
御園生等「総合商社斜陽であるか」『エコノミスト』1961年5月23日号.
三菱商事株式会社総務部社史担当（2008）『三菱商事50年史』三菱商事株式会社.
吉原英樹（1995）「国際化と日本的経営」森川英正・米倉誠一郎編『日本経営史5 高度成長を超えて』岩波書店.
『朝日新聞』（1989a）「売り上げ、7社が過去最高『冬の時代』脱却　大手商社9社の決算」5月26日.
―――（1986b）「国際電話、どれを選ぶ？　サービスのKDDか割安のITJ・IDCか」9月9日.
―――（1989c）「商社、金取引で稼ぐ　中間決算で三井物産が久々の首位」11月18日.
『毎日新聞』（1988）「全社が経常利益最高に　総合商社の中間決算」11月19日.
―――（1989）「国際電話"夏の陣"10月に2社参入で、値下げ合戦」7月7日.
『読売新聞』（1988）「シューズ戦略が過熱『スケボー用』が参入　健康レジャー志向を狙う」7月29日.

用語解説

財閥と企業集団

　本章で説明したように、高度経済成長期の日本には六つの大きな企業集団が存在していた。その中には、三井、三菱、住友のように戦前以来の財閥に起源をもつ集団もあった。ところで財閥と企業集団、この両者は何が違うのだろうか。実は、財閥とは何かという定義は、研究者により異なっていて、必ずしもはっきりしているわけではない。しかし、ここではいちおう、①創業者とその家族・同族が企業や事業体の所有を支配している、②その事業分野が多角化している、③それぞれの企業・事業体の経営規模が大きい、という三つの要件を満たしているビジネスグループを財閥と考えよう。

　このように考えると、戦後の日本に形成された企業集団は三井や三菱という名前は冠していても財閥とは呼べないことになる。なぜなら、企業集団の所有者は三井家や岩崎家という家族・同族ではないからだ。戦後の占領下における経済民主化政策により、財閥の家族はすべて追放され、以後大企業の経営に関わることはできないことになった。本文でも説明したように、企業集団は株式の相互持合いを通じてお互いの経営基盤を強化していたのであり、高度経済成長期には株主構成における法人の比率を高めていた。

　さて、一般に企業集団は、集団内の企業の乗っ取りを防止することを通じて、各企業の目先の利益にこだわらない経営戦略の立案や実行を可能にしたといわれる。株主としての各企業は、お互いに利益に即応した高い配当や高株価を要求しなかったからである。高度経済成長期の各企業が、リスクをともなう新しい分野に積極的に進出しえたのは、こうした安定的な所有構造に支えられていた面があった。とりわけ、総合商社の場合、時代に先がけて新しいビジネス分野を開拓し、そこに進出することが、他社に対する優位性の確保の源泉となる。企業集団内の株式相互持合いは、総合商社の経営活動にとって重要な意味をもっていた。

　もっとも、所有の安定化という面に着目すれば、戦前の財閥も同様の機能を果たすことがあったようである。財閥本社は、直系企業の所有を独占的に支配することを通じて、各社の経営基盤の安定化をはかっていた。たとえば、戦前の三井物産の株式は、財閥同族の全額出資による三井合名という持株会社が排

他的に所有していたが、こうした安定株主の存在が、三井物産の経営陣たちの手腕を発揮する場を広げたと考えられている。財閥と企業集団は同じものではないが、総合商社のリスクテーキングな活動を支える基盤として有効に機能したという点では共通性が認められよう。　　　　　　　　　　（大森　一宏）

参考文献

橘川武郎（1996）『日本の企業集団――財閥との連続と断絶』有斐閣。

コラム シーメンス事件とロッキード事件

　総合商社に対する社会的イメージとは、どのようなものだろうか。未開の海外市場をも開拓するたくましいビジネスマンたちの集団であり、通商国家日本を支える象徴的存在だと思い描く人は多いだろう。総合商社は、常に学生たちが就職したい人気企業の上位にランクされている。しかし、そうした思いの一方で「買占め」や「売り惜しみ」で巨利を稼ぎ、場合によっては、賄賂などを通じて政府の高官と結びついて不正な富を蓄財する「悪徳商人」というイメージも、完全には払拭されていないように思われる。たしかに歴史的に見ると、総合商社は贈収賄事件などに関与して、社会の大きな注目を集めることがあった。

　戦前についていえば、総合商社が絡んだ最大の汚職事件は、旧日本帝国海軍の大疑獄であるシーメンス事件であろう。事件の発端は1914（大正3）年にドイツの兵器会社ジーメンス社（ドイツ語での読みはジーメンス）の贈賄が新聞報道で暴露されたことにあったが、ついで戦艦「金剛」の建造に関わって、輸入代理店であった三井物産が発注先のビッカース社から得たコミッションの一部を海軍高官に渡していたことが明らかにされた。事件から垣間見えた財閥と政府・軍部の癒着は、野党のかっこうの攻撃材料となり、結局時の山本権兵衛内閣は総辞職に追い込まれた。なお、贈賄罪にとわれた三井物産の関係者たちは、執行猶予付きの懲役刑が確定した。

　さて、戦後でこれに比肩する汚職事件は、ロッキード事件であろう。これは、アメリカのロッキード社が航空機の売り込みに関し、日本の政界に多額の賄賂を贈ったとされる事件であり、1976（昭和51）年にアメリカの上院外交委員会で発覚した。具体的には、ロッキード社が旅客機と戦闘機の売り込みのために、同社の代理店の丸紅などを通じて贈賄を行い、時の総理大臣の田中角栄をはじめとする国会議員や政府高官を買収したという疑惑である。当時、事件は連日のように新聞やテレビで報道され、丸紅は世論の批判の矢面に立った。社会的に盛り上がる厳しい批判の中で、丸紅の中には社員章をつけることをためらう社員まであったという。

　もちろん、過去に汚職や贈収賄を行ったのは総合商社に限るわけではない。

しかし、総合商社の場合、国策に絡むような特殊な商品の国際的な取引にも関与するために、いったん事件が起きた時に与える社会的影響は大きなものになりやすい。近年強調される企業によるコンプライアンス(法令遵守)体制の構築は、総合商社にとってその経営上の性格からして、とりわけ重要な社会的意義を持っているように思われる。

(大森　一宏)

参考文献
丸紅株式会社社史編纂委員会（2008）『丸紅通史――百五十年の歩み』。

人物コラム　米倉 功

（よねくら いさお・1922-2015 年）

伊藤忠商事（株）ホームページより

　近江商人を始祖とする伊藤忠商事には、「三方良し」を始めとして、商売の極意を表した先達の言葉が多く伝わる。近年では丹羽宇一郎の「清く、正しく、美しく」や岡藤正広の「稼ぐ、削る、防ぐ」など、今日の隆盛を築いたリーダーたちの言葉がよく知られるが、ここでは彼らに先だって同社を率いた米倉功にスポットを当ててみたい。戦後第 4 代社長の米倉は、「現状維持は脱落である」と「稼ぐに追いつく貧乏なし」を経営の信念に、そして「損切りせよ」「情報は生かして使え」「リスクに対しては計算してチャレンジせよ」を商売の鉄則に掲げ、これらを「二訓三省」と称して自らの経営哲学とした。このうち、「稼ぐに追いつく貧乏なし」は、浅野財閥を一代で築いた浅野總一郎（1848-1930 年）の処世訓とされるが、米倉はこの言葉こそ、長く商社で仕事をしてきた自分の実感だと語っている。

　米倉は、東京商科大を卒業した 1947 年に大建産業、後の伊藤忠商事に入社した。1975 年の取締役就任以降、自動車本部長や業務本部長などを歴任し、1983 年から 1990 年まで社長、その後も会長や相談役を務めた。米倉の名を知らしめたのは、社長就任 2 年目となる 1985 年 3 月期決算で、伊藤忠商事が初めて売上高商社首位に躍り出た時だが、叩き上げの商社マンとして営業の現場経験も数多い。自身の「三省」の通り、情報を生かして使い、リスクを計算してチャレンジした通信衛星事業や国際通信サービス事業など、華やかなビジネスにも深く係わった。また一方では厳しい損切りの決断もしている。

　損切りとは、為替相場などが含み損を抱えているポジションにある時に、損失発生を覚悟のうえで清算することを意味する。いつか再び過去の良い状態が戻るという期待に掛けていると余計に傷を深めるものだから見切る判断が大事だ、という考え方である。伊藤忠商事は 1970 年代後半から東亜石油というリファイナリーへの投資で巨額の損失を被り、毎年のように株や資産の売却で厳しい台所のやりくりを余儀なくされていた。何としても売り食い無しで経営ができる体制を整えたい。1984 年に、思い切った損切りによって東亜石油事業

に決着をつけた米倉は、これでようやく普通の経営が可能になったことに安堵した。

しかし現状維持ではすぐに脱落する。米倉は、ただちに次の大きな目標を掲げ、10年後には商社の殻を破って「国際総合企業」になる、と宣言したのである。実は当時の商社は、従来の機能だけでは十分な収益が確保できなくなり、「冬の時代」と称される厳しい事業環境に直面していた。そこで、時代に即応する機能を世界中に発揮するためには、古い体制のひずみを正さねばならない。本社と海外店と事業会社とが一体化したグループ経営による国際化が必要になると考えた米倉は、1986年から「PLAN-88」、1989年から「PLAN-90」という二つの経営計画を指揮して経営改革を進めた。同じ時期、商社各社の改革気運は高まりを見せる。三菱商事は、収益を軸に事業構造を再構築する経営改革「K-PLAN」を推進した。このようにして、1980年代後半から始まった商社の構造改革は、後に訪れるグローバル時代を勝ち抜くための新しい経営体制の基礎作りに繋がっていく。

改革を進める各社が、かつての売上高競争に替わり、利益規模で鎬を削るようになると、地力に勝る三菱商事と三井物産を頂点とする収益力の序列が商社間に定着した。そんな中、徐々に順位を上げていった伊藤忠商事が初めて連結純利益商社No.1の座を射止めたのは、2016年3月期決算のことである。同社が初めて売上高首位になった時から数えて約30年。コツコツ稼いで一歩ずつ進むその姿には、米倉の「二訓」が息づいているようだ。

（秋山　勇）

参考文献

伊藤忠商事株式会社広報部編（2007）『伊藤忠商事創業150年記念小史　峠越えの道　改訂追補版』。

伊藤忠商事株式会社総務部及び広報部（室）『CI Monthly』（社内報）。

第8章　平成不況期

商社「冬の時代」の再来と「夏の時代」への転換

はじめに——バブル崩壊と平成不況の到来

　1980年代後半の日本経済はバブルの様相を呈し、東証平均株価も1989（平成元）年末には3万8900円を超えるほどの過熱ぶりであったが、年が明けると株価は急激に下降傾向を示し始め、1990年10月、平均株価は2万円を割り込むにいたった。これ以後、日本経済は平成不況に突入していくことになる。とはいえ、1990年代前半期ではバブル景気時の株式投資ブームの際の象徴的な銘柄であったNTT株の値下がりで損失を出したこと等が語られる程度で、多くの国民にとっては不況の到来が身近に感じられるような雰囲気はまだなかった。

　それが93年をすぎた頃から大学生をはじめとする新卒者の就職活動が難しくなり、「就職氷河期」などという言葉が喧伝され、また95年頃以降は不動産価格下落の影響を受け、メディアで連日、住宅金融専門会社問題（住専問題）が政治や経済の分野で報道され、国民は不況を身近なレベルで体感していくことになる。地方銀行破綻の報道がちらほら聞かれるなか、不況の雰囲気を一気に加速させたのは、97年11月の三洋証券破綻に端を発する北海道拓殖銀行、山一證券、翌98年の日本長期信用銀行、日本債券信用銀行という大手金融機関倒産のたび重なる報道であった。特に山一證券破綻のニュースでは、記者会見で社長が号泣しながら謝罪する姿が報道され、強烈な印象を国民に刻み込んだのであった。

　このような不況の到来で商社業界も大きな変動を経験することになる。1873（明治6）年創業の大倉組商会以来の伝統をもつ名門商社であった大

倉商事が98年に倒産。翌年からは、9大商社にも不況の波が到来する。

99年5月には兼松が業務の大幅縮小を発表した。新聞各社は、これを兼松の総合商社からの離脱、すなわち「専門商社化」宣言と報じた。2000年には、豊田通商（豊通）とトーメンが資本・業務提携を結び、両社は結局2006年に豊通がトーメンを吸収合併するにいたった。また2004年には、日商岩井とニチメンが合併して双日となった。このような兼松の総合商社離脱と双日の誕生、それに豊通によるトーメン合併により1977（昭和52）年の伊藤忠商事による安宅産業の救済合併以来のいわゆる9大商社体制は終わりを告げ、これ以後、新聞報道では、三菱商事・三井物産・住友商事・伊藤忠商事・丸紅の5社をもって「5大商社」と呼称されることが多くなり、この5社にに双日と豊通を加えて、「大手商社」と呼称されることもしばしば見受けられるようになる。

山一證券経営破綻
涙声で会見する野沢正平社長（左は五月女正治会長）© 読売新聞社

本章では、平成不況期における9大商社体制の崩壊、ならびに新たな5大商社体制、あるいは双日と豊通を加えた大手商社体制の構築という商社業界の再編期の諸事情についてみていくことにしよう。

1 「商社・冬の時代」の再来

(1) メーカーによる「中抜き」

平成不況が進むにつれ、仕入れや販売面で商社に依存していたメーカーの一部には、コスト削減を迫られるなかで商社への手数料支払いを圧縮するために商社依存から脱し、自らそれらの業務にあたろうとするケースが

増えていった。2000（平成 12）年前後には、メーカーが取引で商社を介在させないという意味で、それは「中抜き」などと称され、商社不要論も叫ばれた。これはメーカー自身に国内販売や輸出のノウハウが蓄積されたこと、また 90 年代においては、急速にインターネットの普及に代表される IT・情報化社会が到来したために、国内はもちろん、世界中の企業との取引が容易になったことなども背景にあった。このような「中抜き」の動きは、戦後の総合商社が収益の柱とした鉄鋼取引の分野でもっとも顕著にみられた。

　新日本製鐵（現日鉄）の場合、1990 年時点では旧 9 大商社を含む 18 社を窓口商社としていたが、2000 年にはそれを 13 社に減少させた。この 13 社には新日鉄が自ら設けていた日鉄商事も含まれており、2000 年における新日鉄製品の国内販売の 20.5％、また輸出分の 11.0％はこの日鉄商事が担うまでになった。

　日本鋼管についても、1990 年時点では 17 社を窓口商社としていたが、2000 年には 11 社に減少させた。2000 年には日本鋼管製品の国内販売と輸出、いずれも 20％以上を同社系列の NKK トレーディング（のち JFE 商事に統合）が担当するまでになっていた［黄 2003、226-227 頁；田中彰 2008、273 頁］。鉄鋼メーカー側は、窓口商社を減らす一方で、国内販売や輸出を引き続き商社に任せた場合でも、商社に対して手数料の引き下げを強く要求した。鉄鋼メーカー大手 6 社が商社に支払った手数料は 96 年には 1,700 億円だったのが、2000 年には 1,200 億円にまで減少したとみられている［日本経済新聞 2001b］。

　新日鉄や日本鋼管のような製鉄メーカー側にとっては、すべての取引というわけではないが、部分的に「中抜き」を進めると同時に、商社各社に手数料の引き下げを要求し、さらに自社系列の商社に取り扱わせる分量を増加させたということになる。

　このような動きのなか中下位商社は淘汰され、再編の渦に巻き込まれていくことになる。2000 年の年明け早々には伊藤忠商事と丸紅が鋼材に電子取引市場を共同で設けることを表明し、さらに翌年（01 年）、両社の鉄鋼部門を統合して伊藤忠丸紅鉄鋼を設立した。2003 年には三菱商事と日

商岩井も鉄鋼部門を統合し、新会社メタルワンを立ち上げたが、これは業績低迷に苦しんだ日商岩井の中心的存在であった鉄鋼部門を三菱商事がさらう格好になった。

　伊藤忠商事と丸紅が鉄鋼部門の統合を決めた時、新日鉄（現日鉄）の千速晃社長は両社トップに「単なる鉄鋼商社をつくるなら意味が無い。商社の役割は鉄以外の様々な情報を集めることにもある。」と語ったという［日本経済新聞 2001a］が、メーカーが総合商社のもつ情報機能を重視してきたことを示すものとして興味深い事例である。「中抜き」が叫ばれるなかでも、総合商社が完全には「中抜き」されなかった理由の一端がうかがえよう。

(2) 商社再編とメインバンク[1]

　平成不況期の総合商社業界再編の背景には、メインバンクの動きも多分に影響していた。1999（平成11）年5月に兼松は総合商社の看板をはずして専門商社としての再建を目指すことを表明した。この時、兼松はメインバンクであった東京三菱銀行などに1,700億円の債権放棄を要請するとともに、財務体質の改善を図るべく増資に踏み切ろうとしたが、東京三菱銀行をはじめ10数社が全面支援を表明するものの、支援と引き換えに不採算部門から撤退し得意分野に集中することを求めた。その結果、兼松は鉄鋼・建設・繊維などの不採算部門を切り捨てて事業規模を3分の1にまで縮小し、半導体・情報通信・食品という得意分野に特化していくことになった［中日新聞 1999：日経産業新聞 1999］。

　業績低迷にあえいでいたトーメンは、2001年3月期から時価会計が本格的に導入されることになっていたことが引き金になり、2000年に1兆円の借入金のうち2,000億円分の債権放棄を当時のメインバンクであった東海銀行などに要請した。この時トーメンと同様に東海銀行をメインバ

　1　メインバンク：企業はたいてい複数の銀行から融資を受けているが、それら複数の銀行のうち、その企業と長期的な取引関係を持ち、さらにその企業への最大の貸し手である銀行を一般にメインバンクと呼ぶ。銀行はしばしばその銀行をメインバンクとする企業の株式を保有し、役員を派遣するなどして、その企業と密接な関係を持つ。企業が経営不振に陥った際に支援を求めるのも、たいていはメインバンクである。

クとしていた豊田通商は、同行からトーメンの増資引き受け要請を受け、それを受ける形で豊田通商は同年中にトーメンの筆頭株主となって全面的にトーメンと業務提携することとなり、2006年のトーメン吸収合併へと突き進むことになる［日本経済新聞 2000a、2000b、2000c］。

　2003年に日商岩井とニチメンは共同持株会社を設けて経営統合し、翌年、共同持株会社を双日ホールディングスと改称した。さらに2005年には、持株会社（双日ホールディングス）とその傘下の事業会社双日とが親子合併して双日となった。日商岩井とニチメンの両社はもともと三和銀行をメインバンクとしていたが、三和銀行が東海銀行、東洋信託銀行との合併でできたUFJ銀行自体が不良債権問題に苦慮していたという背景があった。結局、東京三菱銀行がUFJを救済合併することになり、この両行合併に先だって、UFJに対してさらなる不良債権処理が迫られ、これが日商岩井とニチメンの統合・合併を後押しするかたちになった［日本経済新聞 2004a］。

　伊藤忠商事と丸紅は、第一勧業銀行・富士銀行・日本興業銀行の合併でできたみずほ銀行をメインバンクとし、また両商社とも歴史的に同じ近江商人をルーツとしていたこともあって合併がささやかれたが、これについては実現していない。

　90年代後半は大手金融機関の破綻が相次ぎ、経済界の要ともいうべき日本の金融システムが大きく揺らいだ後、2000年前後には金融制度改革が本格化した時期であり、銀行業界でも合併・再編劇がめまぐるしく進んだ（図8-1参照）。大手都市銀行と総合商社は、戦後の企業集団の中心的存在であったが、都市銀行の合併・再編の影響が、商社業界を含んだ産業界全体に波及し、かつての6大企業集団の垣根を越えた合併が進行した。また企業集団における企業間の結びつきの基礎になっていた株式持合いの解消も進んだため、これ以後かつての6大企業集団は概してその結びつきは緩くなっていった。だが2004年の三菱自動車の経営危機に際し、三菱商事が三菱重工業、東京三菱銀行とともに巨費を投じて支援したケースに示されるように、三菱グループは、他のグループと比べると、結束がやや強そうである。

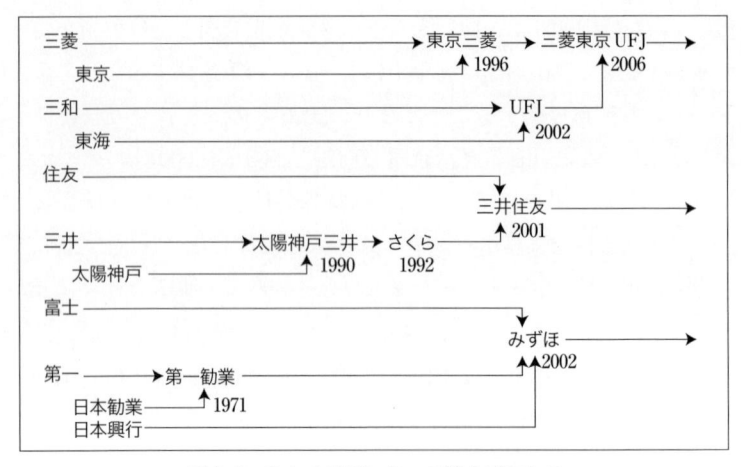

```
三菱 ────────────────── 東京三菱 ──→ 三菱東京UFJ ──→
東京 ─────────────────↑1996      ↑2006
三和 ──────────────────── UFJ ───────────────→
東海 ───────────────────↑2002
住友 ────────────────────┐
                        三井住友 ─────────────→
                       ↑2001
三井 ────→ 太陽神戸三井 → さくら ──┘
太陽神戸 ──↑1990     1992
富士 ────────────────────┐
                        みずほ ─────────────→
                       ↑↑2002
第一 ──→ 第一勧業 ────────┘
日本勧業 ↑1971
日本興行 ─────────────────┘
```

図8-1　3大メガバンクへの統合プロセス

注）　三菱東京UFJ銀行は2018年4月に三菱UFJ銀行と改称した。
出典）　宮本又郎ほか『日本経営史〔新版〕』有斐閣（2007、350頁）をもとに作成。

　ともあれ、平成不況期の総合商社に共通した課題は、バブル期に事業拡大したことが不況期に不良資産と巨額な有利子負債となって現れ、各社はそれをいかに削減するかということにあった。伊藤忠商事の場合、1997年には1,400億円余りの特別損失を計上し、当時保有していた有価証券すべての含み益でそれを補う形になり、その後もバブル期の後始末に苦しんだ。同社は丹羽宇一郎社長のもとで、99年度末までに約4,000億円におよぶ巨額損失を処理したが、その際1兆円を超える含み益が経営を下支えし、翌年度1,100億円の不良資産を処分した際も伊藤忠テクノサイエンスなどの優良子会社株売却益1,700億円がそれを補うかたちになり、伊藤忠商事は最悪の時期を乗り越えていく［日本経済新聞 2000a、2001c］。伊藤忠商事のような下支えのなかった下位総合商社は、メインバンクに債権放棄と新たな支援を要請せざるをえず、商社同様に巨額な不良債権の整理で必死になっていたメインバンクから、商社業界の再編につながる筋道をつけられることになる。

　金融業界をはじめとする日本経済全体が不況の真っただ中にあり、「リストラ」という言葉も定着しつつあった当時、商社に限らず日本の産業界

全体が、バブル期に膨らんだ資産、設備、人員等の削減に血まなこになっていた。「商社不要論」や「商社・冬の時代」の再来が叫ばれたのは、そういう時代であった。

2 「商社・夏の時代」へ

(1) 商社の投資会社化

　平成不況期におけるメーカーによる商社外し、「中抜き」の動きが進められ、商社の仲介ビジネスによる手数料収入が頭打ちになってくるなかで、総合商社上位各社が活路として求めたのは事業投資であった。もっとも総合商社の投資活動自体は、平成不況期にはじまったわけではない。歴史的にみても、三井物産などは、すでに明治期から積極的な投資活動を行っていたのだが、以前の投資活動は、一手販売権およびそこから派生する仲介手数料の獲得を主たる目的にしていたのが、今やその目的は投資からあがる純益、あるいは事業売却や株式売却からの利益獲得に主眼が変化してきたとしばしば指摘される。また前章でみたように平成不況期に入る前から総合商社は事業投資にすでに積極的になっていて、そこから得られた受取配当金が上昇傾向にあったという指摘もある。よって本章では、1980年代後半にすでに始まっていた総合商社による事業投資が、平成不況期に入って一挙に加速化したというように理解しておきたい。

　平成不況期における、このような商社による投資行動の動きに先鞭をつけたのは住友商事ともいわれ、同社は1997（平成9）年から全社的に統一基準を設けて諸部門に隠れた不良事業・不稼働資産を洗い出し、弱い事業は補強か撤退し、強い事業はより強く育てるよう事業管理を厳格化していった。三菱商事も従来の営業部をビジネスユニット（BU）と呼ばれる収益管理単位にまで細分化し、社内共通の管理指標を導入してBUを厳密に審査し、「再構築型」「拡張型」「成長型」に分類し、「再構築型」と認定されたBUは事業撤退するか、他社・他部門と統合させて「拡張型」もし

表 8-1　総合商社上位 5 社の関係会社数

会社名＼決算期	1998 年 3 月	2000 年 3 月	2001 年 3 月	2002 年 3 月
三菱商事	597	653	694	780
三井物産	905	882	882	857
住友商事	719	767	727	720
伊藤忠商事	1092	852	740	671
丸紅	693	646	598	515

注)　関係会社は連結子会社と持分法適用会社の合計。
出所)　島田克美ほか『総合商社』(ミネルヴァ書房、2003、281 頁)の表から抜粋。

くは「成長型」への移行を進めた。このように上位商社はバブル期にみられた、ややどんぶり勘定的にも見えた管理から脱して収益管理の手法を厳格化し、利益が見込めない事業は売却したり他社と統合し、逆に利益の見込める事業には積極果敢に投資を展開した［週刊東洋経済 2005、32 頁］。表 8-1 を見ると、総合商社上位のなかでも特に三菱商事は、不採算部門の整理をいち早く終え、他社に先駆けて積極的な投資活動で関係会社数を増やしているのに対し、上位 5 社のうちでも伊藤忠と丸紅が不採算会社の整理にもたついた様子が読み取れよう。メディアはこのような上位商社の動きを「選択と集中」という言葉で表現し、このような事業投資の動きは、「商社の投資会社化」とも称された。そして上位商社は 2002 (平成 14) 年中頃から黒字幅を増やすことに成功していくのであった。

　この上昇期の商社各社の投資先としてまず注目を浴びたのは、資源・エネルギー部門であった。2004 年 3 月期の決算では、三菱商事の純利益が総合商社としてはじめて 1,000 億円を超えたのをはじめ、他社も軒並み過去最高の純利益を記録したが、これは商社各社がそれまでに世界各地の資源・エネルギー部門に投資して種をまいておいたところに、中国の飛躍的な経済成長により中国国内での鉄鋼・石炭などをはじめとする資源・エネルギー需要が急拡大したことが商社にとって恵みの雨となって、過去最高益という果実につながったものであった。例えば三菱商事は同期決算ではオーストラリアで石炭を採掘販売する子会社だけで 200 億円以上の利益を

あげ、液化天然ガスなどの事業も好調であった。三井物産も鉄鉱石などの部門が好調で、住友商事もインドネシアでの銅・金鉱山事業で大きな利益をあげた。つい数年前まで「冬の時代」再来に苦しんだ商社は、5大商社を中心に「夏の時代」を謳歌しはじめるのである。特に商社業界で他社を寄せ付けぬほどの好業績を連続してあげた三菱商事の場合、その小島順彦社長は2004年8月のインタビューで「当社の利益のうち、7割以上は事業投資からのリターンで、売買仲介による伝統的な口銭（手数料）ビジネスは3割未満でしかない。」と語り、翌年6月にはさらに「事業投資による収益は7-8割にまで高まってきた。」と言っている［日本経済新聞2004b、2005］。

(2) 川下ビジネスへの投資と食品事業の再編

　平成不況期の総合商社の動きとして、いまひとつ世間の注目を浴びたのは、いわゆる「川下分野」、すなわち小売事業への投資とそれに関連する食品事業の再編である。

　高度成長期に総合商社各社は食品スーパーに進出するが、住友商事のサミットストアーを除いて、定着しなかった。しかし平成不況期にダイエーや西友などの大手総合スーパーの経営が行き詰まり、それぞれが子会社としていたコンビニエンスストア（コンビニ）のローソンやファミリーマートの株式を手放した際、総合商社がそれらの株式を取得する形でコンビニ業界への進出がはかられた。1998年には伊藤忠商事が1,400億円を出資してファミリーマートの経営権を掌握し、2001年には三菱商事が2,100億円を投じてローソンを傘下に収めた［週刊東洋経済2005、33頁］。かつて

　2　伊藤忠商事は1973年のヨークセブン（後のセブンイレブン・ジャパン）発足時にイトーヨーカドーと米国サウスランド社の仲介をするなどイトーヨーカドー・グループ（後のセブン&アイ・グループ）との関係は深かった。しかし98年に伊藤忠商事がファミリーマートの経営権を握ってコンビニに参入したことは当時セブンイレブンの会長であった鈴木敏文氏の反発を招いて伊藤忠商事とセブンイレブンの蜜月関係は転機を迎えた。イトーヨーカドー・グループが2001年に三井物産との提携に踏み切り、05年には三井物産がセブン&アイの株主になるのは、このことが影響していたとされる［週刊東洋経済2016b、46頁］。

のスーパー業界で栄華をきわめたダイエーの業績はその後も好転せず、ついに2004年に産業再生機構[3]の支援を受け入れざるをえなくなり、2006年には旧来からダイエーと提携・協力関係にあった丸紅がダイエー再建に手をあげ、産業再生機構から株式の約3分の1を取得してダイエーの筆頭株主となった。その後2007年にはここにイオンも加わって、丸紅とともにダイエーの再建にあたることとなった。

大手コンビニも総合商社の傘下に

　住友商事は経営に行き詰まっていた西友に対し、2000年に資本参加して筆頭株主となったが、2002年には米国ウォールマートに筆頭株主の座を譲り渡した。住商はその後、小売り大手に対して目立った動きをしていない。

　小売業への進出で出遅れた感のあった三井物産は2005年にイトーヨーカドーとセブンイレブンの株式を500億円で取得し、この両社の持株会社として同年9月に発足したセブン＆アイ・ホールディングスに出資比率1.2%の大株主となり、その後出資比率を高めた。セブン＆アイとならぶ小売業界の雄となったイオンに対して、2008年末、三菱商事が300億円を出資して約5%を保有する筆頭株主となることを表明し、翌年にかけ実行に移された。このように小売業界と総合商社のあいだには、複雑な出

　3　**産業再生機構**：金融機関保有の経営不良企業の株式や債券を買い取り、その企業の経営再建を支援するために2003年に政府が関与するかたちで設けられた。カネボウの化粧品部門もこれにより再建の対象とされた。スーパーのダイエーも経営不振に陥り、ここから支援を受けた。産業再生機構は対象者への支援が全て終了したことにより、2007年3月をもって解散した。

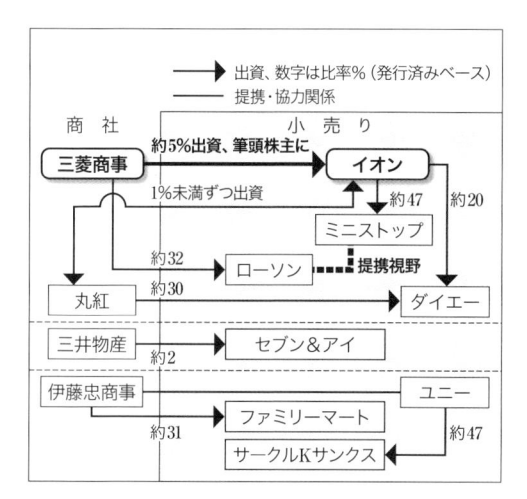

図8-2 小売業界と商社の関係図

出所）日本経済新聞（2008年12月6日朝刊、1頁）をもとに作成。

資・提携関係が構築されるにいたった（図8-2）。

　コンビニの売上の7割前後を占めるのは食品であり、また総合スーパーも消費が冷え込むなか食品分野を戦略部門に位置づけたため、これら小売業界との関係を緊密化させてきた総合商社は、食品事業の再編に迫られることとなった。

　総合商社の食品事業再編で先行していたのは、平成不況期に先立ってすでに親密な問屋との提携を強化しつつ系列化を進めていた三菱商事と伊藤忠商事であった。1990年代に入ると平成不況の進行とともに、後発商社も地方問屋の系列化に乗り出し、商社間の系列化競争が激化する。

　三菱商事傘下の菱食では、友邦店グループと位置づけていたRFG（リョーショク友邦店グループ）について、RKG（基幹店）への昇格か一般取引店かの選別を進めるとともに、関係会社間の統合も進め、社名変更した各地リョーショクをあいついで設立していった。三菱商事はこの菱食とは別に、2004年に明治屋など有力卸5社と共同出資会社アライアンス・ネットワークを設立して、食品事業の強化をはかった。その後も三菱商事傘下での食品卸の再編・統合はめまぐるしく、2005年に三菱商事と

明治屋の合弁で明治屋商事が設立されていたが、明治屋商事を含む数社を2011年に菱食が経営統合し、菱食は三菱食品と商号変更している。

伊藤忠商事でも1996年には傘下にあった松下鈴木とメイカンを合併させて伊藤忠食品を成立させるとともに、全国ネットワークの形成を急速に進め、さらに2002年、雪印の経営危機を契機に雪印アクセスの株式25％を持つ筆頭株主となり、2007年には日本アクセス（雪印アクセスから改称）と同じ伊藤忠系列であった西野商事との経営統合を進めることとなった。

出遅れ感のあった三井物産でも、2000年には傘下の小網と三友食品を合併させ、三友小網としてスタートさせると、2004年にはその名称を三井食品と改称して、三井物産の食品中間流通の中核会社としての位置づけを明確にした［菱食 1999、209-211・378-383頁；島田ほか 2006、171-182頁］。

このように総合商社は、系列卸を核として地方に拠点をもつ中堅卸の統合に大きな役割を果たすとともに、中間流通から小売までに影響力を持つ存在になっていったのである。

3　総合商社と中国ビジネス

先に少し述べたように、21世紀に入ってからの総合商社各社の好業績は、資源・エネルギー価格上昇によるところが大きかったのだが、それはBRICs（ブリックス）と総称されたブラジル・ロシア・インド・中国などの新興諸国が経済成長するなかで、世界的に資源・エネルギーの需給が逼迫したために生じたものであった。特に1990年代以降の中国経済の成長はめざましかったが、その背景には日本を含む諸外国から中国への投資額の激増があった。

(兆円)

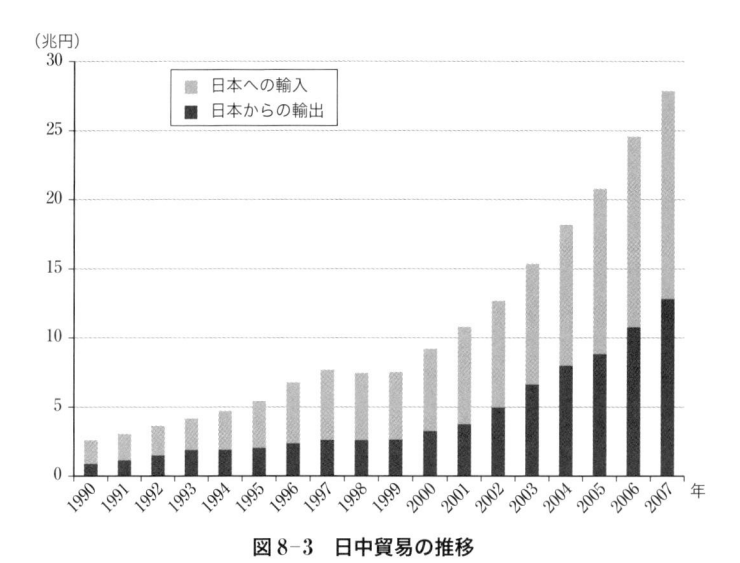

図 8-3　日中貿易の推移

出所）　総務省『日本の統計』（各年版）により作成。

中国で 1989 年 6 月に起こった天安門事件[4]はアメリカなど西側陣営から強く批判され、日本から中国への輸出も大幅に落ち込んだが、1992 年に鄧小平が深圳(シンセン)・上海などの諸都市を訪問した際、改革開放路線をとって経済成長を進めるべきであると各地で説き、このいわゆる「南巡講話」以後、香港・台湾を手始めに、欧米や日本からの対中投資が激増していく。そして総合商社の対中ビジネスも活況を呈するようになる。その後、平成不況の進行や 1997 年のアジア通貨危機の影響で中国への直接投資は一時的に停滞するが、1999 年にアメリカが中国の WTO（世界貿易機関）加盟に合意すると、2001 年末の正式加盟を織り込む形で再び投資額は増えていった。これに応じて日中間の貿易額も増加し（図 8-3）、2002 年には日本の輸入において中国が最大のシェアを占めるようになり、輸出についても 2008 年には、それまで長らく首位であったアメリカをはじめて超える

4　天安門事件：第一次（1976 年）と第二次（1989 年）の 2 回起こったが、ここでは第二次を指す。1989 年 6 月、北京の天安門広場に民主化を求めて座り込みをしていた多くの学生・市民に対し人民解放軍が無差別に発砲して流血事件が起こった。犠牲者の正確な数字は不明だが死者約 3,700 人、負傷者 1 万人ともいわれた。

にいたった。

　日本の対中投資と対中貿易の増加には、中国ビジネスで多くのノウハウ蓄積を有する総合商社が重要な役割を果たした。日中間の経済関係の緊密化に総合商社が介在したケースはあまりにも膨大に及ぶが、ここではわれわれ消費者にとっても近年身近な存在となったユニクロの事例を紹介しておこう。

　ユニクロといえば、柳井正氏が率いるアパレル企業のファーストリテイリング社のブランドであり、低価格なフリースなどが若者世代を中心に支持され、平成不況期にも業績を伸ばした企業としてよく知られている。ユニクロはこれほど存在感あるブランドに成長したにもかかわらず、自前の工場を持っていない。従来、アパレル製品は概して企画・製造・物流・販売の各段階を分けて、それぞれ専門の企業が担当していたのに対し、ユニクロは企画から販売まで一貫して行う SPA（Speciality store retailer of Private label Apparel：製造小売業）と呼ばれる、アメリカで始まった方式を導入して成長した代表例であり、2010 年半ば時点で、その商品の 85％は中国で生産されている。そして中国においてその商品は、総合商社との共同事業で運営される約 40 の委託生産工場で生産されている。中国で生産された商品は、商社の倉庫に納品され、ユニクロのスタッフが検品し、厳しい品質チェックを経て、関東・関西にある物流センターで色別・サイズ別に分類され、全国店舗に配送される［加護野ほか 2006、62 頁；週刊ダイヤモンド 2010、51 頁］。

　このユニクロの事業を支えている総合商社の中心的存在は三菱商事であるが、同社は 1987 年には香港三菱商事繊維部から分社化させて、香港にトレディアファッションを設立し、さらに翌年には世界一のセーターメーカーであるサウスオーシャン社とともに自社工場を備えたカントリーイー

快進撃を続けたユニクロも総合商社と無縁ではない

グル社を設立していた。このカントリーイーグルに対し、1990年秋ごろにファーストリテイリングと社名を改める前の小郡商事から大口注文が入り、これ以後、ユニクロと三菱商事の関係が築かれていく。

ファーストリテイリング社は三菱商事と取引をはじめる以前に、実は他の商社とも取引していた。だが1997年に生産や物流などに関して各商社に業務改革案の提示を求め、柳井社長が三菱商事の提示案採用を決定し、両社の関係は緊密化していった。そして翌年、ユニクロのフリースが大ヒットすることになるが、この縫製を担当していたのは三菱商事が出資する中国の工場であった。周知の通り、これ以後もユニクロの躍進は続くが、中国に工場を有する三菱商事がそれを陰で支えていたといってよいであろう［田中憲造 2004、83-95頁］。

2005年の中国国内の大規模な反日デモや2007年末から翌年にかけて起こった毒入り餃子事件など、日中間では障害となる事件もしばしば発生しているが、経済関係の緊密化は今後しばらくは続きそうな気配である。

4　豊田通商の躍進

平成不況期以降における総合商社の活動に関して言及しておかねばならないのは、豊田通商（豊通）の動向であろう。豊通は2006年のトーメン合併によって、その売上高は双日を抜いて5大商社に次ぐ6位となり、にわかに注目を集めることとなった（図8-4）。

豊通はトヨタ自動車をはじめ、豊田自動織機製作所などトヨタ系各社への材料・資材の供給、製品の販路開拓、さらに情報提供をも行うグループの窓口商社としての役割を長らく果たしてきたが、同社社史では1959年を同社の「総合商社元年」とか「本格的な総合商社へ第一歩を踏み出した」年と記している。1981年当時の江崎誠三社長は、インタビューで「総合商社化を推進していきたい」と語っている［サンデー毎日 1981］が、それ以後も新聞や雑誌で、豊通が総合商社であるという認識は、ほとんど見あたらない。

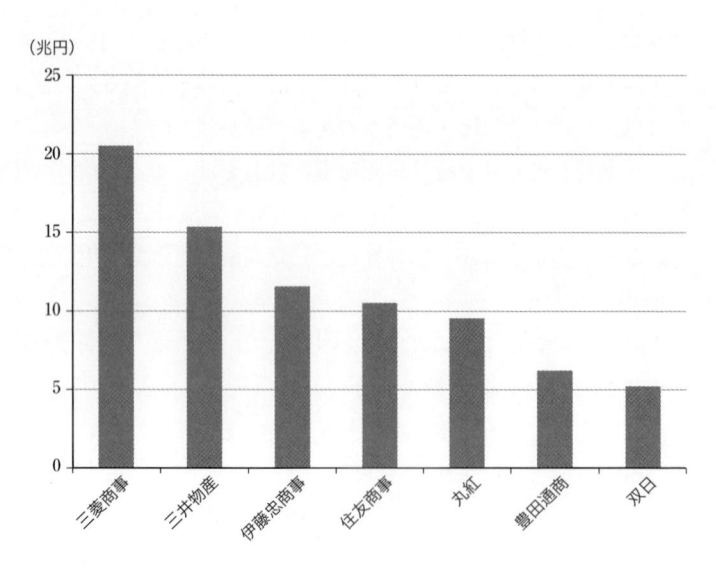

図 8-4　大手商社の売上高比較（2007 年 3 月期：連結）
出所）　各社の有価証券報告書より作成。

　豊通の総合商社化が現実味を帯びてきたのは、1999 年に食品やゴム取引に強い中堅商社の加商と業務提携した時以後であろう。豊通は従来トヨタグループ外部との取引拡大を志向していたが、金属・自動車関連偏重の取引構造に変化を加えるためにも、まずは食品分野に手を拡げようと、1997 年末に会社更生法を申請して事実上倒産した食品商社東食への再建支援を表明したものの、その後の交渉で条件が折り合わず、支援を撤回していたという経緯があった。その後も提携・合併の相手となる商社を探していたところに東京三菱銀行からの紹介を受けてたどり着いたのが加商であった。そして翌年、豊通は 9 大商社の一角を占めたトーメンと資本・業務提携を結び、同年には加商を合併する。この時期の豊通は、トヨタグループ全体が好調で強固な財務体質をほこっており、豊通の売上高営業利益率、自己資本比率などの財務指標も、三菱商事や三井物産を上回るほどであった［財界 2003、60 頁］。
　豊通はトヨタグループの窓口商社であったことから、その収益構造は長らく「自動車」関連が中心であった。豊通では金属・自動車を「自動車」

関連、化学品・エネルギー・生活産業資材・食料を「非自動車」と分類し、「自動車」関連と「非自動車」関連の比率を5割ずつにするのが目標であったといわれる。2006年のトーメン合併直前時には、「自動車」関連と「非自動車」関連の比率は75対25ぐらいであったというが、それがトーメン合併で、比率は65対35と、「自動車」関連の比率引き下げに貢献した。トーメンは豊通の得意としなかった繊維・食料などでも大きな売上高を有していたため、トーメン合併後の豊通の取扱商品の多様性・散らばり方は、上位総合商社と比べても大差ない状態になったといえる。2009年前半の時点でも、豊通は収益の6割弱をトヨタグループとの取引に依存する状態であるが、今後は「非自動車」分野にも投資し、外部との関係構築にはげむという［財界2006］。

　現在の豊通とほかの上位総合商社5社の際だった違いの一つに、株式保有状況がある。豊通の株式の21％強をトヨタ自動車が、また11％強を豊田自動織機が保有し、この両社だけで豊通株の約3分の1を保有している（2011年3月期決算時）。三菱商事の同時期の株主について見ると、上位10株主の中に入っている三菱系企業は、東京海上日動、明治安田生命、三菱東京UFJ銀行で、この3社の保有比率は合計10％余であり、他の三菱系企業が10位以下で保有しているにしても、三菱系企業は商事株を少数ずつ保有していることになる。豊通の歴代社長はトヨタ自動車出身者が就く場合が多く、トヨタ系企業との取引の多さに加え、この辺の事情が豊通がトヨタ系の窓口商社といわれた所以なのであろう。

5　資源価格の低落と伊藤忠商事

　2000年代前半以降、「夏の時代」を謳歌してきた総合商社は、2008年秋にアメリカの大手投資会社リーマン・ブラザーズが経営破綻した影響が世界中に波及した金融危機、いわゆるリーマンショックに際しても投資活動を精力的に継続した。経済成長著しい中国が、相変わらず資源を大量に消費し続けたことで資源価格が上昇し続けたため、総合商社は恩恵をこうむ

ることができたのである。ところが2014年には石油・鉄鉱石などの資源価格が急落を始めた。

まずこの資源価格急落の影響を受けたのは住友商事であった。同社はアメリカのタイトオイル（いわゆるシェールオイル）開発プロジェクトへの投資だけで1,900億円余りもの減損損失[5]（減損）を出してしまい、このような資源分野での減損がたたって2015年3月期決算で732億円の最終赤字を記録した。次いで翌16年3月期決算で住友商事は黒字を回復したものの、資源安の影響で大手商社5社全てが減損損失を計上した［週刊エコノミスト2015、24頁・35頁：日経業界地図2016、188頁］。業界の両雄であった三菱商事、三井物産も、それぞれ4,260億円、3,500億円もの減損損失を計上し、同期、戦後初の出来事として三菱商事は1,490億円、三井物産は830億円の連結最終赤字に転落した。資源価格の上昇が続いていた時期、特に三井物産は純利益の約8割をエネルギー・金属などの部門で稼ぎ出していたとされており、このような過度な資源依存が裏目に出た形となってしまった。

資源価格低落という状況の中、三菱商事などの商社は非資源分野への転換を急いだが、それでも三井物産は資源への積極的な投資を継続した。三井物産によるこの強気な姿勢の背景には、4,700億円にもおよぶ潤沢な基礎営業キャッシュフローの存在があったとされる［週刊東洋経済2016a、52-55頁］。

業界の両雄であった三菱商事と三井物産が16年3月期に最終赤字に転落したのを尻目に、2,400億円の純利益を記録して商社業界首位に躍り出たのが伊藤忠商事である。2010年に同社の社長に就任した岡藤正広氏は、資源分野への投資を進めなかったわけではないが、資源にはやや距離を置きながら「非資源ナンバーワン商社」を標榜し、食品事業を中心とした生活消費関連への投資に注力した。同社は岡藤氏が社長に就任する前の2003年にはプリマハムへの出資比率を40％弱にまで高めていたが、彼

---

5 **減損損失**：固定資産の収益性が低下して投資額の回収が見込めない場合に、回収可能な額まで帳簿価格を引き下げ、その差額を損失として計上する会計処理のこと。

の社長就任後の13年にはアメリカの大手食品企業ドール・フード社がアジア地域で行っていたバナナ、パイナップルなどの果物関連事業などを1,570億円という伊藤忠商事としては最大規模の買収を行い、話題となった。また食品の供給基地としての意味合いも持つコンビニについても、すでに伊藤忠商事が傘下に収めていたファミリーマートが、名古屋・東海地域にスーパーを展開してきたユニーと2016年に経営統合してユニー・ファミリーマート・ホールディングス（HD）が発足した。これにより約1万2000店あったファミリーマート（ファミマ）とユニー傘下のコンビニ・サークルKサンクス約6,000店は統合されることになった。サークルKサンクスの看板は順次ファミマへの切り替えが進められたが、新生ファミマの店舗数約1万8000店は、ローソンの約1万2500店を抜き、セブンイレブンの店舗数に肩を並べるものとなった。伊藤忠商事はユニー・ファミリーマートHDへの出資比率を高め、また伊藤忠傘下食品卸の日本アクセスなどを通じてグループ全体で食材や関連商品の供給を増やす戦略をとっている［週刊東洋経済2016b、45頁：日経産業新聞2017］。

　一方、伊藤忠商事に業界首位の座を明け渡した三菱商事も食品や小売り部門への関与を強めた。16年にはともに三菱商事傘下であった伊藤ハムと米久ハムを統合し、伊藤ハム米久HDを発足させ、17年にはローソンへの出資比率を高めて子会社化した。さらに傘下の食品卸である三菱食品や海外にある多数の食品関連会社をも有機的に関連させながら食品関連事業への食い込みを図った［日経産業新聞2016：同2017］。

　2016年後半には資源価格が急反発し、これが幸いして赤字に転落していた三菱商事と三井物産は1年後の17年3月期にはすぐさま黒字に転換し、三菱商事は伊藤忠商事から純利益で首位の座を奪還した。

　首位の座を明け渡した伊藤忠商事は、その後も小売業界への関与を強めた。伊藤忠商事はファミリーマートへの出資比率を90％超にまで高めて同社を完全子会社化し、2020年にはファミマを上場廃止とした。これによって伊藤忠商事はファミマに対する経営判断の迅速化、関与度を強めることが可能になったとされる。一方、イオンと提携関係にあった三菱商事は協業の効果が限られてきたとして、2018年末にイオンとの提携解消を

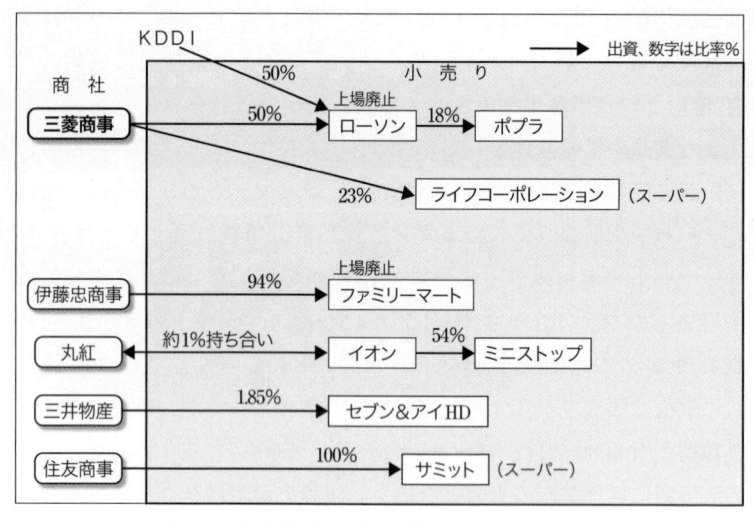

```
                                            出資、数字は比率%
         ＫＤＤＩ        小 売 り
  商 社       50%    上場廃止
  三菱商事      50%    ローソン   18%   ポプラ

                    23%    ライフコーポレーション （スーパー）

                    上場廃止
  伊藤忠商事    94%    ファミリーマート

  丸紅      約1%持ち合い    イオン   54%   ミニストップ

  三井物産    1.85%    セブン＆アイHD

  住友商事    100%    サミット （スーパー）
```

図 8-5 小売業界と商社の関係図（2024 年末頃）

出所）『会社四季報　業界地図 2025 年版』（2024）などをもとに作成。

発表した。イオンは丸紅とも株式の持ち合い比率を薄めた。その後、三菱商事は小売事業の軸足をコンビニに移していき、2024 年には携帯電話事業を手がける KDDI とローソンへの持ち分を 50％づつ持ち合う体制に移行すると発表し、同年 7 月にローソンは上場廃止となった。2024 年末時点では総合商社各社は、小売業界と図 8-5 のような出資関係となっている。

【参考文献】

加護野忠男ほか（2008）『取引制度から読み説く現代企業』有斐閣。
関志雄編（2003）『中国ビジネスと商社』東洋経済新報社。
黄孝春（2003）「鉄鋼」島田克美ほか『総合商社』ミネルヴァ書房。
島田克美ほか（2006）『食と商社』日本経済評論社。
田中彰（2008）「垂直統合と分業・長期戦略」塩見治人・橘川武郎編『日米企業のグローバル戦略』名古屋大学出版会。
田中憲造（2004）『挑戦者、開拓者、改革者』日経事業出版センター。
菱食（1999）『新流通の創造──株式会社菱食社史』。
『会社四季報　業界地図　2025年版』（2024）「コンビニエンスストア」。
『サンデー毎日』（1981）「グループ外との取引拡大したい」3月1日号。
『財界』（2003）「トヨタグループの"窓口商社"から脱皮」2月25日号。
─────（2006）「新しい商社の形づくり：2006年4月から、新生豊田通商がスタート」5月30日号。
『週刊エコノミスト』（2015）「商社の下克上」6月23日号。
『週刊ダイヤモンド』（2010）「特集ユニクロ：柳井正の野望と死角」5月29日号。
『週刊東洋経済』（1998）「『大丈夫』か、総合商社」5月16日号。
─────（2005）「商社パワー　完全復活」12月10日号。
─────（2016a）「ザ・商社」4月16日号。
─────（2016b）「三菱商事vs伊藤忠商事」12月17日号。
『中日新聞』（1999）「兼松、大幅減資で負債圧縮」5月18日。
『日経業界地図　2017年版』（2016）「商社」。
『日経産業新聞』（1999）「兼松が再建3ヶ年計画発表」5月19日。
─────（2016）「伊藤忠、三菱商事と火花」9月2日。
─────（2017）「食：原料～小売り一貫」9月27日。
『日本経済新聞』（2000a）「トーメン、縮小と集中で再建模索」2月9日。
─────（2000b）「トーメン、債権放棄2000億円要請」2月9日。
─────（2000c）「豊田通商、筆頭株主へ」5月23日。
─────（2001a）「総合商社　事業再編が加速」1月26日。
─────（2001b）「商社　始まった大再編（上）」2月9日。
─────（2001c）「総合商社が最高益ラッシュ」5月21日。
─────（2004a）「双日、急ごしらえの再建策」7月24日。
─────（2004b）「そこが知りたい：『商社・夏の時代』は本物か？」8月15日。
─────（2005）「そこが知りたい：突出する収益力、持続力は？」6月26日。
─────（2018）「イオン・三菱商事・提携解消」12月29日。

補論2　豊田通商発展略史

2006（平成18）年にトーメン合併で豊田通商（豊通）は、にわかに注目を浴びることになったが、ここではその豊通の歴史を簡単に見ておこう。

①金融会社としてのスタート

豊通社史では、その源流を1936（昭和11）年に設立されたトヨタ金融株式会社としている。1933年に豊田自動織機製作所に自動車部が設けられており、この自動車部が37年に独立してトヨタ自動車工業となるが、自動車部独立の前年にあたる36年に豊田自動織機がほとんど全額を出資する形で設けられたのがトヨタ金融であった。当時、日本での自動車普及率はまだ低かったものの、自動車販売は80％近くが月賦販売でなされていたから、月賦販売業務を目的とした金融会社を設けたのであった。

だが戦時統制が強まるなか、月賦金融は統制の対象となり、また自動車の生産も軍部優先となったから、トヨタ金融は存続の危機に陥った。そこで1942（昭和17）年2月に豊田紡織保有の株式をトヨタ金融が取得し、豊田財閥の持株会社として存続することになり、同年4月には豊田産業株式会社と改称した。

②商社への転身

1945（昭和20）年8月の敗戦後、豊田産業は外地からの引き揚げ者たちの雇用を確保する目的などもあって、持株会社としての性質も残しながら商業・貿易部門に参入することとなり、豊田財閥傘下企業商品の一部を市場開拓するという任務を託されることとなった。この時、三井物産や東洋棉花などの商社出身の人材が実務の第一線に立っていたという。しかし1947年に豊田産業が持株会社の指定を受けたため、翌48年7月に商事部門を分離して日新通商を設立することになった。財閥解体政策では財閥商号の使用が禁止されていたため、豊田の名は冠することができず、この日新通商という社名に改められたのだが、これは「日々これ新たなり」とい

う決意を秘めたものであったという。

1951年から翌年にかけて財閥解体措置が緩和され、かつての財閥商号が使用できるようになったものの日新通商では豊田を冠さないままの状態が続いた。だがトヨタグループの窓口商社としての実績も高まってきたことから、1956年に豊田通商と社名変更した（豊田通商が豊の字を豊に改めるのは1987年である）。

③創業期の稼ぎ頭は"繊維系"

日新通商の創業時、社長には東洋棉花（後のトーメン）出身の岡本藤次郎が就き、本店は名古屋、そして豊田産業時代のものを継承した大阪支店、東京支店でスタートし、開業年11月には浜松出張所も設置した。創業時の営業部内には貿易、工具、繊維、自動車用品、紡織、雑貨、機械など8課が設けられたが、ここから創業時の取扱品が察知できよう。敗戦の廃墟から繊維産業が目覚ましく復興するなか、創業期の日新通商を支えたのは、繊維に関連する商品の取り扱いであった。グループ企業の愛知工業が生産するガラ紡機、刈谷工機の製編機、メリヤス編機、靴下編機などを国内の紡績各社に販売し、自動織機をインド向けに輸出するなどした。設立年に浜松出張所を設けたのも、浜松が織物の一大産地であったことから、同地での織物類買付けを目的にしていた。また1950（昭和25）年には原綿輸入を開始し、翌年には棉花部を新設している。グループ内に紡績会社があったこと、また豊田自動織機の得意先への棉花販売が期待できたためであった。この際、東洋棉花の棉花輸入経験者が日新通商入りして業務を支えた。1952年には紡織機の輸出と棉花輸入などを目的に、パキスタンのダッカとカラチに初の海外連絡所を設けている（付表参照）。

④トヨタグループ企業の支援とともに

日本の鉄鋼取引では戦前期からの指定問屋制があり、鉄鋼メーカーから指定問屋に指名される必要があったが、日新通商は1950年に鉄鋼取引への参入を試みるものの、この指定問屋制の壁にはばまれて商権確立は難しかった。そこでグループ企業の愛知製鋼がトヨタ自動車に納入していた直

販分を日新経由とすることで日新の鉄鋼商権の基礎を作った。日新は他に日本電装(現デンソー)、愛知工業(現アイシン)の製品の販売にも従事した。

　1956(昭和31)年に豊田通商と社名変更した後、豊通は59年に経営危機に陥るが、その豊通を救ったのはやはりトヨタグループであった。グループ各社が必要とする資材を豊通経由で調達し、またグループ企業で生産する車両、紡績機、繊維製品を豊通経由で国内・海外に販売するという再建策のなかで豊通は復活を果たしていく。ただし自動車輸出については1956年頃に一部例外を除いてトヨタ車の輸出は原則としてトヨタ自動車販売[1]が行うという紳士協定が結ばれていたため、自動車輸出を豊通が行うことは難しかったという。

　1959年には豊通は八幡製鉄、富士製鉄という当時の2大鉄鋼メーカーの指定問屋に指名されることになったが、この背景には、有力ユーザーとしてのトヨタ自動車の鉄鋼メーカーに対する強い影響力が作用したことは間違いない。これを機に豊通の鉄鋼取扱高は飛躍的に増加する。豊通はそれまで繊維中心の取引であったが、この再建過程でグループ各社向け金属・機械製品の取扱高を増やしていくのであった。

　自動車輸出についても1960年ごろ以降、トヨタグループ首脳間で豊通の海外事務所を通じてトヨタ車販売を世界各国に広げることが提起され、トヨタ自販の手が回らない東南アジア・中南米・アフリカなど発展途上国向けへの輸出は豊通が担当することで合意したのであった。

【参考文献】

豊田通商(1991)『人と信頼を育てて──豊田通商40年の歩み』。
────(1999)『新たな豊かさをめざして──豊田通商50年の歩み』。

1　**トヨタ自動車販売**：トヨタ自動車工業は敗戦後、1950(昭和25)年のデフレ不況期に経営危機に直面した際、銀行から融資の条件として生産部門と販売部門を分離するよう求められ、トヨタ自動車工業とトヨタ自動車販売に分離した。トヨタ自工・トヨタ自販が合併してトヨタ自動車となるのは1982(昭和57)年である。

付表　豊田通商の海外出先機関
（支店・出張所・連絡所・駐在員事務所・現地法人）1952-1989 年

	アジア・中東・大洋州	北中南アメリカ	欧州・アフリカ
1952	ダッカ（56 閉）、カラチ		
53	台北、香港、バンコク	ダラス	
54	ジャカルタ		
55	ボンベイ、カルカッタ（59 閉）		
56	ラングーン（58 閉）		
57	マニラ、シドニー（58 閉）	メキシコ（59 閉）	
58			
1960	ダッカ再開（69 閉）、シンガポール（65 閉）	ニューヨーク	
61	サイゴン（76 閉）、クアラルンプール	カラカス	
62		ブエノスアイレス	ブリュッセル、ナイロビ
63	ソウル、ニューデリー（73 閉）	サンパウロ	
64		リマ	ヨハネスブルグ
65		トリニダッド（68 閉）、グアヤキル	
67			アジスアベバ（69 閉）
68		シカゴ（87 閉）	ベオグラード（72 閉）
69		キャラソー（70 閉）、ロサンゼルス	ハンブルグ（86 デュッセルドルフへ）、パリ
1970		サントドミンゴ	
71	シドニー再開		
72	ベイルート（73 閉）		
73	メルボルン		
75	ゲマス（86 閉）、ベイルート再開（75 閉）、シンガポール		
76	ダマスカス、ダッカ再々開、テヘラン（78 閉）	バーミンガム、アスンシオン（80 閉）	カイロ（76 閉）、ウィーン
78	クチン（83 閉）	トリニダッド再開	
79	北京		
1980	チェンマイ（82 閉）	メキシコ再開、サンディアゴ、シャーロット、キト	
81	ドバイ、上海、広州		
82	ダーバン	サンフランシスコ	アンゴラ、カサブランカ
83	ニューデリー再開、テヘラン再開	キングストン、バンクーバー（86 閉）	ロンドン、カイロ再開、モガディシュ
84	天津	デトロイト、サンファン	
85	大連、重慶		モスクワ
86		ケンタッキー	
87	アンカラ	サンホセ、トロント	ストックホルム
88	イスラマバード	インディアナ	
89			アビジャン、アンタナナリボ、ミラノ

注）　1. 現地法人などへの組織替えや現地法人の社名変更については記述対象としていない。
　　　2. 社史にはペルー・リマについて 1964 年開設、1983 年再開と記されているが、1964 年の開設後いつ閉鎖されたのか不明なので、83 年の方は記していない。

資料）　『人と信頼を育てて：豊田通商 40 年の歩み』豊田通商（1991）巻末の年表。

あ と が き

　名古屋地区で大森一宏氏、藤田幸敏氏、島本実氏（現、一橋大学）に木山を加えた4名でささやかな研究会を始めたのは1999年頃であったと記憶する。4名は経営史学会の会員であり、当時いずれも中部地区の大学に勤務していた。研究会開催の頻度は年2回程度で、統一テーマは特に定めず、「最近こんなテーマに関心を持っています」というような内容の報告を各自行う、非常にフランクなものであった。2000年9月の歴史的な東海豪雨の日にも、大雨が降る直前まで、研究会でのんびりと歓談していたことが今も想い起こされる。

　その後、木山が関西の大学に移り、島本氏も関東の大学に、さらに大森氏も関東に移籍されたことから、研究会はいったん消滅するかのような形になっていたのだが、大森氏が明治期の陶磁器輸出に関連して、そこでの問屋・商社の果たした役割を重視されるなか、藤田氏と木山がもともと戦前期の商社活動に関心を置いていたため、戦前期に問屋や商社がオルガナイザーとして果たした役割を探究するような研究会ができないかという模索が始まり、そこに関心を共有する大島久幸氏、加藤慶一郎氏も加わって、問屋・商社史研究会ができ、その後、さらに長廣利崇氏、岡部桂史氏にも参加いただくことになった。商社史の研究といえば、従来は海外貿易での活動に専ら力点が置かれていたと思うが、三井物産をはじめとする大手商社は、国内流通でも卸問屋としてかなりの影響力を持っていたのであって、そのことへの関心から、このような研究会の発足に至ったのだと思う。研究会は東京、名古屋、大阪と持ち回りで行い、経済史学の泰斗石井寛治先生にわざわざ研究会にお越しいただいてコメントを頂戴したり、また経営史学会関東部会（2005年5月例会：於、拓殖大学）で統一テーマ「三井物産と国内流通」のもとメンバーが参加・報告し、東京大学の粕谷誠先生からコメントをいただいたこともあった。石井、粕谷両先生には、改めて厚く御礼申し上げたい。

研究会を何度か重ねるうちに、商社史の通説的な事項を記したテキスト類が近年刊行されていないことが話題に上がるようになった。宮本又次ほか編『総合商社の経営史』（東洋経済新報社、1976 年）、梅津和郎『日本商社史』（実教出版、1976 年）、桂芳男『関西系総合商社の原像』（啓文社、1987 年）、辻節雄『関西系総合商社』（晃洋書房、1992 年：2000 年に新版）などの優れた著書は存在するものの、近年、商社史の研究は格段に進展しており、それらの成果を含んだ通史というかテキスト類は、ほとんどないように思われた。そのようななかで研究会として、学生諸君や初学者にも気軽に読める商社史の通史を書いておこうという雰囲気が醸成され、この度の刊行に至ったものである。多忙のなか寄稿していただいた研究会メンバーおよびコラム原稿をお寄せいただいた高田倫子氏に感謝したい。

　この本がどれほどの成果を上げることができたのかは、読者諸氏のご批判を待つほかないが、研究会としては、今後また本来の趣旨に戻って研究を進めていきたいと思っている。

　　2011 年 8 月

　　　　　　　　　　　　　　　　　　　　　　　　　　木山　実

事項索引

あ

RFG（リョーショク友邦店グループ）. 223
アイシン............................. 237
愛知工業...................... 236, 237
愛知製鋼........................... 236
浅野物産............................ 103
旭紡織............................. 111
麻生............................... 88
　　──商店........................ 87
　　──炭.......................... 87
安宅........................... 159, 160
　　──産業........ 160, 170, 188, 214
　　──商会..... 44, 61, 74, 113, 158, 160, 163
安部幸....................... 103, 109
尼崎製釘所.......................... 167
尼崎紡績............................ 57
アンドレ商会........................ 57
イオン.............................. 222
イギリス東インド会社................ 30
井桁商会............................ 99
伊藤合名会社........................ 94
伊藤コンクリート.................... 111
伊藤外海組................. 58, 92, 93, 95
伊藤染工場........................ 91, 94
伊藤忠... 73, 74, 91, 109, 153, 157, 158, 170, 173, 174, 188, 191, 194, 216, 218, 220, 224
　　──合名会社.................... 157
　　──商事.............. 17, 58, 91, 92, 94, 95, 111, 112, 157, 158, 167, 169, 187, 189, 192-197, 199, 201, 202, 204, 214, 215, 217, 218, 220, 221, 223, 224
　　──商店................ 94, 111, 157
　　──食品........................ 224
　　──テクノサイエンス............ 218
　　──丸紅鉄鋼.................... 215
伊藤忠兵衛（初代・二代）.. 14, 17, 91, 92, 95, 111, 157, 158
伊藤ハム........................... 231
伊藤ハム米久 HD................... 231
伊藤本店............. 58, 91, 92, 93, 94
伊藤萬.......................... 74, 75
伊藤輸出店...................... 91, 93
伊藤洋行............................ 93
イトーヨーカドー............. 221, 222
イトマン事件........................ 74
イラン・ジャパン石油化学（IJPC）.. 197
岩井........................... 159, 160
　　──産業.. 44, 76, 112, 159, 160, 167, 170, 188
　　──商店..... 43, 44, 61, 74-76, 95, 112, 113, 158, 159, 160, 163
岩田商事............................ 74
ウィリアム・ダフ商会................ 75
ウエスティングハウス社............ 111
ウォールマート.................... 222
ウォルシュ＝ホール商会............ 70
エクソン........................... 185
SPA（製造小売業）................. 226
NKK トレーディング.............. 215
NTT 株............................ 213
F. Kanematsu（Australia）Ltd...... 156
王子製紙.................... 85, 86, 87
近江商人........................... 217
大倉組....................... 40-43, 213
大倉商事.................... 43, 170, 213
大倉土木組......................... 42
大阪商船....................... 88, 115
大阪精錬所......................... 89
大阪紡績.............. 51, 54, 56, 81
大阪麦酒........................... 86
大里製糖...................... 104, 124
小郡商事........................... 227
乙川綿布会社....................... 99
小野組............................. 24
小野商会........................... 59

か

海運取引所制度..................... 105
海援隊........................ 28, 29
カイザー・スティール社 185
貝島........................ 87, 88
　──鉱業........................ 87
　──炭坑..................... 85, 87
加島............................ 27
加商........................... 228
ガダム・バイテル商会 57
鐘淵紡績.......... 54, 84-87, 91, 93, 94
カネボウ........................ 222
兼松.... 75, 156, 160, 170, 188, 191, 214, 216
　──江商............... 188, 192-194
　──商店...... 61, 74, 75, 156, 157, 160
嘉納............................ 27
亀山社中........................ 29
刈谷工機....................... 236
官営富岡製糸場.................. 47
官営三池炭礦（炭坑・炭鉱）... 51, 70, 82
関西系（繊維）商社... 101, 111, 165, 167,
　　168, 173
関西系専門商社.................. 129
関西五綿............... 157, 173, 194
カントリーイーグル社 226
企業集団...... 165, 171, 173, 183, 184, 193,
　　207, 208, 217
岸本商店................ 74, 157, 167
北風............................ 27
北川商店........................ 74
木下産商................... 187, 188
共益社.......................... 93
共同運輸会社.................... 16
共同漁業....................... 150
居留地..... 17-19, 27, 32, 37, 38, 43, 58, 70
　──貿易......... 17-19, 37, 38, 40, 43
起立工商会社................. 41, 43
麒麟麦酒（キリンビール）...... 32, 89
日下部商店....................... 44

久原........................... 109
　──鉱業...................... 109
　──商事...................... 103
グラバー商会.............. 16, 29, 31
グリーソン社................... 160
呉羽紡績.................. 158, 167
減損損失...................... 230
小網.......................... 224
興亜院........................ 143
興亜護謨産業.................. 154
交易営団................. 132, 145
広業商会................... 41, 43
江商...... 57, 74, 109, 112, 153-155, 157,
　　163, 167, 170, 188, 194, 217
康徳桟........................ 151
康徳肥料工業.................. 151
鴻池....................... 27, 28
神戸製鋼所.............. 124, 160
神戸製紙所..................... 89
神戸銅売捌出張所............... 90
光和実業...................... 171
国際デジタル通信（IDC）........ 204
国際電信電話（KDD）........... 203
寿製作所...................... 150
互洋貿易...................... 172

さ

サーゲル商会................... 39
サウスオーシャン社............ 226
佐々木実業.................... 155
札幌麦酒...................... 86
サミットストアー.............. 221
三栄紙業..................... 169
産業再生機構................. 222
三興（株式会社）......... 158, 167
三泰産業..................... 142
三友小網..................... 224
三友食品..................... 224
三洋証券..................... 213
山陽特殊鋼................... 188

三和	19, 130, 184
――銀行	173, 217
GHQ（連合国軍最高司令官総司令部）	166, 167, 178
JFE商事	215
ジーメンス社	209
J. Gunton（Australia）Pty., Ltd	156
シェブロン	185
指定問屋制	236
自動車製作所	111
品川毛織	85, 86
品川白煉瓦	85, 86
芝浦製作所	85, 86
島田	24, 220, 224
ジャーディン・マセソン商会	29–32
上海住友洋行	90
上海紡織	154
住宅金融専門会社問題（住専問題）	213
重要物資管理営団	131, 132, 145
シュミットスパーン商会	34
商権	37–40, 146, 170–172, 188, 193, 202, 236, 237
証券恐慌	187
商工併進主義	74
商船三井	110
商法会所	28
昭和製鋼所	159
昭和飛行機工業	141
昭和綿花	155
新亜細亜石油（株）	185
信昌洋行	93
新電気通信事業法	204
新日本製鐵（新日鉄）	215, 216
鈴木商店	43, 44, 61, 101, 104, 105, 108, 112, 124, 125, 158, 160
ステッドラー	75
住友	4, 13, 14, 15, 55, 56, 73, 90, 94, 95, 109, 110, 173, 178, 184, 207
――化学	173
――銀行	90, 111
――金属工業	173
――金属鉱山	173
――商事	56, 90, 170, 173, 174, 188, 192–195, 199, 201, 202, 204, 214, 219–222
――倉庫	90
――電工	173
西友	221, 222
石油配給統制株式会社	148
石油メジャー	185, 193
摂津（紡績）	57
ゼネラル物産	171, 172
セブン＆アイ・ホールディングス	222
セブンイレブン	222
先収会社	24, 44, 45, 70
専売局	85, 87
船場八社	58, 173
専門商社	37, 57, 67, 74, 95, 129, 130, 153, 156, 160, 168, 171, 173, 214, 216
双日	74, 75, 214, 217, 227
双日ホールディングス	217

た

第一勧業銀行（一勧）	217
第一銀行	173
第一通商	170, 172, 174
第一物産	170, 172, 174
ダイエー	221, 222
大韓油化工業株式会社	190
大建産業	157, 158, 167
大同貿易	112, 158, 167
大日本製糖	85, 124
大日本麦酒	85, 86
太平洋漁業	151
太平洋貿易	155
ダイヤプラスチック	202
ダイヤモンド・エナジー社	202
太洋貿易	169
太洋捕鯨	150
大洋丸	163, 164
大連酒精	111

台湾銀行	112	東京貿易商社	23, 24
高島（炭鉱）	31, 32, 89	東京紡績	85, 86, 87
高島屋	169	東京砲兵工廠	85, 87
高島屋飯田	156, 169, 170, 173	東京三菱銀行	216, 217, 228
高島屋呉服店	169	東京モスリン	85, 86
高田機械製作場	111	東西交易	170, 171
高田機工	154	東食	228
高田鉱業	111	同伸会社	39, 40, 58, 59
高田商会	111	東通株式会社	188
高田船底塗料	111	東洋アルミ	173
田川（炭鉱）	82	東洋機械	150
忠隈炭坑	90	東洋信託銀行	217
タタ商会	57	東洋棉花	57, 110, 111, 153-157, 170, 194, 235, 236
辰馬	27		
ダフ商会	75, 76	十日会	170
玉造船所	110	トーメン	188, 192-194, 214, 216, 217, 227-229, 235, 236
俵物	12, 13		
筑豊（炭鉱）	82, 87, 90	ドール・フード社	231
中央毛織	160	戸畑鋳物	150
通商会社	28	富岡製糸場	47, 58
通商司	28	豊島商店	74
津上製作所	140	トヨタ金融株式会社	235
帝国銀行	40, 41	トヨタグループ	228, 229, 236, 237
帝国人造絹糸（帝人）	124	豊田財閥	235
帝国制帽会社	75	豊田産業（株式会社）	235, 236
テキサコ	185	豊田式織機	99
鉄鋼統制会	159	豊田自動織機（製作所）	100, 227, 235
鉄鋼販売統制株式会社	159	トヨタ自動車	99, 100, 204, 227, 229, 236, 237
鉄道作業局	85, 86		
デンソー	237	トヨタ自動車工業（トヨタ自工）	235, 237
デント商会	30	トヨタ自動車販売（トヨタ自販）	237
天満（紡績）	57	豊田通商（豊通）	214, 217, 227, 235, 237, 238
東亜製粉	85, 86		
東海銀行	216, 217	豊田通商	236
東京石川島造船所	140	豊田紡織	99, 235
東京海上日動	229	トレディアファッション	226
東京銀行	188, 204		
東京芝浦電気	140	**な**	
東京人造肥料	85, 86, 87	内外綿	57, 74
東京貿易	170, 171	内外用達会社	42

名古屋織布................... 99
南方調査会................... 152
南北棉業..................... 154
西野商事..................... 224
日満商事................. 150, 159
ニチメン............. 74, 112, 214, 217
日綿（實業）. 57, 74, 109, 113, 154, 155, 160,
　168, 170, 173, 174, 188, 192, 193, 194
日魯漁業..................... 151
日産自動車............ 140, 141, 198
日商..... 112, 158, 159, 160, 170, 173, 188
日商岩井..... 112, 188, 193-195, 199,
　201, 202, 204, 214-217
日商産業..................... 160
日清食品................. 186, 187
日新通商................. 235, 236
日鉄商事..................... 215
日東合資会社................. 93
日東倉庫..................... 172
日本アクセス............ 224, 231
日本生糸（株）会社........ 59, 150
日本機械貿易................. 172
日本空気機械................. 140
日本クロード式窒素肥料..... 124
日本建設産業................. 173
日本ケンタッキー・フライド・チキン社..
　192
日本鋼管............ 148, 157, 188, 215
日本興業銀行................. 217
日本国際通信（IJT）........... 204
日本債券信用銀行............. 213
日本雑貨商社................. 92
日本雑貨貿易商会............. 92
日本雑貨貿易商社............. 92
日本産業................. 51, 69
日本商業................. 112, 124
日本製鋼..................... 140
日本精製糖............... 85, 86
日本製鐵............ 148, 157, 159, 215
日本製粉................. 85, 86

日本石炭株式会社............. 139
日本長期信用銀行............. 213
日本鉄道................. 85, 86
日本電装..................... 237
日本陶器..................... 43
日本土木会社................. 42
日本麦酒................. 85, 86
日本発条..................... 160
日本貿易会............ 131, 195, 196
日本捕鯨..................... 150
日本綿花.... 57, 74, 112, 153, 154, 157, 160
日本郵船（会社）........ 16, 83, 88, 115
日本ブランズウィック社....... 191
ネスカフェ................... 187
ノートン社................... 160

は

バーター取引................. 147
ハマスレー鉱山............... 185
播磨造船所................... 124
半田綿行..................... 74
P&O 社...................... 186
ビッカース社................. 209
日の出商会................... 42
兵庫商社............... 26, 27, 28
平野（紡績）................. 57
ファーストリテイリング社..... 226, 227
ファミリーマート........ 221, 231
富士瓦斯紡績............. 85-87
富士銀行............ 170, 188, 217
不二商事................. 170, 171
富士製紙................. 85, 87
富士製鉄................. 170, 237
芙蓉....................... 184
ブラウン・シャープ社......... 160
プラット社............... 54, 100
フランス石油会社（CFP）..... 185
ブリティッシュ・ペトロリアム..... 185
プリマハム................... 230
古河................. 103, 109, 110

――鉱業................. 85-87, 109
――合名.................... 103
――財閥..................... 24
――商事............. 103, 107, 109
ペイント製造................. 111
別子銅山............... 13-15, 90
紅忠...................... 91
貿易業整備要綱............... 131
貿易公団.................. 168
貿易商会....... 55, 58, 59, 62, 63, 92, 176
貿易庁.................... 168
貿易統制会.............. 131, 132
豊年製油................... 124
北海道拓殖銀行............... 213
北海道養狐................. 111
ボルチック海運取引所............ 105
ボロヂン高田酒造.............. 111

ま

牧山骸炭製造所................ 89
増田................... 109, 111
増田屋.................. 103, 120
又一................... 74, 170
松下鈴木................... 224
松下電器産業................ 204
丸永（商店）.............. 74, 173
丸善.................... 55, 59
丸善石油................... 140
丸紅..... 17, 58, 73, 74, 91, 157, 158, 167, 169, 170, 173, 174, 185, 188, 190-196, 198, 199, 201, 202, 204, 209, 214-217, 220, 222
――商店............. 111, 157, 167
――飯田........... 185, 188, 190, 192
満州特産専管公社.............. 151
満州農産公社................ 142
三池炭............. 46, 47, 51, 70, 82
三池紡績................... 54
三重紡績................... 54
みずほ銀行.................. 217
三田土ゴム................ 85, 86

三井........... 13, 14, 16, 22-24, 45, 51, 55, 56, 70, 94, 135, 141, 143, 145, 159, 160, 167, 172, 178, 184, 197, 207
――大元方.................. 45
――銀行................ 45, 172
――組国産方............ 24, 45, 46
――家.. 14, 22, 24, 27, 28, 36, 45, 135, 207
――系会社社長有志会........... 172
――鉱山................. 82, 85
――合名会社....... 70, 71, 102, 135
――呉服店.................. 24
――財閥..... 66, 70, 82, 119, 126, 135, 141, 145
――食品.................. 224
――船舶.................. 110
――造船.................. 110
――木材工業............... 172
――元方................... 82
三菱..... 15, 16, 55, 56, 59, 73, 88, 94, 95, 103, 159, 160, 167, 172, 176, 178, 184, 201, 207, 229
三菱グループ........... 172, 193, 217
三菱鉱業.............. 150, 185
三菱合資....... 55, 85-90, 103, 146, 178
三菱財閥.............. 146, 178
三菱自動車........... 198, 202, 217
三菱重工業............ 166, 217
三菱樹脂.................. 202
三菱商会................... 16
三菱食品.............. 224, 231
三菱製紙所................. 89
三菱電機.................. 150
三菱東京 UFJ 銀行............ 229
三菱馬来機械製作所............ 152
南満州鉄道株式会社（満鉄）.... 139, 150
宮城水力.................. 111
室町物産.................. 172
メイカン.................. 224
明治屋............... 223, 224
明治安田生命................ 229
メタルワン................. 216

モービル	185
茂木家	109
茂木合名	60, 103
茂木商店	74
森村・新井商会	59
森村組	40–43, 58
森村グループ	43
モリムラ・ブラザーズ	42

や

八木商店	74
八幡製鉄所	87, 148, 158, 159, 170, 237
山一證券	187, 213, 214
山内航空機	154
山口商店	75
山下汽船	105
山野炭鉱	82
湯浅	109
UFJ	217
雪印	224
雪印アクセス	224
ユニー	231
ユニー・ファミリーマート・ホールディングス（HD）	231
ユニクロ	226, 227
横須賀海軍工廠	85, 86, 87
横浜生糸合名会社	58, 59
横浜正金銀行	88, 94
米久ハム	231

ら

リーボック	204
リーマンショック	229
立業貿易	145, 146
竜興製油	151
菱華公司	89
菱食（リョーショク）	223, 224
レザーブ	117, 136
連合生糸荷預所事件	38, 58
ロイヤルウースター	204
ローソン	221, 231
六合商会	151
ロベルタ	204

人名索引

あ

鮎川義介.................. 141
秋馬新三郎................ 57
朝吹英二.................. 55, 59
安宅弥吉.................. 44
新井領一郎................ 58
飯田新七.................. 169
池田勇人.................. 183
石田礼助.................. 132, 136
伊藤長兵衛................ 91, 111
伊藤萬助.................. 74
井上馨.................... 24, 44, 45, 70
井上準之助................ 119
岩井勝次郎................ 44, 75, 112
岩井文助.................. 44
岩崎小弥太................ 146, 178
（岩崎）久弥.............. 178
岩崎弥太郎........ 14-16, 55, 59, 176, 178
（岩崎）弥之助............ 178
江崎誠三.................. 227
大久保利通................ 40, 42
大隈重信.................. 55, 59
大倉喜八郎................ 41
岡藤正広.................. 230
岡本藤次郎................ 236
小栗忠順.................. 26

か

甲斐織衛.................. 176
金子直吉.................. 44, 104, 108, 124
兼松房治郎................ 157
岸信介.................... 141
喜多又蔵.................. 74
ケンペル（Engelbert Kaempfer）.. 10, 11
甲州屋忠右衛門............ 25
鴻池善右衛門.............. 57

小島順彦.................. 221
児玉一造.................. 110
後藤新平.................. 124
近衛文麿.................. 130
小林正直.................. 119
近藤陸三郎................ 110

さ

坂本龍馬.................. 28, 29
佐藤百太郎................ 42, 58
佐野理八.................. 58
志筑忠雄.................. 11
司馬遼太郎................ 28
渋谷庄三郎................ 57
渋谷正十郎................ 57
清水宗徳.................. 40
鈴木岩次郎................ 104
鈴木敏文.................. 221
鈴木馬左也................ 90, 110
（鈴木）よね.............. 124
住井辰男.................. 132
外海鉄次郎................ 92

た

高畑誠一.................. 108, 112
田中角栄.................. 174, 195, 209
田中完三.................. 136, 147
田村駒.................... 74
団琢磨.................... 71, 119
千速晃.................... 216
鶴谷忠五郎................ 93
鄧小平.................... 225
豊田佐吉.................. 99

な

中居屋重兵衛.............. 25
中野太右衛門.............. 57
中上川彦次郎.............. 70
中屋徳兵衛................ 70
新関八洲太郎.............. 164, 176

人名索引　249

ニクソン.................... 174, 195
西原亀三..................... 93
丹羽宇一郎................... 218
野田岩次郎................... 176

は

林銑十郎..................... 130
早矢仕有的................... 59
速水堅曹..................... 58
原善三郎..................... 38
広瀬宰平..................... 15
広田弘毅..................... 130
福沢諭吉.............. 55, 59, 176
藤瀬政次郎................... 110
藤野亀之助................... 99
古河市兵衛................... 24
星野長太郎................. 39, 58

ま

前川善助..................... 93
前田卯之吉................... 75
前田正名..................... 40
益田孝....... 45, 47, 60, 63, 65, 66, 70, 71
水上達三..................... 182
三井武之助................... 45
三井養之助................... 45
三野村利左衛門............... 45
宮崎有敬..................... 39
茂木惣兵衛................... 38
森村市左衛門............... 42, 58
森村豊..................... 42, 58

や

安川雄之助............ 118, 123, 126
柳井正....................... 226
柳田富士松................... 124
山口玄洞..................... 75
山本権兵衛................... 209
米倉功....................... 211

【執筆者略歴】(50音順)

秋山　勇（あきやま・いさむ）
1959年生。慶応義塾大学商学部卒業。伊藤忠商事ワシントンDC事務所長、伊藤忠総研代表取締役社長などを歴任。主著：「総括」（猿山純夫監修、日本貿易会「内なるグローバル化と商社」特別研究会『「内なるグローバル化」による新成長戦略と商社』文眞堂、2017年）。

大島　久幸（おおしま・ひさゆき）
1968年生。専修大学大学院経営学研究科博士後期課程修了。高千穂大学経営学部教授。主著：「両大戦間期における海運市場の変容と三井物産輸送業務」（『経営史学』第43巻第4号、2009年）、「戦前期における三菱商事の海運業務」（『三菱史料館論集』第19号、2018年）。

大森　一宏（おおもり・かずひろ）
1959年生。早稲田大学大学院経済学研究科博士後期課程満期退学。駿河台大学経済経営学部教授。主著：『森村市左衛門』（日本経済評論社、2008年）、『近現代日本の地場産業と組織化』（日本経済評論社、2015年）。

岡部　桂史（おかべ・けいし）
1974年生。大阪大学大学院経済学研究科博士後期課程修了。立教大学経済学部教授。主著：「三菱商事北米支店と日産自動車」（上山和雄・吉川容編『戦前期北米の日本商社』日本経済評論社、2013年）、「戦時下の農業機械生産──『民軍転換』の一局面」（『立教経済学研究』第69巻第5号、2016年）。

加藤　慶一郎（かとう・けいいちろう）
1964年生。神戸大学大学院経済学研究科博士課程後期課程満期退学。大阪商業大学総合経営学部教授。主著：『近世後期経済発展の構造──米穀・金融市場の展開』（清文堂、2001年）、「両大戦間期における三井物産の農産物取引──鶏卵を中心に」（『流通科学大学論集──流通・経営編』第21巻第1号、2008年）。

木山　実（きやま・みのる）
1969年生。同志社大学大学院商学研究科博士後期課程中途退学。関西学院大学商学部教授。主著：『近代日本と三井物産──総合商社の起源』（ミネルヴァ書房、2009年）、「食の商品史」（石川健次郎編『ランドマーク商品の研究』同文舘出版、2004年）。

高田 倫子（たかた・みちこ）
1980 年生。神戸大学大学院経済学研究科博士後期課程修了。朝日新聞メディアプロダクション地域面編集部勤務。主著：「中世から近世移行期の銭貨流通――中国地方における考古資料を中心に」（『社会経済史学』第 73 巻第 4 号、2007 年）。

長廣 利崇（ながひろ・としたか）
1976 年生。大阪大学大学院経済学研究科博士後期課程修了。和歌山大学経済学部教授。主著：『戦間期日本石炭鉱業の再編と産業組織――カルテルの歴史分析』（日本経済評論社、2009 年）、「戦間期三井物産の外国石炭取引――台湾炭取引を中心に」（安藤精一他編『近世近代の歴史と社会』清文堂、2009 年）。

藤田 幸敏（ふじた・ゆきとし）
1962 年生。専修大学大学院経営学研究科博士後期課程満期退学。福井工業大学経営情報学部教授。主著：「21 世紀の企業者」（唐澤昌敬他編『21 世紀の日本社会』八千代出版、2006 年）、「産糖処分協定成立の障壁と糖業連合会の模索」（社団法人糖業協会監修、久保文克編著『近代製糖業の発展と糖業連合会』日本経済評論社、2009 年）。

総合商社の歴史

2011 年 11 月 30 日初版第一刷発行
2025 年 7 月 1 日初版第六刷発行

編　著　大森一宏・大島久幸・木山実

発行者　田村和彦
発行所　関西学院大学出版会
所在地　〒 662-0891
　　　　兵庫県西宮市上ケ原一番町 1-155
電　話　0798-53-7002

印　刷　協和印刷株式会社

©2011 Kazuhiro Ohmori, Hisayuki Ohshima, Minoru Kiyama
Printed in Japan by Kwansei Gakuin University Press
ISBN 978-4-86283-096-8
乱丁・落丁本はお取り替えいたします。
本書の全部または一部を無断で複写・複製することを禁じます。